Quand revient septembre...

GUIDE SUR LA GESTION
DE CLASSE PARTICIPATIVE

Jacqueline Caron

Les Éditions de la Chenelière inc.
MONTRÉAL

QUAND REVIENT SEPTEMBRE...
Guide sur la gestion de classe participative

Jacqueline Caron

© 1994 Les Éditions de la Chenelière inc.

Révision linguistique: Nicole Blanchette
Correction d'épreuves: Claire Campeau, Odile Dallaserra
Illustrations des outils organisationnels:
Michel Bérard, Pierre Brignaud
Conception graphique: Josée Bégin
Infographisme: Josée Bégin, Pauline Lafontaine

Collaboration à la rédaction: Lise Lachance
Consultation: Christiane Gagnon, Michel Chassé
Couverture: Johane Doucet, *Quand revient*
  septembre (détail), huile sur toile,
  40 cm × 50,5 cm, collection privée.

Données de catalogage avant publication (Canada)

Caron, Jacqueline

  Quand revient septembre: guide sur la gestion de
  classe participative

  Comprend des réf. bibliogr.

  ISBN 2-89310-199-2

1. Classes (Éducation)– Condition. 2. Élèves – Participation à l'administration. 3. Motivation en éducation.
 4. Enseignement – Méthodes actives. 5. Interaction en
éducation. I. Titre.

LB3013. C37 1994   371.1'024   C94-941570-7

Les Éditions de la Chenelière inc.
7001, boul. Saint-Laurent
Montréal (Québec)
Canada H2S 3E3
Téléphone: (514) 273-1066
Télécopieur: (514) 276-0324
info@cheneliere.ca

Présentation du tableau et de l'artiste

Johane Doucet est une jeune artiste native du Bic. Elle
vit toujours dans cette région dont elle peint des
paysages avec générosité. Les couleurs de ses tableaux
se marient dans une douce harmonie. La sérénité qui se
dégage de ses œuvres est non seulement un plaisir pour
l'œil, mais un véritable hommage à la vie. Sans doute,
la beauté originale de ce coin de pays a joué un rôle pri-
mordial dans sa carrière de peintre.

Ancienne élève de Jacqueline Caron, elle a accepté de
créer un tableau pour la page couverture de *Quand
revient septembre*. Dans un mouvement qui va du général au particulier, un peu comme une caméra qui saisirait
d'abord le ciel, puis la cour d'école, puis la classe: voilà
pourquoi ce tableau évoque à la fois la nature, à l'au-
tomne, la rentrée scolaire de l'enfant et les attitudes
d'accueil et d'ouverture de l'enseignante. Le mouvement
invite l'observateur à continuer les gestes et à vivre avec
chaleur, harmonie et complicité.

Préfaces

La théorie nourrit la pratique, mais la pratique vient corriger la théorie...

(Mao Tsé-toung)

La gestion de classe n'est pas une réalité nouvelle. Dès qu'une enseignante entre en contact avec son groupe d'élèves, elle s'interroge sur le climat de sa classe, sur l'organisation de celle-ci, sur ses modes d'intervention et sur son «comment faire?». Comment susciter l'intérêt des élèves? Comment les responsabiliser et les amener à prendre part à leurs apprentissages? Comment parvenir à les charmer, à les toucher et à les instruire?

De ma sixième année du primaire (1981), je conserve d'agréables souvenirs. Cette année a d'ailleurs été déterminante pour ma carrière d'enseignante. Quel plaisir d'apprendre dans un climat de confiance où l'enseignante guide l'élève et où ce dernier construit ses apprentissages à partir de ses expériences! Je me souviens, entre autres, de la fébrilité et de l'attente ressentie en regard du voyage culturel à Québec effectué à la fin de l'année scolaire. Les endroits visités n'étaient pas de l'ordre de l'inconnu puisque tout au long de l'année, une recherche avait été entreprise. Ainsi, chaque élève pouvait construire son propre journal, selon ses goûts et intérêts particuliers. Respect, liberté de choix, amour et renforcement positif étaient vécus quotidiennement en classe. Le tableau de programmation qui me permettait de gérer moi-même l'ordre dans lequel je voulais faire les activités, les coins d'enrichissement, les ateliers, autant d'outils qui m'ont amenée à me responsabiliser en tant qu'apprenante et qui ont su susciter chez moi intérêt et engagement dans mes études.

Œuvrant depuis deux ans auprès d'enfants au préscolaire, je découvre les exigences et les joies de la carrière d'enseignante. À mon tour, j'essaie de donner aux enfants le goût d'apprendre. Je recherche des interventions appropriées afin de les aider à faire des découvertes, à résoudre des conflits et de leur permettre aussi de développer leur autonomie et leur créativité.

En conclusion, disons que ce livre se veut un recueil d'outils précieux qui pourra assurément aider plusieurs enseignantes dans le quotidien, répondant ainsi à leurs préoccupations, à leurs questions et les guidant dans une démarche de croissance personnelle et de gestion participative.

Katie Dionne
Enseignante au préscolaire

Si une fois de plus septembre revenait à grands pas, il allait être, cette année-là, des plus envoûtants. Jacqueline, mon enseignante, avait en tête mille projets pour les mois à venir, mais ce sont nos idées, celles de chacun de ses élèves, qui allaient avant tout être considérées et respectées. Ainsi, répondant à nos besoins, à nos intérêts et à nos préoccupations, la classe se façonnait peu à peu à l'image du groupe que nous formions. Aussi nous imprégnait-elle d'une saine atmosphère de partage, de coopération, de dynamisme, de plaisir et de confiance, si bien que nous allions tout mettre en œuvre pour que nos efforts nous mènent à bon port, entraînés par une motivation sans borne.

Désirant par-dessus tout que nous devenions autonomes et responsables de nos apprentissages, Jacqueline se gardait bien de faire les choses à notre place ou de nous diriger, par un enseignement restrictif ou trop structuré, dans l'étroite et unique voie de *la* bonne réponse. Elle préférait sans contredit nous amener à réfléchir et à manipuler, chacun à sa façon et selon ce qu'il est, à partir de situations ouvertes, concrètes, signifiantes et tirées du quotidien, de notre quotidien. Notre enseignante était devenue notre partenaire, notre personne-ressource, notre guide. Telle une mère pour ses enfants, elle aimait ses élèves inconditionnellement et croyait suffisamment en eux pour permettre que reposent entre leurs mains les éléments de leur réussite.

Sans aucun doute, la confiance en soi comme enseignante de même que ce qui en découle, soit la confiance en ses idées, en son projet et en ses élèves, sont des mots clés à retenir dans l'implantation d'une gestion de classe participative. Une attitude positive en ce sens permet entre autres d'avoir le goût d'aller de l'avant, d'oser la créativité, d'exploiter à fond ses possibilités et ses ressources et d'être moins vulnérable face aux difficultés. À l'égard des enfants, les résultats sont tout aussi remarquables. Un sentiment de sécurité et d'aisance dans ce qu'ils font leur est transmis, ils disposent d'une plus grande autonomie, ils ont davantage la liberté de choisir et on leur confie sans hésiter certaines responsabilités.

Avec quelques années de recul, je suis consciente que ce que je retire de ma sixième année (1983) consiste non seulement en un ensemble de connaissances, mais aussi et surtout en des méthodes de travail variées, en une meilleure image de qui je suis, en des attitudes favorables à l'apprentissage et à la vie de groupe et en différentes habiletés transférables dans ma vie de tous les jours. Comme aux autres élèves, on m'a appris à créer, à m'organiser, à planifier, à prévoir, à évaluer, à communiquer et à aller chercher les ressources dont j'ai besoin pour progresser, etc. Bref, ce que j'ai appris était signifiant et je ne l'ai pas oublié. Chaque jour, je réinvestis ces outils qui me permettent d'apprendre encore et encore.

Au fil des ans, j'ai adopté cette même philosophie et je partage de plus en plus les mêmes convictions. J'ai eu du plaisir en classe, j'aime encore l'école aujourd'hui et je désire plus que tout devenir enseignante. Je rêve de faire en sorte que, tout comme mes compagnons de classe et moi, mes élèves aient du plaisir à découvrir plutôt que de considérer l'apprentissage comme une tâche lourde et sans attrait.

Il est important que mes futurs élèves vivent avec moi des expériences qui auront du sens pour eux. C'est le type de classe que je veux bâtir et je ne peux concevoir l'apprentissage et l'enseignement différemment de ce que j'ai vécu.

Chantale Belzile
Étudiante bachelière en éducation
disponible pour entreprendre une carrière si...

Remerciements

Je tiens d'abord à remercier tous les enfants à qui j'ai enseigné. Ensemble, nous avons vécu, nous avons expérimenté et nous avons construit. Mes remerciements s'adressent également à toutes les personnes qui m'ont suggéré fortement de mettre par écrit tout ce matériel pédagogique élaboré au fil des ans.

Un merci tout à fait spécial à des pédagogues qui ont influencé mon cheminement. Chacune, chacun m'a apporté des éléments importants que vous retrouverez dans cet ouvrage-synthèse. Merci à Claude Paquette, André Paré, Conrad Huard, Denise Gaouette, Rosée Morissette, Pierre-Paul Gagné, Pierre Audy, Antoine de la Garanderie, Jim Howden, Gérald Trottier, Jean-Pierre Legault, Ernestine Lepage, Philippe Meirieu et Jacques Tardif.

Je m'en voudrais de passer sous silence la collaboration qui m'a été offerte par les animatrices du Centre de formation Jacqueline Caron. Elles ont contribué, chacune dans leur champ de compétences, à la création de certains outils organisationnels. Grand merci à Kathleen Dunnigan, Lucille Robitaille, Christiane Gagnon, Sylvie Côté, Louise Capra, Lisette Ouellet, Muriel Brousseau-Deschamps et Diane Modéry!

Quelques écoles et quelques commissions scolaires ont apporté également leur contribution par l'apport de photographies et l'élaboration de certains outils organisationnels.

J'ai également reçu la collaboration de deux critiques pédagogiques pour améliorer la qualité du contenu de l'ouvrage. Christiane Gagnon et Michel Chassé ont accepté de me relire, de discuter avec moi et de me faire part de commentaires pertinents et de conseils judicieux.

La rédaction d'un livre requiert du temps et des énergies. Et le défi a été de taille puisque, parallèlement, il m'a fallu mener de front l'animation pédagogique sur le terrain et la rédaction de ce guide. Un merci particulier à Mme Lise Lachance qui a été ma collaboratrice à la rédaction. Elle s'est imprégnée de mes valeurs, de mes croyances, elle s'est laissé raconter mon expérience et elle a fouillé dans mon matériel pédagogique. Finalement, elle a traduit fidèlement ma pensée, ma philosophie et mes approches.

Des personnes très près de moi ont participé à leur façon à la naissance de ce guide. Jean-Guy, mon compagnon de vie depuis vingt-six ans, a été témoin de toute la gamme des émotions qui peut être vécue dans un projet d'une telle envergure: joies, doutes, inquiétudes, fatigue et peurs. Il m'a écoutée et encouragée tout au long de ce projet. Il m'a libérée de certaines tâches quotidiennes pour que j'aie plus de temps pour écrire. De plus, il a accepté de restreindre nos moments de loisirs et de détente. Un merci empreint de gratitude et d'affection.

Quant à Stéphane et à Sébastien, qui sont aujourd'hui deux jeunes hommes qui ont quitté le nid familial pour voler de leurs propres ailes, je les remercie d'avoir accepté les absences répétées de leur mère, parfois enseignante, parfois directrice d'école et parfois consultante. Ils ont su composer avec cette réalité professionnelle et c'est avec beaucoup d'émotion et de fierté que je les vois entrer dans un monde d'adultes avec plein d'assurance et d'équilibre.

Quand revient septembre…

Douceur du soleil qui se fane
pour ensevelir des ors
dans l'éternité d'une feuille.

Traînée d'oiseaux
sur l'autoroute des départs
dans le champ heureux du ciel.

Musique des bruits d'école
des jeux de billes et de ballon
enchâssés entre livres et leçons.

Le temps sait-il
qu'il recommence à neuf
dans les yeux d'un enfant?

Entre son rêve et le mien
je dessine les mains tendues
de la complicité.

J'ouvre la fenêtre des jours
au plaisir encore jeune
d'apprendre ensemble.

Le cœur me tremble un peu
comme pour une fête
où le passé et l'avenir se donnent rendez-vous.

Quand revient septembre
le soleil se met au chaud dans ma classe
et règne sur toutes nos découvertes.

LISE LACHANCE

Je dédie ce guide à tous ceux et celles qui ont la passion de l'éducation et de l'enseignement et qui veulent vivre cette passion avec leurs élèves.

Table des matières

Outils

CHAPITRE 4
COMMENT ACTUALISER LA PHILOSOPHIE ET LE CONTENU
DES PROGRAMMES? **185**

Introduction

*Le plus long des voyages
commence par un petit pas.*

(Proverbe ancien)

Au cours de mes dix premières années d'enseignement, je me suis souvent trouvée confrontée à des réalités qui provoquaient en moi de la déception, de la culpabilité et, surtout, de la réflexion. Mes élèves n'avaient pas suffisamment le sens de l'effort, ils manquaient d'autonomie, ils m'obligeaient à jouer le rôle d'une agente de police, ils ne travaillaient pas suffisamment à la maison… Je m'arrêtais et je m'interrogeais. Pourquoi, alors que j'étais une praticienne bien formée et très engagée dans l'enseignement primaire, certains faits échappaient-ils à mon contrôle et à ma compréhension?

Au fil du temps, les «pourquoi» se sont faits plus précis:

– Pourquoi les enfants perdent-ils du temps en classe? Ce que je leur propose n'est-il pas intéressant? Il me semble que je m'efforce pourtant de multiplier et de varier les activités, que le travail ne manque pas…

– Pourquoi les enfants oublient-ils si vite et si facilement les connaissances acquises? Je passe pourtant des heures à expliquer, à manipuler avec eux, à donner des exemples, à proposer des modèles, des techniques. Mon enthousiasme n'est-il donc pas contagieux?

– Pourquoi certains enfants sont-ils si peu motivés face à ce que je propose? Quand je leur annonce qu'ils vont apprendre quelque chose de nouveau, ils paraissent pourtant emballés. Ils cheminent un bout de temps avec moi et, brusquement, je me rends compte que plus rien ne va, je les ai perdus…

– Pourquoi certains enfants n'arrivent-ils jamais à saisir une notion, même si je la répète souvent et même s'ils font et refont les exercices appropriés? Ils devraient pourtant finir par comprendre, je n'aborde jamais qu'une difficulté à la fois, je me soucie de la progression des étapes…

– Pourquoi, alors que je pense les aider en reprenant les explications, ces répétitions engendrent-elles plutôt la démotivation et l'indiscipline? Les enfants devraient pourtant s'empresser de saisir leur dernière chance de comprendre, alors que le groupe-classe va passer à une autre notion…

1

Modèle du début de ma carrière

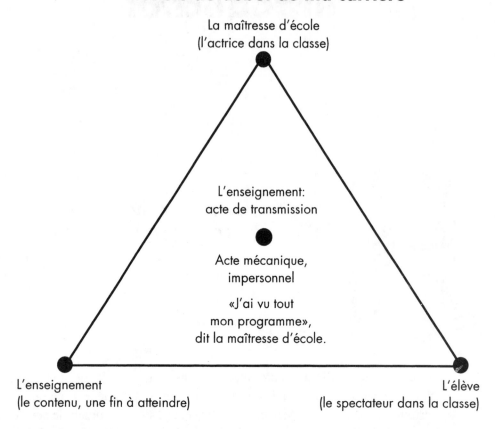

La maîtresse d'école
(l'actrice dans la classe)

L'enseignement:
acte de transmission

Acte mécanique,
impersonnel

«J'ai vu tout
mon programme»,
dit la maîtresse d'école.

L'enseignement
(le contenu, une fin à atteindre)

L'élève
(le spectateur dans la classe)

Je voyais ma collection de «pourquoi» s'enrichir avec un certain désarroi, jusqu'au jour où un ouragan est venu bouleverser mon paysage intérieur. Dans une conférence un peu provocatrice pour l'époque, Claude Paquette présentait son concept de pédagogie ouverte. Ce fut pour moi le choc et le début d'un long cheminement qui allait modifier complètement ma façon de concevoir l'apprentissage et l'intervention pédagogique. Vingt ans plus tard, les propos de Philippe Meirieu[1] et de Jacques Tardif[2] sont venus raffiner ma structure et consolider ma conception de l'apprentissage et de l'enseignement.

Les deux modèles présentés aux pages 2 et 3 illustrent sommairement mon cheminement pédagogique. Ils montrent les déplacements d'accents qui se sont produits pour que j'en arrive à mettre au cœur de ma pratique et de ma réflexion l'enfant et sa démarche d'apprentissage.

Ces deux modèles montrent bien ce qui s'est passé pour moi quand j'ai accepté de voir l'enfant comme le véritable responsable de son apprentissage. Il m'a fallu remettre en question mon «comment faire?» Il m'a fallu élaborer des démarches et des stratégies organisationnelles pour donner à l'enfant sa véritable place dans son processus de croissance. Ce revirement s'est traduit par la mise en place d'une nouvelle gestion de ma classe où chacun, enseignante et élève, «participe» à l'apprentissage. Au fil des ans, plusieurs facteurs sont venus, de tous côtés, consolider mon option de la «gestion de classe participative».

---

1. Philippe MEIRIEU, *Apprendre... oui, mais comment*, 8e édition, Paris, E.S.F., coll. «Pédagogies», 1991.
2. Jacques TARDIF, *Pour un enseignement stratégique. L'apport de la psychologie cognitive*, Montréal, Éditions Logiques, 1992.

Modèle actuel que je privilégie

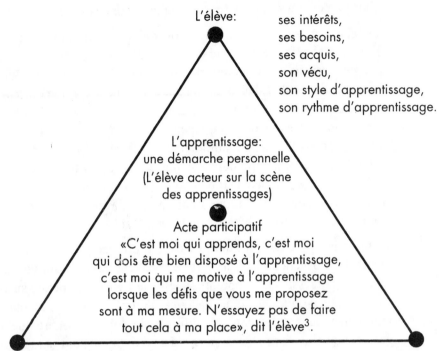

L'élève:
ses intérêts,
ses besoins,
ses acquis,
son vécu,
son style d'apprentissage,
son rythme d'apprentissage.

L'apprentissage:
une démarche personnelle
(L'élève acteur sur la scène
des apprentissages)

Acte participatif
«C'est moi qui apprends, c'est moi
qui dois être bien disposé à l'apprentissage,
c'est moi qui me motive à l'apprentissage
lorsque les défis que vous me proposez
sont à ma mesure. N'essayez pas de faire
tout cela à ma place», dit l'élève[3].

L'enseignement:

- interventions au regard du contenu
  et des stratégies cognitives et
  métacognitives;
- interventions au regard du développement graduel de l'autonomie de l'élève
  dans le traitement des informations;
- interventions au regard des connaissances déclaratives, procédurales et
  conditionnelles, et de leur intégration
  dans la mémoire à long terme;
- interventions au regard des variables
  affectives, particulièrement les composantes de la motivation scolaire[4].

L'enseignante:
actrice elle aussi
dans la classe comme:
penseuse,
preneuse de décision,
guide,
motivatrice,
modèle,
médiatrice,
entraîneuse[5].

Sur le terrain d'abord, j'ai vu se modifier la clientèle des élèves. Dans les classes, il semble que les différences soient de plus en plus marquées. Aux côtés d'élèves sin-gulièrement doués se retrouvent des enfants dont les lacunes intellectuelles, physiques et psychologiques entravent le processus de développement. Comment gérer de telles différences, sinon en pratiquant une gestion de classe participative où chacun peut prendre en main son développement selon ses capacités? De la même manière, com-ment répondre efficacement aux besoins d'enfants d'âges différents qui se retrouvent dans une classe à double ou à triple niveaux, sinon en faisant d'eux les artisans de leur apprentissage? À plus ou moins long terme, on verra que la gestion de classe participa-tive peut être un atout pour lutter contre le décrochage scolaire. Nous savons tous qu'il n'y a pas de meilleure manière de motiver un travailleur dans une entreprise que de

---

3. Gaston GERMAIN, conseiller pédagogique en adaptation scolaire.
4. J. TARDIF, *op. cit.*
5. J. TARDIF, *op. cit.*

l'amener à s'engager à divers niveaux de prises de décisions. L'élève n'échappe pas à cette règle. Si on attend de lui la «qualité totale», expression à l'honneur en ce moment, il faut l'amener à s'engager dans son propre développement.

J'ai également retrouvé dans la philosophie des programmes actuels du ministère de l'Éducation les fondements de la gestion de classe participative. Manifestement, la pédagogie a pris un nouveau tournant et les théoriciens de l'enseignement s'accordent maintenant pour voir dans l'apprenant autre chose qu'une outre à remplir. Dans tous les programmes, on peut retrouver cette approche centrée sur l'élève. Ce dernier est un être en constant processus de changement, et ce processus ne peut se dérouler à son insu, puisqu'il en est l'artisan. L'adulte peut le soutenir, l'orienter, lui fournir les instruments, mais ne peut apprendre à sa place. C'est pourquoi les nouveaux programmes préconisent une alliance de travail avec l'élève. Dans une alliance, tous les membres sont acteurs, l'élève autant que l'enseignante. Permettre à l'élève d'être acteur, c'est augmenter sa contribution à son apprentissage.

Cette philosophie des programmes a été renforcée par les recherches et les développements de la psychologie. L'apport de la psychologie cognitive à une meilleure connaissance du processus de l'apprentissage et de l'enseignement a suscité un grand intérêt chez les pédagogues. Ce que beaucoup d'entre eux pressentaient intuitivement trouve maintenant des fondements scientifiques. Le milieu scolaire québécois est dynamisé par de nouvelles approches comme la gestion mentale, l'actualisation du potentiel intellectuel, la programmation neurolinguistique, l'enseignement stratégique, l'apprentissage coopératif. Toutes ces approches visent une amélioration du «comment faire?» Elles exigent de l'enseignante qu'elle se place elle-même en mouvement par rapport à la cible pédagogique qu'elle vise. Elles se fondent sur un même questionnement: comment amener les élèves à utiliser au maximum leur potentiel? comment les faire participer le plus possible à leur apprentissage? Elles interrogent la participation de l'élève dans le quotidien et, plus largement, le style de gestion de classe de l'enseignante, car la gestion de classe est un concept intégrateur. Quelle que soit la composante remise en question, elle doit toujours être située dans cet ensemble. C'est dire que si tous les mouvements actuels conduisent à un nouveau «comment faire?», celui-ci ne pourra être que participatif. La participation est le carrefour où ils se rencontrent tous, peu importe de quel horizon ils viennent.

Enfin, il est indéniable que les enfants d'aujourd'hui sont les citoyens de l'an 2000. De quelles connaissances auront-ils besoin pour vivre dans ce monde? Il est difficile de le prévoir; le monde des sciences et des technologies évolue à une telle vitesse qu'il est impossible d'émettre là-dessus autre chose que des opinions très générales. Mais il est possible de savoir dès maintenant que l'élève devra absolument posséder certaines attitudes et habiletés: la curiosité intellectuelle, l'ouverture sur le monde, le sens des responsabilités, la rigueur, la créativité, la capacité d'adaptation, l'esprit d'équipe… Tout ce potentiel, l'enfant le porte en germe au moment de son entrée à l'école. Il appartient donc à l'école de l'aider à le développer afin qu'il puisse faire face au monde de l'an 2000. Ces attitudes sont particulièrement sollicitées dans le cadre d'une gestion de classe participative, j'en ai la conviction.

Quand revient septembre… est donc le résultat de plusieurs années de recherche et d'expérimentation dans ma propre classe. Il est aussi le résultat de six années de travail avec des enseignantes de tout le Québec, du Nouveau-Brunswick et de l'Ontario, pour aider les jeunes apprenants à devenir les véritables artisans de leur apprentissage. C'est la synthèse de mes apprentissages que je propose à l'aube de mes trente-quatre années de pratique en éducation.

Comme ce guide se veut aussi cohérent avec la philosophie qui l'a fait naître, il s'efforce donc d'engager l'enseignante qui veut l'utiliser dans une démarche «participative». C'est pourquoi les prises de conscience y précèdent toujours la théorie et les pistes d'expérimentation prennent la forme d'outils bien concrets, éclairés de l'intérieur par la théorie. L'articulation entre ces trois éléments, prises de conscience, apport théorique et outils organisationnels, se retrouve dans chacun des chapitres.

Afin de faciliter la phase d'auto-analyse, plusieurs grilles sont suggérées en relation avec les composantes de la vie de la classe dans chacun des chapitres. Celles-ci peuvent être utilisées globalement ou partiellement. Après avoir survolé la formulation des divers indicateurs de comportement, à l'intérieur de chacune des grilles, il est possible et même recommandé d'arrêter son choix sur les éléments qui représentent un intérêt particulier pour fins d'analyse et d'expérimentation. Il n'y a donc rien de prescriptif dans la collecte et le traitement des données. Il s'agit plus d'une banque d'outils d'analyse dans laquelle on peut puiser selon ses besoins de perfectionnement.

Quant aux outils organisationnels, ils sont regroupés aussi à l'intérieur de chacun des chapitres, à partir du chapitre 2. Ils ont été créés par le Centre de formation Jacqueline Caron en collaboration avec des enseignantes, des animatrices, des équipes-école, des conseillères pédagogiques et des consultantes. Ils portent les mentions «Contexte et utilité» et «Pistes d'utilisation» dans le but de donner le maximum d'informations nécessaires à la compréhension et à la gestion de ces outils dans le quotidien. On trouvera d'ailleurs à la fin du guide une table détaillée de tous ces outils. Il est à remarquer que plusieurs d'entre eux peuvent être reproduits tantôt pour les élèves, tantôt pour les enseignantes ayant acheté ce livre.

Si tu reconnais ici au moins une de tes interrogations quotidiennes…

– *Comment rendre l'élève responsable de ses comportements?*
– *Comment amener l'élève à s'engager dans ses apprentissages?*
– *Comment gérer les différents rythmes d'apprentissage dans ma classe?*
– *Comment intervenir pour favoriser la motivation?*
– *Comment tenir compte des différents styles d'apprentissage dans mes interventions?*
– *Comment rendre plus fonctionnel l'aménagement de ma classe?*
– *Comment habiliter les élèves à s'auto-évaluer?*
– *Comment introduire un atelier d'informatique dans ma classe?*
– *Comment mieux répondre aux attentes des parents face à l'école?*
– *Comment développer, avec mes élèves, des outils pour apprendre?*
– *Comment actualiser la philosophie des programmes du ministère de l'Éducation?*
– *Comment gérer l'évaluation formative dans le quotidien?*
– *Comment créer une intervention complice avec l'orthopédagogue dans ma classe?*
– *Comment gérer une classe multiprogramme?*
– *Comment gérer les différences dans le quotidien?*

… OU si tu as simplement envie de renouveler ta pratique et de te donner de nouveaux défis, ce guide peut t'apporter des pistes de travail. Tu veux tenter l'aventure?

Je présente donc ce guide à toutes les personnes qui s'intéressent à la gestion de classe participative. Puisse-t-il les aider efficacement dans leur démarche et renouveler leur enthousiasme quand revient septembre…

Note de l'éditeur

Les enseignantes et les enseignants sont autorisés à reproduire les pages portant la mention «© 1994 Les Éditions de la Chenelière inc. Tous droits réservés.» pour leur usage personnel ou les besoins de leurs élèves seulement.

| Chapitre 1 | Questionner son «comment faire?» |

Si les enfants ne peuvent apprendre de la façon dont nous enseignons, enseignons-leur la façon dont ils peuvent apprendre.

(Auteur inconnu)

En bref...

- Le concept de gestion de classe est-il une invention moderne?

- Le concept de gestion de classe participative implique une nouvelle façon de concevoir la gestion de classe: une interaction constante entre les trois «E»: Enfant, Enseignante, Enseignement.

- Pour questionner son «comment faire?» et mettre en place progressivement la gestion de classe participative, un plan d'action est nécessaire. Celui qui t'est présenté se déroule en trois temps et huit étapes.

Le concept de gestion de classe

Un peu d'histoire

À entendre parler certains intervenants du milieu scolaire, on pourrait croire que le concept de gestion de classe est une nouveauté. En fait, c'est l'expression plus que la réalité qui est nouvelle. Depuis l'invention de l'école, sous Charlemagne, la personne qui prend la responsabilité d'un groupe en apprentissage doit faire face à des problèmes que l'on appelle, depuis quelques années, des «problèmes de gestion». Mais il suffit de se rappeler certains commentaires, qui ont traversé les décennies et sont toujours présents dans le milieu, pour être convaincu de la pérennité des composantes de la vie de la classe:

«As-tu vu cette enseignante-là comme elle a le don de motiver ses élèves?
— Ça, c'est tout un prof! Les élèves l'aiment, même si elle est exigeante.
— Lui, il est capable d'aller chercher tous ses élèves.
— Il a de la discipline.
— C'est drôle comme les élèves apprennent beaucoup avec ce prof.
— Dans cette classe-là, ils vivent toutes sortes de choses intéressantes.
— Avec un professeur comme ça, je ne suis pas inquiète pour mon enfant.
— Faire l'école, c'est toute sa vie!»

Motivation, discipline, contenu, attitude des parents... tout est dans ces réflexions. Depuis que l'école existe, on s'accorde à reconnaître là des préalables essentiels à l'enseignement et à l'apprentissage. Et il n'est aucune enseignante qui ne souhaite avoir le contrôle de ces composantes de la vie de sa classe.

Définitions du concept

Dans son *Dictionnaire actuel de l'éducation*, Renald Legendre (1993) définit ainsi la gestion de classe: «Fonction de l'enseignant qui consiste à orienter et à maintenir les élèves en contact avec les tâches d'apprentissage[1].» Selon lui, la gestion de classe porte sur «le temps, l'espace, le programme d'activités, les codes, les règles et les procédures, le système de responsabilités, le système de relations, le système d'évaluation et de reconnaissance, les ressources humaines et matérielles».

Dans son livre *La gestion disciplinaire de la classe*, Jean-Pierre Legault[2] trace l'histoire du concept «gestion de classe».

Sanford, Emmer et Clemens (1983) font une distinction claire entre le concept de gestion de classe et la notion de discipline. Le concept de gestion de classe inclut toutes les actions posées par l'enseignante dans le but de favoriser l'engagement de l'élève à la tâche, sa coopération aux activités de la classe et pour assurer un climat propice à l'apprentissage. Le concept de discipline, lui, se réfère à la conduite de l'élève, au respect des règles établies et aux interventions de l'enseignante pour corriger l'inconduite.

---

1. Renald LEGENDRE, *Dictionnaire actuel de l'éducation*, 2ᵉ édition, Montréal, Guérin Éditeur; Paris, Éditions ESKA, coll. «Éducation 2000», 1993, p. 660.
2. Jean-Pierre LEGAULT, *La gestion disciplinaire de la classe*, Montréal, Éditions Logiques, 1993, p. 13-14.

Selon Doyle (1986), l'enseignante accomplit principalement deux fonctions dans l'exercice de sa profession. La première, enseigner, consiste à développer des attitudes favorables face au contenu. La qualité de l'enseignement devrait influencer l'engagement de l'élève à la tâche. La deuxième, gérer une classe, vise l'organisation du groupe-classe, l'établissement des règles et les interventions correctives. Une bonne gestion de classe devrait, selon lui, assurer la coopération entre les élèves et l'enseignante et entre les élèves. Dans cette perspective, enseignement et gestion de classe sont indissociables.

Plus près de nous, Jean-Pierre Legault souligne que les mesures prises par l'enseignante en gestion de classe peuvent avoir une portée à court terme (la tâche à réaliser par l'élève) et une portée à long terme (la formation du sens des responsabilités, l'éducation de l'autonomie, etc.). L'enseignante sera appelée, d'une part, à établir et à maintenir l'ordre, à prévoir les problèmes de discipline et à contrer l'inconduite, si elle veut protéger le processus enseignement/apprentissage. D'autre part, elle devra favoriser le développement des comportements sociaux acceptables, du sens des responsabilités et même l'autodiscipline, si elle veut contribuer au développement social de l'enfant. Ses actions, centrées tantôt sur le groupe, tantôt sur l'élève, auront des effets positifs ou négatifs sur la conduite immédiate des élèves et sur leur développement.

Progressivement, ma propre définition de la gestion de classe s'est mise en place. En 1988, je parlais de «l'organisation de la classe». Je me suis vite rendu compte que l'expression était limitative. Elle ne prenait en compte qu'une des dimensions de la vie de la classe. Quand j'ai découvert le concept de gestion de classe, je l'ai adopté. Il me semblait qu'il permettait d'intégrer toutes les interventions de l'enseignante pour gérer les apprentissages, d'une part, et organiser la classe, d'autre part, avec une double préoccupation: créer un climat motivant pour les élèves et actualiser la philosophie et le contenu des programmes d'enseignement. Ma vision s'est encore enrichie quand j'ai découvert la gestion de classe «participative». Elle me semblait, et me semble encore, le style de gestion le plus apte à rendre l'apprenant responsable parce qu'elle est fondée sur l'engagement personnel de ce dernier dans la construction de ses savoirs.

Ces essais de définitions viennent appuyer l'affirmation que toute enseignante fait de la gestion de classe, quels que soient son niveau de compétence, l'amplitude de son expérience ou même son degré de conscience ou de connaissance du concept de gestion de classe. La plupart du temps, elle fait de la gestion de classe comme monsieur Jourdain faisait de la prose, *sans le savoir*.

Pourquoi alors, monter en épingle une réalité que tout le monde connaît? Pourquoi parler du concept de gestion de classe? Simplement pour se donner des outils d'analyse. Parler de gestion de classe, c'est se donner un cadre de référence et de réflexion, des mots pour dire une réalité qui, autrement, resterait dans le flou. Une réalité qui ne pourrait jamais être observée, questionnée, supervisée et donc transformée. Le concept de gestion de classe est un instrument pour permettre à l'enseignante d'analyser sa réalité: Qu'est-ce que je privilégie dans ma classe, le climat ou le contenu, les apprentissages ou l'organisation de la classe? Quel est mon style de gestion? Existe-t-il des styles plus efficaces que d'autres? Comment puis-je améliorer ma façon de gérer la classe? Mon style de gestion prend-il en compte les différences de plus en plus nombreuses dans ma classe? Mon style de gestion permet-il de responsabiliser l'apprenant, autant au niveau de ses comportements que de ses apprentissages? Toutes ces questions, et bien d'autres, qui manifestent l'intelligence et le sens des responsabilités de l'enseignante, ont désormais un cadre pour se poser, provoquer une réflexion, amener des pistes d'expérimentation et de solution: c'est le concept de gestion de classe.

Les composantes de la vie de la classe

Pour saisir la complexité du concept de gestion de classe, il peut être utile de prendre la mesure de tout ce qu'il englobe. Voici la liste d'une cinquantaine d'éléments sur lesquels l'enseignante doit intervenir. Bien sûr, ils ne se présentent pas tous en même temps. Mais cette liste donne une idée des problèmes de gestion qui peuvent se poser même quand seulement cinq ou six de ces éléments doivent être gérés simultanément.

Voici ce que donnerait un regroupement de ces éléments dans une carte d'exploration (*voir la page 11*). Cette carte fait apparaître les regroupements et les liens interactionnels qui existent entre les diverses composantes de la vie d'une classe.

Carte d'exploration sur les composantes de la vie de la classe

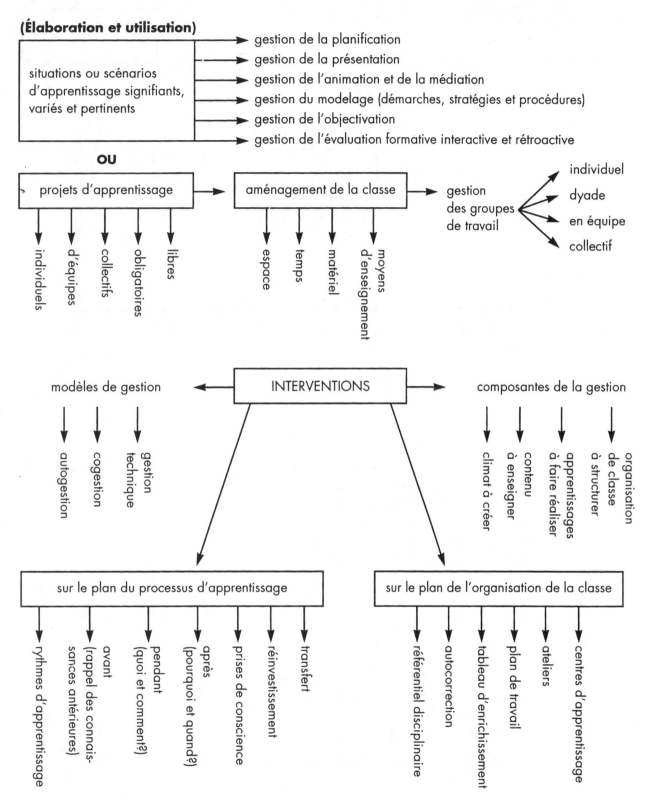

Il est possible de se représenter encore plus simplement l'ensemble des éléments qui constituent la vie de la classe. La figure de la page 12 les regroupe en deux dimensions (pédagogique et organisationnelle) et en quatre composantes (climat organisationnel, contenu organisationnel, gestion des apprentissages, organisation de la classe).

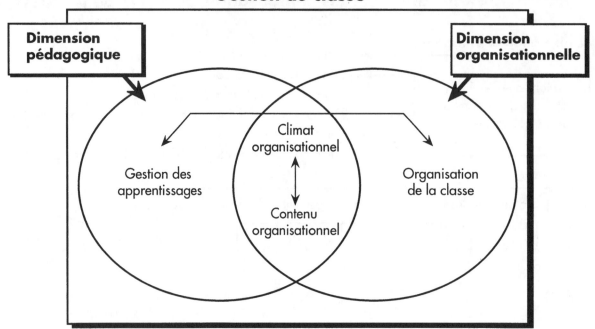

Le **climat organisationnel** prend en compte tout ce qui se rapporte à l'ambiance éducative de la vie de la classe:
– les attitudes,
– les relations,
– la motivation,
– la discipline,
– la résolution de conflit.

Le **contenu organisationnel** regroupe tout ce qui a trait à l'enseignement proprement dit:
– la philosophie des programmes et les orientations,
– la conception de l'apprentissage,
– les objectifs du ou des programmes,
– les démarches, les procédures, les stratégies d'enseignement,
– la méthodologie du travail intellectuel.

La **gestion des apprentissages** rassemble tout ce qui se rapporte directement à l'apprentissage:
– la planification,
– l'animation et la médiation,
– l'objectivation,
– les démarches, les procédures, les stratégies d'apprentissage,
– la méthodologie du travail intellectuel,
– l'évaluation,
– le réinvestissement et le transfert.

L'**organisation de la classe** regroupe tout ce qui a trait au fonctionnement concret de la classe:
– la gestion du temps,
– l'aménagement de l'espace,
– la gestion des groupes de travail,
– l'utilisation des moyens d'enseignement,
– l'utilisation du matériel didactique et du matériel pédagogique.

Le guide est construit sur cette représentation de la gestion de classe. Les chapitres 3, 4, 5 et 6 traiteront de chacune des composantes et la figure de la page 12 viendra chaque fois rappeler la place de la composante étudiée dans la gestion de classe.

Les styles de gestion de classe

Si toute enseignante fait de la gestion de classe, chacune le fait selon ses valeurs, ses croyances, sa philosophie de l'éducation et de l'enseignement, sa personnalité, son tempérament. On peut donc parler de différents styles de «gestion de classe». Ces styles sont le résultat de l'accent mis par l'enseignante sur l'un ou l'autre des éléments interactifs de la classe, la trilogie des «E»:

– Enfant (sujet),
– Enseignante (agent),
– Enseignement à partir des programmes (objet).

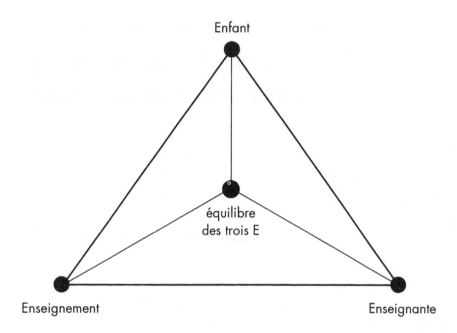

L'organigramme de la page 14 démontre comment le style de gestion de classe prend naissance au cœur même de l'enseignante dans ce qu'elle est, dans ce qu'elle pense, dans ce qu'elle croit et dans ce qu'elle fait.

La naissance d'un style de gestion de classe

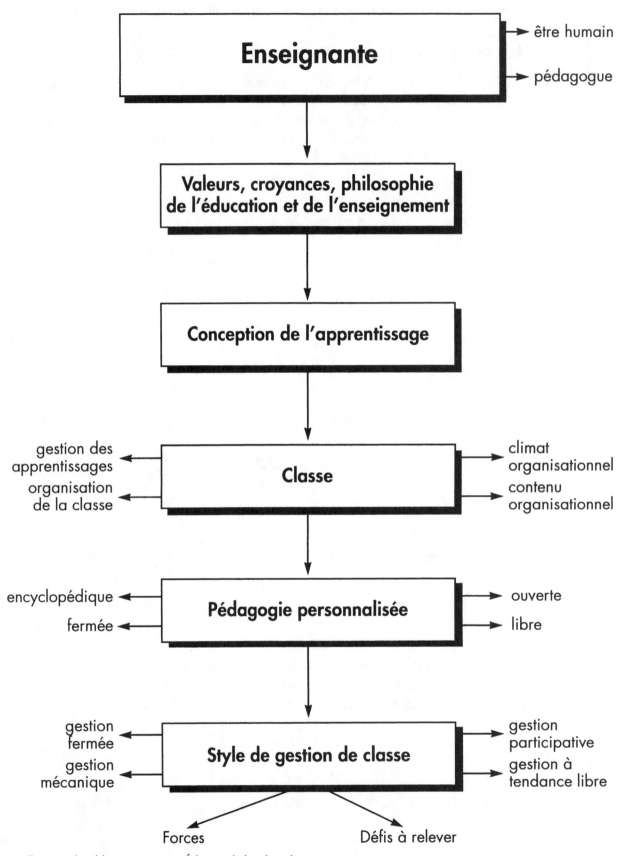

être humain

pédagogue

Enseignante

Valeurs, croyances, philosophie de l'éducation et de l'enseignement

Conception de l'apprentissage

gestion des apprentissages

organisation de la classe

Classe

climat organisationnel

contenu organisationnel

encyclopédique

fermée

Pédagogie personnalisée

ouverte

libre

gestion fermée

gestion mécanique

Style de gestion de classe

gestion participative

gestion à tendance libre

Forces

Défis à relever

Questionner son «comment faire?», c'est d'abord questionner son style de gestion de classe. Sur quel élément de la trilogie est-il centré: l'enfant, l'enseignante, l'enseignement? La gestion de classe aura un caractère bien particulier selon l'élément privilégié:

– Une gestion de classe centrée de façon exagérée sur l'enfant est dite «à tendance libre». Elle se caractérise souvent par une plus ou moins grande absence de leadership de l'enseignante.
– Une gestion centrée surtout sur l'enseignante, ses valeurs et sa façon de voir les choses est dite «fermée». Elle est le résultat d'une certaine insécurité de l'enseignante qui cherche à contrôler le plus de facteurs possibles.
– Une gestion centrée uniquement sur des contenus, des objectifs, des manuels et des cahiers d'exercices est dite «mécanique». Elle est la manifestation, d'un leadership dépendant chez l'enseignante, qui se conduit plus ou moins comme une esclave du contenu à enseigner.
– Une gestion de classe équilibrée suppose l'harmonisation de la trilogie enfant, enseignante et contenu des programmes. Elle fait une juste place à chacun, car elle est le résultat d'un leadership confiant. Cette gestion est dite «participative».

Le tableau suivant met en parallèle les différents styles de gestion de classe et fait ressortir les caractéristiques de chacun.

Quatre styles de gestion de classe

Gestion fermée	Gestion à tendance libre
– Le climat est lourd et la discipline, rigoureuse. – Le cours magistral est privilégié. – L'enseignante est le seul maître du déroulement. – Les interactions sont à peu près inexistantes entre les élèves de la classe. – «C'est l'enseignante qui fait la classe!»	– Le climat est gai, détendu et nourri par les aventures du quotidien. – Les élèves sont souvent laissés à eux-mêmes pour ce qui est de leurs comportements et de leurs apprentissages. – Le déroulement est spontané et les digressions sont permises et tolérées. – Les interactions sont laissées à la discrétion des élèves. – L'enfant apprend bien ce qu'il veut.
Gestion mécanique	**Gestion participative**
– Le climat n'est pas important, ce qui compte, ce sont les tâches à accomplir. – Les apprentissages sont guidés par les manuels ou les cahiers d'exercices. – Le déroulement est rigoureux et soigneusement contrôlé. – Les interactions sont peu nombreuses et centrées sur les tâches et les exigences à respecter. – «Faut respecter le programme!» – «Faut passer à travers le manuel»	– Le climat est serein, ouvert et agréable. – La discipine est gérée avec les élèves. – Les situations d'apprentissage sont greffées sur le savoir d'expérience des élèves; elles sollicitent constamment leur participation. – Le déroulement s'ajuste aux constats, aux prises de conscience et aux réinvestissements. – Les interactions sont nombreuses; elles sont alimentées par les divers groupes de travail et la variété des moyens d'enseignement utilisés. – Guidé par l'enseignante, l'enfant apprend en faisant.

La gestion de classe participative

Les particularités de la gestion de classe participative

Au regard des autres styles de gestion de classe, tels qu'ils apparaissent dans le tableau de la page 15, il est clair que la gestion de classe participative possède des caractères particuliers. Le plus important de ces caractères est l'équilibre entre les trois «E»: l'enfant, l'enseignante, l'enseignement du contenu des programmes ou le savoir. La gestion de classe participative crée une nouvelle dynamique à l'intérieur de cette trilogie. Chacun des éléments en cause devient actif:

L'**enfant** contribue de façon active à son apprentissage, construit ses apprentissages à partir de ses expériences, a le pouvoir de choisir dans un éventail de moyens et d'outils ceux qui lui conviennent le mieux, objective ses apprentissages, évalue ses progrès et transfère ses connaissances.

L'**enseignante** apporte un soutien dynamique aux situations et au processus d'apprentissage, crée un climat propice à la participation de ses élèves à la vie de la classe, situe l'enfant dans son cheminement, intervient selon les besoins de chaque élève, génère des questions, des idées, des actions, des découvertes qui ont un sens pour l'enfant, agit comme médiatrice entre l'élève et le contenu pour rendre explicites les stratégies cognitives et métacognitives qui en assurent la maîtrise.

L'**enseignement** devient un support pour la découverte que l'enfant fait de lui-même et du monde, nécessite la médiation de l'enseignante, une médiation qui est autre chose qu'une simple transmission de connaissances.

La figure suivante illustre la place particulière de la gestion de classe participative par rapport aux autres types de gestion de classe. Elle fait bien ressortir l'accent mis par la gestion de classe participative sur l'intégration des trois «E».

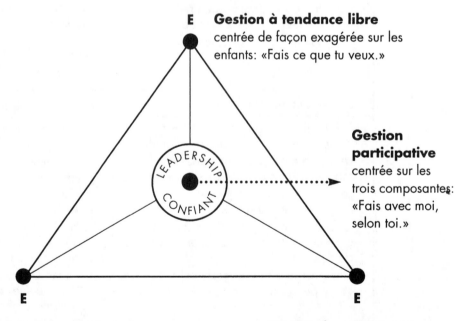

E **Gestion à tendance libre** centrée de façon exagérée sur les enfants: «Fais ce que tu veux.»

Gestion participative centrée sur les trois composantes: «Fais avec moi, selon toi.»

Gestion mécanique centrée sur le contenu: «Fais comme on te dit de faire.»

Gestion fermée centrée sur l'enseignante: «Fais comme je fais ou comme je dis.»

L'**apprentissage** est un processus, une démarche personnelle, un projet de vie dans lequel toute la personne s'engage: corps, cœur, esprit.

L'**enseignement (dans un sens restrictif)** est un acte de transmission de connaissances, de façon magistrale, sans égard pour les capacités cognitives de chacun.

L'**enseignement stratégique** tel que définit par Jacques Tardif est une intervention dans le contenu lui-même, mais aussi dans le développement de stratégies cognitives et métacognitives, efficaces et économiques, qui peuvent permettre à l'élève d'interagir d'une façon significative avec le contenu.

Un document du Conseil supérieur de l'éducation, *Une pédagogie pour demain à l'école primaire*, fait bien ressortir le rapport qui existe entre l'apprentissage et l'enseignement:

> Les apprentissages sont signifiants et accessibles. Ils tiennent compte de la réalité de l'enfant (son vécu). L'enseignement s'inscrit dans des situations d'apprentissage enrichies qui s'attachent aux liens entre les savoirs eux-mêmes et aux liens entre les savoirs de tous les jours[3].

Généralement, quand on parle d'apprentissage, on se situe du point de vue de l'enfant. Quand on parle d'enseignement, qu'il soit stratégique ou autre, on se place plutôt du point de vue de l'enseignante. Ces distinctions et ces relations entre «apprentissage» et «enseignement» se préciseront tout au long de ce guide.

À partir de ces quelques éléments de théorie, des enseignantes voudront sans doute savoir à quoi ressemble une classe gérée de façon participative. Voici quelques indicateurs.

CADRE DE RÉFÉRENCE SUR LA GESTION DE CLASSE PARTICIPATIVE

L'enseignante

1. Accorde autant d'importance au climat qu'au contenu.
2. Se préoccupe de la qualité de la relation enseignante-élève.
3. Fait les interventions nécessaires pour motiver le plus possible les élèves.
4. Respecte les rythmes d'apprentissage des élèves.
5. Intervient en classe de façon à respecter les différents styles d'apprentissage.
6. Cerne les besoins des élèves en matière d'acquis, d'intérêts, de goûts et de préoccupations.
7. Amène fortement les élèves à s'engager au niveau de la démarche d'apprentissage: objectif d'apprentissage, objectivation, autocorrection, etc.
8. Sollicite la participation des élèves à la vie de la classe et de l'école, en les faisant participer aux décisions, aux changements ou à la mise en place des structures de la classe en ce qui concerne l'organisation physique, les comportements, les attitudes, les apprentissages ou les méthodes de travail.

---

3. CONSEIL SUPÉRIEUR DE L'ÉDUCATION, *Une pédagogie pour demain à l'école primaire*, Avis au ministre de l'Éducation, Québec, Direction des communications du Conseil supérieur de l'éducation, 1991, p. 27-29.

(suite)

9. Travaille à développer les compétences que l'on retrouve formulées en termes d'objectifs d'apprentissage dans les divers programmes du ministère de l'Éducation: P.O.C. (projet, objectivation, construction de connaissances).

10. Permet à tous les élèves de vivre la phase «objectivation» prévue à l'intérieur du processus d'apprentissage.

11. Accorde une place de choix à l'évaluation formative en classe: objet d'évaluation, critères d'évaluation, seuils de réussite, auto-évaluation, co-évaluation, etc.

12. Amène les élèves à s'engager dans la planification d'une journée ou d'une période de classe, en utilisant avec eux des outils de gestion du temps: plan de travail, grille de planification, tableau de programmation, tableau d'ateliers, etc.

13. Crée un environnement riche et stimulant à l'intérieur de la classe.

14. Respecte les étapes de formation de concept lorsque l'élève est en train d'apprendre, joue son rôle de médiatrice à chaque étape et facilite le transfert des apprentissages.

15. Fait vivre aux élèves les trois étapes de la démarche d'apprentissage: mise en situation, réalisation et intégration. Joue les rôles pédagogiques de catalyseur, de facilitateur et d'intégrateur, selon l'étape vécue.

16. Élabore avec les élèves des outils pour apprendre: démarches, procédures et stratégies.

17. Favorise l'entraide, l'interaction entre les élèves: dyades spontanées, dyades structurées, équipes spontanées, équipes permanentes.

18. Donne une rétroaction positive aux élèves: forces et défis à relever dans le quotidien ou à la fin d'une semaine, d'une étape.

19. Permet aux élèves d'évaluer la qualité de l'enseignement reçu: forces et défis à donner à l'enseignante à la fin d'une étape.

20. Utilise les élèves comme personnes-ressources dans la gestion des différences: participation des élèves au coin d'enrichissement, aux ateliers de consolidation, aux cliniques avec inscription, etc.

21. Utilise différents moyens d'enseignement dans la classe et cela quel que soit l'âge des élèves.

22. Amène les parents à participer au vécu scolaire de leur enfant.

23. Adapte son enseignement en fonction des besoins et des caractéristiques des élèves.

24. Cherche à améliorer son environnement, sa condition et celle des élèves en essayant des stratégies, des moyens, pour être encore plus efficace, autant au niveau du climat que du contenu organisationnel.

25. Vit dans un esprit d'équipe, de concertation et d'échange avec les collègues et la direction d'école.

Cette longue liste donne l'impression que la mise en place d'une gestion participative dans la classe est une entreprise considérable. En effet, il s'agit parfois d'un véritable revirement. Mais tout n'est pas à faire tout de suite. Il vaut mieux procéder par étapes et se donner un plan d'action. Et c'est là que la politique des petits pas prend un sens à la fois pratique, sécurisant et réaliste. Il n'est pas question ici de révolution mais plutôt d'évolution afin de vivre, jour après jour, semaine après semaine, année après année, une amélioration continue.

Une démarche pratique

Avant d'être une intervention dans la classe, la mise en place de la gestion de classe participative est d'abord, pour l'enseignante, un projet de développement personnel. Elle exige une véritable préparation, une expérimentation réaliste et une évaluation rigoureuse. C'est pourquoi je te propose un plan d'action en trois temps et huit étapes:

PREMIER TEMPS: AVANT L'EXPÉRIMENTATION

Première étape: l'auto-analyse

Deuxième étape: l'identification du défi à relever

Troisième étape: l'élaboration du plan d'action

DEUXIÈME TEMPS: PENDANT L'EXPÉRIMENTATION

Quatrième étape: l'expérimentation

Cinquième étape: l'objectivation

Sixième étape: le réajustement, au besoin

TROISIÈME TEMPS: APRÈS L'EXPÉRIMENTATION

Septième étape: l'évaluation

Huitième étape: le réinvestissement

PREMIER TEMPS: avant l'expérimentation

Le premier temps de la démarche comporte trois étapes qui sont absolument nécessaires pour une expérimentation pleinement fructueuse:

Première étape: l'auto-analyse

Il s'agit pour toi de t'arrêter d'abord à ce que tu vis. Quelles sont tes satisfactions, quelles sont tes interrogations? Que souhaites-tu changer dans la vie de ta classe? Ce regard serein et objectif, porté sur la réalité quotidienne, est nécessaire pour une réelle mise en mouvement. Sans lui, tu risques d'être un mauvais chasseur qui tire peut-être sur tout ce qui bouge, mais qui ne progresse pas réellement et qui finira par se décourager. D'entrée de jeu, cette auto-analyse sera plutôt intuitive et globale. Ensuite, chacun des chapitres du guide permettra de la reprendre d'une façon plus approfondie.

Deuxième étape: l'identification du défi à relever

«Qui trop embrasse mal étreint», dit le proverbe. Changer n'est pas si facile. Cela exige des énergies, un abandon de certaines habitudes, une adaptation à de nouvelles réalités. Vouloir tout changer d'un seul coup, c'est méconnaître la capacité et le rythme d'adaptation de tout être humain. Il est donc nécessaire de découper le changement en morceaux, de se tailler des tâches réalistes, concrètes, faciles à mesurer. Chacun sait aussi les ravages qu'un échec peut faire sur le moral, c'est pourquoi il vaut toujours mieux se mettre en situation de réussite, en identifiant un défi clair, simple à relever. Chaque réussite augmentera ta confiance en toi-même et te conduira plus sûrement au succès escompté.

Les défis que tu as à relever, dans la vie quotidienne de ta classe, touchent quatre composantes:

– le climat,
– le contenu organisationnel,
– la gestion des apprentissages,
– l'organisation de la classe.

Comme le rappelle la figure ci-dessous, ces composantes s'unissent pour constituer la gestion de classe.

Gestion de classe

Troisième étape: l'élaboration du plan d'action

Pour relever un défi, il est nécessaire de mettre au point une planification stratégique. On fait d'abord l'inventaire de ses richesses, on reconnaît ses besoins, on prévoit le point d'arrivée, on fixe l'échéance, on prévoit les haltes qui vont permettre de mesurer le chemin parcouru, de rajuster le tir, si nécessaire. Établir un calendrier des opérations est un exercice indispensable pour se mettre à l'abri du hasard, de la paresse et du découragement. Chacune des étapes permet de reprendre souffle et de renouveler le dynamisme qui était à l'origine du mouvement de changement.

La planification se fait à partir de questions précises:

– Qu'est-ce que je veux faire concrètement?
– À quel moment est-ce que je commence?
– Combien de temps est-ce que je me donne?
– À quel moment m'arrêterai-je pour faire le point?

Si tu es prête à te mettre en route dès maintenant, tu trouveras à la page 24 un instrument pour te permettre de cerner le défi que tu voudrais relever.

Il te faudra ensuite te donner un bon cadre théorique sur la composante de la gestion de classe touchée par ton défi. Tu le trouveras dans les chapitres 3 à 6. Tu pourras aussi faire ton choix dans une banque d'outils indispensables pour la mise en œuvre de ton défi.

DEUXIÈME TEMPS: pendant l'expérimentation

Ton défi est clair, tu possèdes de bonnes informations sur la composante de la gestion de classe que tu as privilégiée, tu as choisi tes outils, il est temps de passer à l'action. Le temps de l'expérimentation comporte trois étapes:

– l'expérimentation,
– l'objectivation,
– le réajustement.

Quatrième étape: l'expérimentation

Se placer en phase d'expérimentation, c'est se placer dans un contexte de nouveauté. Le moment est à la fois exaltant et insécurisant. On a beau avoir prévu toutes les étapes, rassemblé le matériel nécessaire, dressé des balises et des points de repère, l'imprévu est pratiquement toujours au rendez-vous. Il risque de te déstabiliser si tu ne t'es pas laissé une marge d'erreur. Qui dit «expérimentation» dit «essai, erreur, recommencement». Sans cet espace où l'erreur est permise, vécue sans culpabilité, saisie comme une occasion d'apprendre, l'expérimentation perd son sens. Tu entreras donc dans cette étape avec un bon sens de l'humour et une capacité d'accueil et d'ouverture à tout ce qui peut arriver. Mais la confiance, en toi-même et en tes élèves, est un atout majeur. C'est là que s'enracine le dynamisme nécessaire au mouvement de changement qui s'amorce dans la gestion de la classe.

Au moment d'entrer dans l'étape d'expérimentation, il est bon d'avoir en tête certains repères:

1. Chaque fois qu'un nouvel outil organisationnel est expérimenté, il faut pouvoir répondre aux questions suivantes: Qu'est-ce que cet outil? Pourquoi et pour qui vais-je utiliser cet outil? Comment? Quand? Où? Avec qui?

2. Un outil organisationnel peut ne pas convenir à tous les enfants en même temps. Ce n'est pas une raison pour l'abandonner. L'autonomie s'acquiert lentement et tous n'y arrivent pas avec la même intensité, au même moment. Il vaut mieux en retirer l'exercice à certains et continuer son expérimentation.

Cinquième étape: l'objectivation

Tout au long de ton expérimentation, tu devras te donner la possibilité d'analyser ton expérience et de réajuster ton intervention.

L'**objectivation** est, selon la définition de Conrad Huard, «un processus intellectuel d'intégration, de structuration et d'appropriation du vécu... un processus de réflexion permettant d'analyser et d'intérioriser son vécu[4] ».

Elle peut prendre la forme d'un récit: je raconte à un collègue, à une amie, à mon journal de bord, ce qui se passe dans mon expérimentation. Du même coup, je fais certaines prises de conscience qui me permettent de m'approprier mon expérience, d'en tirer des leçons. L'objectivation est la véritable clé du changement.

Elle entraîne quatre opérations:

1. Le recul. Il s'agit de se mettre mentalement à une certaine distance de ce que l'on veut observer, pour le regarder globalement.

2. L'analyse sans jugement. On constate ce qui est en train de se passer, sans mettre d'étiquettes.

3. La conclusion. On tire une conclusion des faits observés. On peut en dégager certaines lois, certains principes qui guideront les actions à venir.

4. L'intériorisation. Désormais, le fait vécu prend sa place dans un bagage d'expériences, un récit d'apprentissage. Il contribue à la formation d'une certaine sagesse.

Pour t'aider à faire cette objectivation de ton projet, tu trouveras à la page 26 un instrument intitulé «Pour objectiver mon expérimentation».

Sixième étape: le réajustement

Le **réajustement** découle de l'objectivation. Il s'agit d'appliquer dans l'expérimentation les résultats de l'objectivation. Car il ne suffit pas d'observer, d'analyser, de dégager des principes, il faut passer à l'acte. Ce réajustement ne devrait pas trop poser de problèmes si tu es consciente que tu es en expérimentation et que tu t'es laissé une marge d'erreur. Le réajustement fait partie de tout processus normal d'apprentissage. Il requiert de l'indulgence avec soi-même et avec les élèves. Il peut être amorcé à partir des questions suivantes:

– Pourquoi les choses n'ont-elles pas marché comme prévu?
– Qu'est-ce qu'il faudrait modifier, enlever, ajouter, pour réussir l'expérimentation?

En général, le réajustement porte sur des aspects secondaires du défi: les stratégies, les suites à donner à tel ou tel acte…

Le processus d'objectivation est constamment repris, au cours de l'expérimentation. Il entraîne donc un réajustement constant.

TROISIÈME TEMPS: après l'expérimentation

Après la période d'expérimentation prévue, il te faudra évaluer ta démarche et, si possible, réinvestir tes nouvelles compétences dans de nouveaux défis. Ce dernier temps de la démarche comporte deux étapes:

– l'évaluation,
– le réinvestissement.

---

4. Conrad HUARD, «Un essai d'objectivation d'un intervenant en milieu scolaire», *Instantanés mathématiques*, septembre 1985, p. 6.

Septième étape: l'évaluation

Il s'agit d'apprécier et de mesurer les résultats obtenus dans l'accomplissement de ton défi sur l'une ou l'autre des composantes de la gestion de classe. Le processus d'évaluation peut se dérouler selon quatre sous-étapes:

1. L'intention de l'enseignante.

2. La collecte des informations. Les notes prises dans ton journal de bord au moment de la préparation du défi, au cours de l'expérimentation et au moment de l'objectivation peuvent se révéler très précieuses. Elles donneront une assise à un jugement qui, autrement, resterait tout intuitif et approximatif.

3. Le jugement. À partir des informations recueillies, il s'agit d'établir un lien entre le projet de départ et les résultats. Y a-t-il conformité? Sinon, quelles sont les différences? Quels sont les écarts? Pourquoi? Quels sont les aspects positifs du résultat? les aspects négatifs? etc.

4. La décision. Il s'agit de voir si l'action doit être reprise, consolidée, modifiée, abandonnée pour une autre.

Tu trouveras à la page 28 quelques pistes pour évaluer ton apprentissage dans le défi que tu as choisi de relever.

Huitième étape: le réinvestissement

Riche de tes nouvelles compétences, tu es prête à te lancer dans un nouveau défi. Tu en as d'autant plus le désir que tu vois déjà, sur le terrain, les résultats de ta nouvelle façon de gérer la classe. Maintenant que tu connais la démarche, tu veux la consolider. Tu veux aussi mesurer ta capacité de transférer tes acquis dans de nouveaux champs d'expérimentation. Avant d'entreprendre un nouveau projet, il est bon de prendre un temps d'arrêt pour lancer des ponts entre le projet que tu viens de réaliser et le prochain défi que tu vas relever. Pour ce faire, tu trouveras un instrument à la page 29.

La suite de ce guide se présente comme un véritable instrument de travail. Si ton défi se rapporte

– au **climat de la classe**, consulte le chapitre 3, page 91;
– au **contenu organisationnel**, consulte le chapitre 4, page 185;
– à la **gestion des apprentissages**, consulte le chapitre 5, page 271;
– à l'**organisation de la classe**, consulte le chapitre 6, page 333.

Dans chacun des chapitres, tu retrouveras

• la démarche en trois temps,
• des grilles d'analyse,
• un cadre théorique,
• un choix d'outils.

Mais avant d'entreprendre un projet qui vise à donner toute sa place à l'élève, il peut être utile de se demander comment développer une approche centrée sur l'élève. C'est ce que propose le chapitre 2.

Quelques instruments de travail

 POUR CERNER MON DÉFI

Tu es prête à relever le défi?

1. Quand je regarde la vie de ma classe,

   – qu'est-ce qui me satisfait?

   _____

   _____

   _____

   – qu'est-ce qui m'interroge?

   _____

   _____

   _____

2. Si j'avais à cibler, parmi les aspects mentionnés dans la première question, un défi à relever, une «priorité de développement», qu'est-ce que je choisirais?

   _____

   _____

   _____

3. Cette problématique relève-t-elle

   – du climat de la classe? ❑

   – du contenu? ❑

   – de la gestion des apprentissages? ❑

   – de l'organisation de la classe? ❑

4. Quels sont les gestes concrets que je peux poser pour améliorer la situation actuelle?

   _____

   _____

   _____

5. Quel est le geste que je choisis pour commencer maintenant à relever mon défi?

   _____

   _____

   _____

6. Quelles sont les ressources humaines ou matérielles dont je dispose pour relever mon défi?

_____

_____

_____

_____

Quelles sont les ressources humaines ou matérielles dont j'aurai besoin?

_____

_____

_____

7. Quand est-ce que je commence?

_____

_____

Par quoi est-ce que je commence?

_____

_____

À quel moment m'arrêterai-je pour faire le point?

_____

_____

Combien de temps est-ce que je me donne pour réaliser mon projet?

_____

_____

8. Je relis maintenant ce que j'ai noté pour la préparation de mon projet. Y a-t-il des aspects à clarifier, des détails à préciser?

_____

_____

_____

Me voici donc prête à entreprendre la réalisation de mon projet!

Questionner son «comment faire?»

POUR OBJECTIVER MON EXPÉRIMENTATION

Voici quelques pistes qui peuvent t'aider à «objectiver» le défi que tu es en train de relever face à la gestion de classe.

Je suis capable de nommer

1. ce que j'ai appris à faire.

_____

_____

_____

2. ce que je suis capable de faire avec aisance, avec facilité.

_____

_____

_____

3. ce que j'ai encore du mal à faire.

_____

_____

_____

Je suis capable de raconter

4. ce que j'ai fait.

_____

_____

_____

5. pourquoi je l'ai fait.

_____

_____

_____

6. comment je m'y suis prise.

_____

_____

_____

7. ce que j'ai aimé.

_____

_____

_____

8. ce que je n'ai pas aimé.

_____

_____

_____

9. les difficultés auxquelles j'ai été confrontées.

_____

_____

_____

10. les réussites, les joies que j'ai vécues.

_____

_____

_____

11. les défis que je veux me donner pour continuer mon apprentissage.

_____

_____

_____

Questionner son «comment faire?»

▶3 POUR ÉVALUER MON PROJET

Voici quelques pistes pour évaluer ton apprentissage dans le défi que tu as choisi de relever face à la gestion de ta classe. Elles te permettront d'évaluer

– ton savoir,

– ton savoir-faire,

– ton savoir-être.

1. Mon **savoir:**

   – Tous les éléments du défi que j'ai relevé sont clairs; je possède toutes les données sur la question. ❑

   – Quelques éléments sont en suspens; certains renseignements me manquent. ❑

   – Rien n'est clair; je manque d'information. ❑

2. Mon **savoir-faire:**

   – C'est devenu facile pour moi. ❑

   – Je suis capable même si j'éprouve encore quelques difficultés. ❑

   – Même après plusieurs essais, je suis encore en difficulté. ❑

3. Mon **savoir-être:**

   – Je me suis sentie bien dans cette expérience. ❑

   – J'ai eu peur parfois ou j'ai été contrariée, mais je tenais à mon défi. ❑

   – Je me sens en conflit de valeurs, par rapport à mon défi. ❑

4 ▶ AVANT DE ME RÉINVESTIR DANS UN NOUVEAU PROJET

Tu es fière d'avoir réalisé ton projet. Tu as envie de relever un nouveau défi. Avant, prends le temps de faire le point.

1. Qu'est-ce qui m'a satisfaite dans cette expérimentation?

_____
_____
_____

2. Qu'est-ce que je veux garder de cette expérimentation?

_____
_____
_____

3. Qu'est-ce que je ne veux pas garder de cette expérimentation?

_____
_____
_____

4. Qu'est-ce que je voudrais améliorer?

_____
_____
_____

5. Qu'est-ce qui me questionne encore?

_____
_____
_____

6. Qu'est-ce que j'ajouterais?

_____
_____
_____

7. Quel est le prochain défi que je veux relever?

_____
_____
_____

Questionner son «comment faire?»

Si ton nouveau défi touche

– le **climat de la classe**, consulte la page 91 de ce guide;
– le **contenu organisationnel**, consulte la page 185 de ce guide;
– la **gestion des apprentissages**, consulte la page 271 de ce guide;
– l'**organisation de la classe**, consulte la page 333 de ce guide.

C'est un nouveau départ, bonne route!

Chapitre 2	# Comment développer une approche centrée sur l'élève?

Quand l'enseignante ou l'enseignant prend trop de place en classe, l'apprenant risque d'être à l'ombre.

(Denise Gaouette)

En bref...

Pour développer une approche centrée sur l'élève, il est nécessaire

- de connaître le profil particulier de l'enfant d'aujourd'hui;

- de développer une relation éducative appropriée. Elle prendra globalement deux formes: l'encadrement et l'accompagnement;

- de mettre en place un plan d'action pour instaurer progressivement une gestion participative dans sa classe.

La philosophie des programmes d'enseignement

L'enseignante qui lit attentivement les pages de présentation de la philosophie des programmes d'enseignement ne peut manquer d'être frappée par l'approche qui y est privilégiée. Manifestement, les programmes incitent à une approche éducative centrée sur la personne. Ils proposent au maître

- de construire des situations d'apprentissage à partir du vécu de l'élève et signifiantes pour lui;
- de faire participer l'élève à ses apprentissages pour le rendre de plus en plus responsable;
- d'aider l'élève à acquérir des habiletés propres à son âge et à développer sa compétence;
- de respecter le droit à l'erreur de l'élève, car l'expérience se construit à partir de l'essai et de l'erreur;
- de permettre à l'élève de créer des liens solides avec son environnement.

Bref, ils pressent l'enseignante de donner à l'élève la place qui lui revient dans le processus d'apprentissage: la place centrale.

Les documents de réflexion du Conseil supérieur de l'éducation vont dans le même sens. Ainsi, les auteurs de *Une pédagogie pour demain à l'école primaire* insistent sur le fait que, dans notre société, les enfants sont de plus en plus reconnus comme des personnes ayant des droits et des responsabilités, capables d'expression, de communication et d'autonomie. Ils invitent les enseignantes à instaurer dans leur classe un climat plus propice à la participation des élèves.

Cela signifie que le maître redonne à chaque élève le pouvoir sur ses apprentissages (...) La réappropriation par l'enfant de sa responsabilité vis-à-vis des savoirs devrait amener le maître à mieux comprendre l'enfant, à mieux connaître ce qu'il sait et, ainsi, à mieux le situer dans son cheminement. Elle devrait aussi permettre au maître de mieux saisir les besoins de l'enfant et les intérêts qu'il manifeste et de lui offrir, en retour, une réponse pédagogique plus adaptée[1].

Cette position claire du Conseil est stimulante. D'une part, elle permet d'établir une hiérarchie des valeurs dans l'intervention pédagogique: si l'enfant est premier, ce ne sont pas les contenus ou le calendrier scolaire qui devraient guider nos interventions en classe. D'autre part, elle soulève une question: Comment, dans les faits, développer une approche éducative centrée sur l'élève?

Il n'y a pas de réponse toute faite à cette question. Chaque enseignante devra accomplir personnellement sa démarche. Mais il semble que cette démarche, qui en est une de croissance pédagogique, implique trois passages obligatoires:

1. Connaître l'enfant d'aujourd'hui.
2. Développer une relation éducative appropriée.
3. Se donner un plan d'action.

Ce guide veut être un soutien dans cette démarche. Il te propose donc des pistes de réflexion et des outils pratiques pour développer une approche véritablement centrée sur l'élève.

Connaître l'enfant d'aujourd'hui

Devant deux portraits

Pour saisir les caractéristiques de l'enfant d'aujourd'hui, il peut être utile, dans un premier temps, de le mettre en parallèle avec l'enfant d'autrefois. Voici donc deux portraits. Le premier, celui de Joséphine et Gustave, élèves d'Émilie, institutrice dans le rang des Pronovost, à Saint-Tite. Le second, celui de Catherine et Marco, élèves de Madeleine, à l'école Clair Soleil.

1) Joséphine et Gustave habitent aux deux bouts du rang et ils ont l'un et l'autre plusieurs milles à faire à pied pour venir à l'école. Le matin, avant de partir, Gustave a fait la traite des vaches avec son père et Joséphine, après avoir préparé le déjeuner, s'est occupée de ses frères et sœurs plus jeunes. Quand ils arrivent en classe, ils sont déjà debout depuis cinq heures, ils sont fatigués et ils n'ont qu'une envie: rester bien assis au chaud et «écouter la maîtresse».

Ils font l'un et l'autre partie d'une véritable tribu. Joséphine est la deuxième d'une famille de huit enfants, Gustave est le cinquième d'une famille de dix. Ils se retrouvent en classe avec leurs frères et sœurs, leurs cousins, leurs cousines, puisque les cinq ou six familles du rang sont toutes plus ou moins parentes. Dans des familles aussi nombreuses, où un nouveau bébé arrive tous les ans ou presque, chacun doit faire sa vie. Les plus costauds arrivent à prendre leur place, les autres seront un peu leur souffre-douleur, à moins qu'ils ne réussissent à se faire oublier.

---

1. CONSEIL SUPÉRIEUR DE L'ÉDUCATION, *Une pédagogie pour demain à l'école primaire*, Avis au ministre de l'Éducation, Québec, Direction des communications du Conseil supérieur de l'éducation, 1991, p. 27-29.

Pour Joséphine, l'école est un havre de paix. Le travail est moins dur, elle aime bien rester tranquille pendant des heures à lire et à écrire. Quand elle rentrera à la maison, elle se retrouvera devant le repassage, dans le jardin ou à la cuisine à préparer le repas pour la famille. Gustave, lui, n'aura que le temps de se changer. Le travail de la ferme n'attend pas: il faut soigner les bêtes, faire les foins ou ramasser l'eau d'érable.

Pour Joséphine et Gustave, le cadre familial est clairement défini. Ils ont un père, une mère, des grands-parents, des oncles, des tantes. Ils absorbent un peu par osmose les valeurs de la famille: ceci se fait, cela ne se fait pas. Ils ont tout intérêt à entrer dans le moule, sinon gare aux punitions…

Tout petits déjà, Joséphine et Gustave ont donc appris ce qu'est le travail. Ils vivent dans un milieu et à une époque où la misère, la souffrance, la maladie et la mort font partie de l'environnement immédiat. Ils savent se sacrifier, traiter durement leur corps, rester sur leur faim, oublier leur fatigue. Ils ont vite appris, en fin de compte, à se comporter comme les adultes qui les entourent. D'un point de vue actuel, leur enfance n'a pas duré longtemps. À douze ans, Joséphine devra remplacer sa mère, morte à la naissance du dixième enfant. Gustave quittera l'école à quatorze ans parce que son père a besoin de lui sur la terre familiale.

Joséphine et Gustave passeront peut-être toute leur vie dans le quatrième rang de Saint-Tite. À part la messe du dimanche, la lecture du journal et, plus tard, l'écoute des nouvelles à la radio, ils n'ont que peu d'échos du «vaste monde» et ils ne sentent pas réellement le besoin d'en avoir davantage. D'ailleurs, tout ce qui est étranger leur inspire de la méfiance. Ils n'ont jamais de contacts avec les enfants protestants qui fréquentent la «mitaine[2]». Ils se moquent de la famille hollandaise qui vient d'emménager dans la cambuse à côté du cimetière. Pas question d'approcher des gens qui ne parlent même pas français et qui ne sont peut-être pas de leur religion.

2) Quand ils arrivent à l'école, le matin, Catherine et Marco ne sont pas toujours aussi frais et dispos que Madeleine, leur enseignante, pourrait l'espérer. Parfois, Catherine a gardé le bébé d'une voisine en passant toute la veillée devant la télévision. Marco s'est payé un «trip vidéo» jusqu'à minuit, avec ses copains. L'une et l'autre sont des spécialistes du «zapping». Si l'image ou le jeu ne leur plaît pas, ils trouvent autre chose sans plus attendre. En classe, Madeleine sait bien qu'elle doit être aussi intéressante que les jouets audiovisuels qui peuplent l'univers de ses élèves. Sinon, elle fait mieux de changer de métier.

Catherine et Marco font l'une et l'autre partie d'une petite famille. Marco n'a ni frère ni sœur, Catherine a une sœur. C'est dire qu'ils ont l'habitude d'être un peu le point de mire des adultes. Pour le meilleur et pour le pire, d'ailleurs. Mais Catherine et Marco ne trouvent pas toujours au moment opportun quelqu'un pour les écouter et pour s'occuper d'eux.

À part le ménage de leur chambre, ils ne sont que peu sollicités pour les tâches domestiques. Ils recherchent donc, en dehors de la maison, des activités physiques. Catherine s'entraîne régulièrement en natation, Marco fait partie d'une équipe de hockey. Ils prennent des cours de judo et participent aux activités du centre de loisirs de leur quartier. Face à l'école, ils ont un peu la même demande que face à leurs entraîneurs ou animateurs de loisirs: «Intéressez-nous en nous apprenant à faire.»

---

2. Petite église protestante que l'on retrouve dans le village.

Le milieu familial de Catherine et Marco a des contours moins bien définis que celui de Joséphine et Gustave. Le père et la mère de Catherine travaillent. Après la classe et les jours de congé, Catherine est accueillie chez une voisine. Quant à Marco, il vit dans une famille recomposée. Il habite avec sa mère et le nouveau conjoint de celle-ci, un Marocain qui a deux enfants d'un précédent mariage. Catherine et Marco se trouvent donc souvent face à de nouvelles valeurs, de nouveaux modes de vie, des façons différentes de concevoir l'autorité ou l'éducation. Ils ont à s'adapter sans cesse et à faire leur chemin sur ce terrain mouvant. Ils demandent donc à l'école d'être un milieu stable, structurant, où les valeurs ne bougent pas sans arrêt.

Les parents de Catherine et de Marco sont soucieux de laisser leurs enfants vivre leur enfance. Ils ne leur imposent pas de tâches trop difficiles, ils font tout pour leur assurer une certaine sécurité matérielle et financière. Ils respectent le temps consacré aux jeux et aux sports, ils les poussent même à pratiquer les activités les plus diverses. Mais si, dans l'esprit des parents, l'enfance de Catherine et Marco est protégée, dans les faits, ils sont l'un et l'autre confrontés à des situations d'adultes: le divorce de leurs parents les a forcés à développer une plus grande autonomie. Mais il a aussi accentué un certain sentiment d'insécurité et de solitude. Bien plus, ils sont parfois devenus les confidents de parents aux prises avec des difficultés émotives ou financières. Ils ont ainsi vite perdu l'innocence et l'inconscience de l'enfance.

Le monde de Catherine et de Marco n'a pratiquement pas de frontières. Ils vont en Floride pour les vacances d'hiver. Catherine ira en France avec sa classe; Marco connaît déjà la France et le Maroc. Marco a été passionné par sa visite au Musée des sciences à Ottawa, il veut devenir astronaute. Catherine rêve aux Jeux d'Atlanta, elle participe déjà à des compétitions pancanadiennes. Mais elle sait que la natation n'est pas tout dans la vie, elle pense à devenir ingénieure pour construire de grands barrages…

Les lignes de force du portrait de l'enfant d'aujourd'hui

Ces deux portraits, un peu caricaturés, il faut bien le reconnaître, mettent cependant en évidence quelques caractéristiques de l'enfant d'aujourd'hui.

Il est un être d'action et d'émotions.

Tout son être participe à la découverte et à l'apprentissage de la vie. Il ne se contente plus de regarder la vie des autres ou d'écouter les aventures des autres, il s'engage pleinement, corps, cœur et tête, dans l'aventure de sa propre vie. Son besoin d'action et d'émotions est tel qu'il «zappe» ce qui est trop lent ou ce qui ne l'intéresse pas. C'est sa manière de marquer son pouvoir et son désir de s'engager dans tous les jeux de la vie.

Il se nourrit d'images et il s'exprime par des images.

L'enfant d'aujourd'hui vit dans l'image, il est constamment sollicité par la télévision, le cinéma, les affiches, les bandes dessinées, et il s'exprime par des images. Sa façon de parler emprunte plus au langage informatique ou à la bande dessinée qu'au livre traditionnel. Sa pensée et son expression sont plus proches du rythme du montage de séquences visuelles que du déroulement des mots dans la phrase.

Il est à la recherche de liens affectifs solides.

Alors qu'un enfant du début du siècle connaissait bien les liens qui l'unissaient aux deux adultes de la maison, l'enfant d'aujourd'hui vit dans un environnement où les relations ne sont pas toujours claires et durables. Il a à se situer par rapport à des adultes qui sont ses parents et d'autres qui ne le sont pas, mais qui font partie de son environnement proche. Cette mouvance peut générer beaucoup d'insécurité, le sentiment de n'appartenir à personne. Mais elle offre aussi à l'enfant la liberté de choisir comme modèles des personnes avec qui il n'a pas de liens biologiques, mais qui sont présents d'une manière authentique dans le quotidien de la vie.

La médiation est moins présente dans sa vie familiale.

Les familles sont beaucoup moins nombreuses qu'auparavant: le nombre d'enfants a diminué et les grands-parents demeurent plutôt dans des centres de personnes retraitées. Quant aux parents, ils sont pris par un horaire essoufflant, ayant à mener de front carrière professionnelle, session de perfectionnement, activités sociales, tâches ménagères et éducation des enfants. La vie se déroule à un rythme effréné où il y a peu de personnes et peu de temps pour vivre une relation de médiation avec les enfants.

Un psychologue israélien, Feuerstein[3], a consacré une quarantaine d'années de sa vie à démontrer le rôle des médiateurs (grands-parents, parents, frères et sœurs) dans le développement de fonctions cognitives qui permettent à l'apprenant de mieux appréhender la réalité, de la structurer et d'interagir avec elle. Ce chercheur a le mérite d'avoir mis en évidence le rôle déterminant des intermédiaires humains dans le

---

3. Pierre AUDY, François RUPH, Mario RICHARD, «La prévention des échecs et des abandons scolaires par l'actualisation du potentiel intellectuel (A.P.I.)», *Revue québécoise de psychologie*, vol. 14, n° 1, p. 161-162.

développement d'un répertoire des préalables fonctionnels à une bonne performance intellectuelle.

Si la médiation est de moins en moins présente dans la vie familiale, l'école se doit de pallier cette faiblesse. Plus que jamais, l'enseignante, comme médiatrice efficiente, doit utiliser de façon optimale des situations d'apprentissage comme prétextes pour développer une stratégie, un principe de vie, un concept ou une signification. Ainsi, la médiation exercée par l'enseignante doit agir parallèlement sur la motivation et l'enthousiasme des élèves, de même que sur le sens et la pertinence des savoirs.

Il est à la recherche de structures et d'encadrement.

Parce qu'il ne trouve pas toujours dans sa famille la solidité structurelle dont il aurait besoin, l'enfant la recherche ailleurs. Dans des clubs, des équipes sportives, des activités de loisirs, mais en particulier à l'école. Il a besoin de cohérence dans le comportement de son enseignante. Il est heureux de participer à la mise en place de règles de comportement, d'appliquer les étapes d'une démarche pour régler un problème, d'élaborer des stratégies pour comprendre et pour apprendre. Il a ainsi le sentiment d'avoir de la prise sur son monde et d'exister comme personne responsable.

Il est ouvert sur le monde.

Il est né dans un monde en évolution rapide où ce qui était à la mode hier est aujourd'hui dépassé. L'ouverture à la nouveauté, au changement, au différent, fait pratiquement partie de son bagage génétique. Cette ouverture est d'ailleurs constamment sollicitée. Dans sa rue, dans sa classe, il côtoie des étrangers. Lui-même visite d'autres pays, dans les faits ou en images. Il découvre la différence des modes de vie, des règles de politesse, des manières de manger ou de dormir, non comme des hérésies, mais comme autant de manières d'être humain. Son esprit s'ouvre à la tolérance, au respect. La liberté, la créativité, l'authenticité deviennent pour lui des valeurs à privilégier.

Ces quelques traits esquissent à peine le profil complexe de l'enfant d'aujourd'hui. Mais déjà, il est possible de poser la question: Quel type d'accompagnement éducatif peut convenir à un tel enfant?

Développer une relation éducative appropriée

Dans un avis au ministre de l'Éducation, intitulé *Les enfants du primaire,* le Conseil supérieur de l'éducation reconnaît la nécessité de mettre en place, dans les écoles, une pédagogie qui tienne réellement compte de ce qu'est l'enfant d'aujourd'hui.

La pédagogie active reconnaît, pour le moins, trois caractéristiques fondamentales de l'enfant: l'enfant est une personne unique, avec ses goûts, ses champs d'intérêt, ses aptitudes et ses rythmes propres; c'est un être actif et c'est donc par l'exercice que son potentiel se développe et que sa personnalité s'épanouit; c'est un être qui désire apprendre des choses significatives pour la vie[4].

Pour être cohérente avec le profil de l'enfant d'aujourd'hui, tel qu'il vient d'être esquissé, l'enseignante devra donc développer un type particulier de relation éducative. Elle sera, selon les termes de Jacques Tardif, tantôt penseuse ou preneuse de décisions, tantôt motivatrice, modèle, médiatrice ou entraîneuse[5]. Globalement, il est possible de dire que cette relation de guide prendra deux formes bien définies: *encadrement* et *accompagnement.*

Encadrement

On l'a vu, les enfants d'aujourd'hui évoluent souvent dans un cadre familial où les règles ne sont pas stables. Ils doivent constamment réajuster leur échelle de valeurs: ce qui est permis chez la mère est interdit dans la nouvelle famille que le père a reconstituée. L'offense est grave ici et pas ailleurs. Le père va jusqu'au bout des conséquences, mais pas la mère ou vice versa. Plus que jamais les enfants ont donc besoin d'un solide encadrement et l'école se doit de le leur fournir.

De quel encadrement s'agit-il? Faut-il revenir à une discipline militaire? Les enseignantes qui le tenteront mesureront vite la gravité de leur erreur. Si les enfants d'aujourd'hui ont besoin d'un cadre solide, ils ont aussi besoin de participer, comme des personnes responsables, à la construction de ce cadre. Encadrement soit, mais encadrement dans le partage des responsabilités.

Plutôt que d'intervenir autoritairement, l'enseignante sera donc bien inspirée de mettre en place, dans la classe, des façons d'amener les élèves à s'engager à tous les niveaux de son fonctionnement.

Dans ses comportements

L'enseignante proposera aux enfants, par exemple, de préparer ensemble un référentiel disciplinaire précisant les règles de vie, les conséquences agréables ou désagréables liées à ces règles. Elle les amènera à objectiver, à évaluer leurs comportements, à dépister leurs forces et à se donner des défis. Elle leur fournira des occasions de voir comment ils sont perçus par leurs pairs. Des rencontres régulières avec les élèves lui permettront de cerner leur image, de faire le point et de développer leur estime de soi de façon positive.

---

4. CONSEIL SUPÉRIEUR DE L'ÉDUCATION, *Les enfants du primaire*, Avis au ministre de l'Éducation, Québec, Direction des communications du Conseil supérieur de l'éducation, 1989, p. 35.
5. Jacques TARDIF, *Pour un enseignement stratégique. L'apport de la psychologie cognitive*, Montréal, Éditions Logiques, 1992, p. 303.

Dans ses apprentissages

L'enseignante présentera les objectifs d'apprentissage aux élèves et les placera en projet d'apprentissage. Elle leur permettra d'objectiver tout au long de leur démarche d'apprentissage. Elle planifiera avec eux l'échéancier des tâches, elle leur apprendra à utiliser un plan de travail et elle facilitera l'autocorrection. L'enseignante aidera les élèves à se constituer des banques de stratégies, un cahier de méthodologie du travail intellectuel, etc. En un mot, elle rendra ses élèves responsables de la construction de leur propre savoir.

Dans l'évaluation de ses apprentissages

L'enseignante dira clairement aux élèves l'intention, les objets et les critères d'évaluation. Elle leur fera connaître les seuils de réussite. Elle mettra entre leurs mains des outils d'auto-évaluation. Elle les invitera sans cesse à se donner de nouveaux défis pour réinvestir leurs nouvelles compétences et transférer ainsi leurs apprentissages.

Ainsi, on le voit, l'encadrement proposé aux élèves sera à la fois souple et solide. L'enseignante agira à la fois comme penseuse et preneuse de décisions dans la mise en place de cet encadrement. Les élèves seront ses partenaires. Plutôt que de les démotiver ou d'annihiler leur liberté, l'encadrement contribuera à la construction de leurs apprentissages, de leur sens des responsabilités et à leur maturation.

Accompagnement

Les élèves d'aujourd'hui n'ont pas seulement besoin d'encadrement, ils ont encore et surtout besoin d'accompagnement. Cet accompagnement est un art. Il consiste à se joindre aux élèves pour aller où ils vont, en même temps qu'eux.

Le premier pas de cet accompagnement est donc la **connaissance du client**. L'enseignante ne se contentera pas seulement de savoir le nom et l'âge de ses élèves, leur origine sociale, le nom de leurs parents. Elle se donnera tous les outils nécessaires pour saisir

• leurs attentes et celles des parents par rapport à l'école,

- les sujets qui les intéressent particulièrement,
- leurs acquis en ce qui a trait à l'apprentissage,
- leur rythme d'apprentissage,
- leur style d'apprentissage: visuel, auditif ou kinesthésique,
- leur façon de traiter l'information, séquentielle ou simultanée,
- leurs forces et leurs faiblesses,
- leur degré et leur source de motivation,
- la perception qu'ils ont d'eux-mêmes, de leur enseignante, de l'école, etc.

Cette connaissance, si elle est authentique, mènera à une attitude de respect. L'enseignante sera consciente des besoins des élèves et elle aura le souci de les prendre en compte dans son accompagnement: besoin d'être pris au sérieux, besoin de vivre le plaisir de la découverte, besoin d'agir et de réagir en toute liberté, besoin de temps pour «prendre conscience de» leurs expériences, besoin de partage et de relations…

Ce respect prendra une forme particulière quand l'enseignante se trouvera face à un élève difficile. Plutôt que d'écarter le problème, elle mettra tout en œuvre pour cerner les difficultés de l'enfant: De quel ordre sont-elles? Quelles en sont les manifestations, les conséquences? Après une analyse sérieuse, elle sera en mesure de choisir le style d'intervention qui convient le mieux.

- Est-ce un élève motivé, pas capable, qui fait face à des problèmes d'apprentissage?
- Est-ce un élève en survie, aux prises avec le mal de l'âme, éprouvant des problèmes d'adaptation à la vie?
- Est-ce un élève capable, mais pas motivé que l'école ne réussit pas à aller chercher?
- Est-ce un élève qui a des troubles de comportement graves, ayant une incidence sur le groupe?
- Est-ce un élève pas motivé, pas capable, qui vit quotidiennement le décrochage scolaire?

Après une analyse sérieuse de sa clientèle, l'enseignante sera plus en mesure de choisir le style d'intervention qui conviendra le mieux à chacun de ses élèves.

Tu trouveras aux pages 51 à 90 d'autres outils destinés à faciliter la connaissance de l'enfant. L'enseignante pourra les utiliser non seulement en début d'année, mais chaque fois que le besoin s'en fera sentir. L'idéal serait qu'elle garde une trace écrite de ses observations dans un journal de bord. Elle pourrait ainsi raffiner de plus en plus sa connaissance de chacun des enfants de sa classe.

Le premier pas de la connaissance amènera l'enseignante à découvrir la nécessité de passer à une **individualisation de l'intervention pédagogique**. Si chaque élève a son profil particulier et que l'on veut respecter ce profil, il faut développer, dans la classe, une relation pédagogique qui convienne à chacun. Le défi est de taille. Qu'est-ce qu'il représente dans les faits?

Cela signifie que l'enseignante
- après avoir saisi la source et le degré de motivation de l'élève, sera capable d'intervenir en se servant de cette motivation comme d'un tremplin;
- après avoir saisi le style d'apprentissage de l'élève, sera capable d'intervenir en se servant de cette porte d'entrée. La connaissance du style d'apprentissage amènera l'enseignante à découvrir les autres portes d'entrée vers lesquelles l'élève ne va pas spontanément;

- sera capable de développer une pédagogie favorisant l'individualisation et les outils organisationnels nécessaires;
- sera capable de planifier son enseignement en des scénarios d'apprentissage orientés vers la réussite pour le maximum d'élèves de la classe;
- sera capable de créer un aménagement de la classe adéquat à la gestion des différences;
- sera capable de gérer la discipline de la classe en respectant les différences de chacun et en favorisant l'individualisation;
- sera capable de planifier, d'animer, d'évaluer un programme spécifique d'aide adapté à chaque élève ou à chaque groupe d'élèves;
- aura précisé les seuils de réussite adaptés aux possibilités de l'élève;
- sera capable d'élaborer des tâches évaluatives adaptées au cheminement de l'élève;
- sera capable d'aider l'élève à réinvestir ses connaissances et ses habiletés dans de nouveaux défis de façon à assurer des transferts possibles.

Toutes ces interventions requièrent chez l'enseignante des qualités de motivatrice, de modèle, de médiatrice et d'entraîneuse, selon les termes utilisés par Tardif. Elles n'ont finalement qu'un but: faire de l'élève le principal artisan de son apprentissage, développer entre l'élève et l'enseignante une relation de complicité, une alliance dans le processus de croissance de l'élève.

Un tel accent mis sur l'individualisation pourra soulever des objections: dans une classe, il n'y a pas qu'un seul élève. Est-il donc possible d'animer une classe tout en pratiquant un accompagnement pédagogique individualisé? L'enseignante qui croit en la nécessité d'établir une relation pédagogique particulière avec chaque élève et qui, en même temps, se sent responsable de tout un groupe devra aussi apprendre à gérer les différences. La tâche n'est pas simple. Elle exige des compétences qui ne sont pratiquement jamais enseignées dans les centres de formation, là où on a encore tendance à concevoir le groupe-classe comme un tout homogène. On le sait pourtant, la classe est faite d'un ensemble de personnes de cultures différentes aux goûts différents, aux forces différentes, aux motivations et aux aspirations différentes. Si elle veut réellement en être l'animatrice, l'enseignante doit apprendre à vivre avec ces différences plutôt qu'à chercher à les niveler. Elle doit se donner les instruments nécessaires pour animer un groupe où chacun peut travailler selon son style, son rythme, tout en poursuivant les objectifs de son niveau.

Se donner un plan d'action

Le présent guide: un outil approprié

Il ne suffit pas d'avoir l'intention d'assurer un type d'accompagnement éducatif pour y arriver. Rapidement, l'enseignante pourra se sentir tiraillée entre son désir d'individualiser son intervention pédagogique et la nécessité de gérer les différences dans la classe. Il lui faut donc se donner un plan d'action. Celui-ci permettra d'arriver, par étapes, à la mise en place d'une gestion de classe participative qui suppose une approche réellement centrée sur l'élève.

Ce guide peut aider à la préparation d'un plan d'action. Il propose des champs d'intervention, des pistes de réflexion et d'analyse, des outils pratiques. Son rôle est de favoriser la reconnaissance de petits pas qui conduiront l'enseignante vers un nouveau mode de gestion de classe.

Mise en place de la gestion de classe participative

Quand faut-il commencer?

Des enseignantes seront tentées de dire: «Je vais laisser passer les premières semaines, les premiers mois. Je voudrais que mes élèves soient plus autonomes avant de me lancer dans la gestion de classe participative.» Et l'on continuera de voir dans la classe les scénarios suivants:

«Madame, est-ce que je peux aller aux toilettes?
— J'ai fini, me corriges-tu?
— Est-ce que je peux tailler mon crayon?
— Je ne comprends pas, quand est-ce que tu vas m'expliquer?
— J'ai fini mon travail, qu'est-ce que je fais?»

Manifestement, ces enfants sont dépendants. Ils le resteront tant et aussi longtemps que l'enseignante n'aura pas compris qu'elle se garde un pouvoir jaloux et que les enfants, dans ces conditions, ont peu de chances de devenir autonomes et responsables, un jour. Créer les conditions d'une gestion participative, dès le début de l'année, c'est se donner les meilleures chances de sortir du cercle infernal contrôle-dépendance. C'est donc dès le début d'une nouvelle année qu'il faut au moins placer la classe dans la perspective d'une gestion de classe participative. Comment s'y prendre?

Par où faut-il commencer?

Le premier pas est certainement de définir, pour soi-même, sa philosophie de l'éducation. Avant de se lancer dans la gestion de classe participative, l'enseignante doit être au clair avec ses principales valeurs et ses croyances en matière d'éducation. Pourquoi fait-elle ce métier? Quels sont ses objectifs? Quelle est sa conception de l'apprentissage? Elle doit également bien connaître son style personnel d'enseignement, son propre rythme et sa propre démarche d'apprentissage. Elle peut garder des traces écrites de cette réflexion et y revenir de temps en temps au cours de l'année pour constater les changements, se rappeler ses convictions profondes.

Le deuxième pas se fait à l'égard des élèves. L'enseignante conçoit alors les activités d'accueil des élèves dans la classe. Elle se donne les moyens d'aider les élèves à exprimer leurs attentes face à l'école et à leur enseignante. Parallèlement, elle se prépare à dire elle aussi ses propres attentes à l'égard des élèves. Avec eux, elle réfléchira sur ce qu'est un «bon élève». Les portraits du «bon élève» et de la «bonne enseignante» pourront rester affichés dans la classe. Ils constitueront une ébauche du projet éducatif de la classe.

Le troisième pas est nettement pédagogique. L'enseignante consulte ses élèves sur ce qu'ils désirent vivre dans la classe au cours de l'année. Elle élabore avec eux des projets et se constitue «mémoire» de la classe en prenant note de toutes les suggestions.

Le quatrième pas est déjà un début de gestion de classe participative. Il s'agit d'aménager et de décorer la classe en collaboration avec les enfants, c'est-à-dire que l'enseignante prépare avec eux et réalise avec eux cet aménagement. L'opération est un bon test de sa capacité de prendre en compte les suggestions des enfants, sans abdiquer ses responsabilités. La négociation s'impose.

L'expérience de l'aménagement et des premières activités en classe peut être l'occasion de mesurer l'importance d'établir des règles de vie dans la classe. Il s'agit, avec le groupe-classe, de déterminer les comportements négociables et non négociables. Ainsi, les limites de tolérance de l'enseignante et des élèves seront clairement établies et chacun pourra s'y référer dans le feu de l'action. Ce référentiel disciplinaire fera diminuer les controverses et renverra chacun à l'exercice de ses responsabilités. Il aidera aussi l'élève à vivre dans les faits la réalité de son propre pouvoir sur sa vie.

En même temps qu'on mettra en place le référentiel disciplinaire, il faudra prévoir avec les enfants des conséquences agréables ou désagréables liées aux règles de vie. Cette opération aide les élèves à établir des liens de cause à effet dans leurs comportements et à sortir du monde de l'arbitraire. Ils prennent conscience ici encore que tout ne tombe pas du ciel et qu'ils disposent d'un pouvoir véritable sur certains événements de leur vie.

Un autre pas sera franchi par la collecte des informations sur les goûts, les intérêts, les besoins de chaque enfant et du groupe-classe. Les résultats de cette collecte de données seront soigneusement conservés. Enseignante comme élèves pourront s'y référer pour faire des suggestions de projets à réaliser tout au long de l'année. Ces données pourront servir à dresser le profil de la classe. D'un seul coup d'œil, l'enseignante aura une vision globale écrite des intérêts et des besoins de ses élèves.

Cette période de mise en place pourra déboucher sur la formation d'un conseil de classe ou alors d'un conseil de coopération[6].

Enfin, il sera bénéfique de préparer, avec les élèves, la première rencontre de parents. L'enseignante discutera avec eux

– des points importants à présenter aux parents,
– des attentes des élèves et de l'enseignante face à cette rencontre,
– des modes d'engagement des parents dans le vécu de la classe tout au long de l'année.

Elle pourra prévoir, avec les élèves ou le conseil, un mode de participation effective à cette rencontre:

• la préparation d'une carte d'invitation,
• un message de bienvenue,
• l'accueil par les élèves à l'entrée et la remise de l'ordre du jour,
• la présentation des élèves par les élèves eux-mêmes,
• la présentation par des élèves de l'organisation de la classe, des règles de vie, des projets, etc.,
• la préparation et le service d'un petit goûter…

---

6. Voir l'ouvrage *Le conseil de coopération* de Danielle Jasmin, publié aux Éditions de la Chenelière en 1994. Elle y livre son expérience du conseil de coopération qu'elle met en pratique dans ses classes depuis neuf ans. Elle décrit également comment instaurer un conseil de coopération.

La réunion des parents pourra mener à la formation d'un conseil de parents, si les deux parties en manifestent le désir.

Bien démarrée, la mise en place de la gestion de classe participative ne s'arrêtera pas là. Elle s'engagera alors sur le terrain plus délicat de la pédagogie. L'enseignante trouvera divers moyens d'amener les élèves à s'engager de plus en plus dans le processus d'acquisition des connaissances et du développement de leurs habiletés.

– Elle présentera les programmes d'études aux élèves, leur permettra de les toucher, de les feuilleter pour qu'ils se rendent compte par eux-mêmes du parcours qui leur est proposé pour l'année qui vient. Elle leur présentera les objectifs terminaux dans un langage adapté. Elle laissera même une liste de ces objectifs, au moins en français et en mathématiques, à leur disposition dans la classe.

– Elle définira les formules d'évaluation qui seront utilisées au cours de l'année ainsi que leur fréquence. De cette façon, les élèves n'auront pas l'impression d'être piégés.

– Elle proposera aux élèves différents types d'organisation du travail: personnel ou collectif, en dyades naturelles ou structurées, en équipes spontanées ou permanentes. L'enseignante procédera à la mise en place des dyades et des équipes structurées et définira avec les élèves leur manière de s'entraider à apprendre.

– Elle complétera avec les élèves l'aménagement de la classe pour répondre aux besoins des diverses formes de travail prévues: la place d'un pupitre d'autocorrection, l'aménagement d'un coin d'exploration et de manipulation, etc.

– Enfin, elle pourra choisir avec les élèves de se donner une mascotte, un personnage-complice ou un logo. Elle verra à intégrer cette mascotte, ce personnage ou ce logo dans le vécu de la classe et la promotion de différentes démarches et stratégies d'apprentissage.

Et si on ne peut tout faire?

Certaines enseignantes pourront être effrayées face à l'ampleur du remaniement de l'organisation de leur classe. Elles veulent bien «essayer», mais plus simplement. Elles ont peur de se trouver trop rapidement débordées. Voici donc, à titre de suggestion, un ordre d'implantation d'outils organisationnels en deux phases (*voir les pages 46 et 47*). La première phase propose une série d'interventions qui peuvent être faites sans trop de bouleversements dans la classe. La deuxième est plus «dérangeante», car elle exige des modifications dans l'aménagement et le fonctionnement de la classe.

Tu trouveras également un tableau-synthèse (*voir à la page 48*) qui donne une vision globale des diverses interventions pédagogiques que l'on peut poser afin d'engager l'élève dans son projet d'apprentissage. Regroupées en trois colonnes, ces interventions ont été classées par ordre de complexité dans leur utilisation:

1. Gestes pédagogiques à poser (niveau simple).

2. Outils organisationnels à structurer dans la classe (niveau intermédiaire);

3. Outils à donner aux élèves pour apprendre (niveau plus engageant).

Tous ces outils, et bien d'autres, sont présentés soit à la fin de ce chapitre, soit dans les chapitres qui suivent. Ils formeront peu à peu le coffre d'outils de l'enseignante et de toute la classe.

PHASE 1

L'enseignante

1. dit l'objectif d'apprentissage à l'élève, avant de décrire la tâche d'apprentissage;

2. écrit le menu du cours ou de la journée au tableau;

3. fait décoder les états d'âme des élèves à un moment précis du cours ou de la journée;

4. exprime les consignes de différentes façons:
   - elle les dit,
   - elle les écrit,
   - elle demande à un élève de les reformuler,
   - elle les illustre (matériel, image, schéma),
   - elle les fait mimer par des élèves, quand c'est possible,
   - elle fait une démonstration,
   - elle permet à ses élèves de s'en parler deux à deux, de se l'expliquer pendant quelques minutes;

5. prévoit une période d'observation de la tâche d'apprentissage avant de donner des explications. Ce temps permet à l'élève de visualiser la tâche, de se situer par rapport à elle et de développer une intention d'écoute. L'intérêt et la participation seront meilleurs;

6. installe dans la classe une boîte à lettres. Elle sert pour l'enseignante et chacun des élèves. Certaines réalités sont plus faciles à écrire qu'à dire;

7. habilite les élèves à composer avec des échéanciers dans la réalisation de leurs travaux. Elle commence par de courtes échéances et augmente progressivement la longueur des délais accordés;

8. utilise des dyades spontanées pour développer l'entraide et la coopération dans les apprentissages;

9. habitue les élèves à se donner des rôles à l'intérieur de l'équipe, chaque fois qu'ils utilisent cette forme de travail: gardien de la parole, du temps, de la tâche, journaliste ou reporter (on peut définir ces rôles d'après l'âge des élèves. Selon le contexte, on peut donner les rôles suivants: écrivain, gardien de la mémoire, animateur, secrétaire, etc.);

10. suggère aux élèves d'avoir un journal de bord pour noter ce qu'ils vivent, ce qu'ils apprennent, ce qu'ils comprennent ou ne comprennent pas, ce qu'ils aiment ou n'aiment pas;

11. construit, avec les élèves, un tableau de responsabilités.

PHASE 2

L'enseignante

1. définit, avec les élèves, une procédure de participation (panneau de l'autonomie). Il s'agit de les amener à découvrir ce qui peut les aider, cette année, dans la classe: l'enseignante, les pairs, le coffre d'outils, etc. On en fait une affiche qui illustre la procédure de participation que l'on a choisi de se donner dans la classe;

2. met en place le référentiel disciplinaire, avec la participation des élèves;

3. instaure dans la classe le principe d'autocorrection et choisit avec les élèves un coin et du matériel à cet effet;

4. constitue des dyades permanentes. L'enseignante précise leur rôle et construit des stratégies d'aide;

5. prépare un menu d'activités d'enrichissement et place dans la classe un tableau d'enrichissement;

6. dresse avec les élèves des démarches, des stratégies:

   • de résolution de problèmes,

   • de recherche,

   • de compréhension de problèmes écrits, etc.;

7. met en place un coin d'exploration et de manipulation. Alimenté par du matériel structuré et non structuré, ce coin devient un support indispensable dans l'exploration des concepts que l'on trouve dans diverses matières;

8. prévoit des ateliers de récupération;

9. met en place des centres d'apprentissage;

10. enseigne par sous-groupes: cliniques obligatoires, cliniques avec inscriptions;

11. modifie l'aménagement physique de la classe. D'un modèle centré sur l'enseignement de l'enseignante, on passe à un modèle interactif et participatif;

12...

Comment développer une approche centrée sur l'élève?

Niveau simple

GESTES PÉDAGOGIQUES À POSER

1. Dire les objectifs d'apprentissage.
2. Dire les objets d'évaluation.
3. Préciser les critères d'évaluation.
4. Déterminer le seuil de réussite.
5. Faire objectiver l'élève.
6. Préciser les tâches par des consignes courtes, claires et graduées.
7. Planifier l'échéancier des tâches avec les élèves.
8. Engager l'élève dans la vie en classe:
   • nom,
   • décoration,
   • aménagement,
   • responsabilités.
9. Inviter les élèves à se donner une force et un défi après un temps donné (journée, semaine ou étape).

Niveau intermédiaire

OUTILS ORGANISATIONNELS À STRUCTURER DANS LA CLASSE

1. Autocorrection.
2. Dyades structurées.
3. Équipes permanentes.
4. Tableau d'harmonie.
5. Coin d'enrichissement.
6. Plan de travail.
7. Fonctionnement par ateliers.
8. Tableau de programmation.
9. Aménagement de la classe plus souple et plus ouvert.
10. Coin d'exploration et de manipulation.
11. Faire participer les élèves
    • à l'élaboration des activités susceptibles d'alimenter le menu d'enrichissement;
    • à l'élaboration de matériel nécessaire à l'apprentissage en classe.

Niveau plus engageant

OUTILS À DONNER AUX ÉLÈVES POUR APPRENDRE

1. Donner des outils d'auto-évaluation.
2. Fournir des grilles pour l'objectivation d'une pratique.
3. Donner des référents-matières.
4. Utiliser et afficher des démarches:
   • démarche de résolution de problème,
   • démarche scientifique,
   • démarche d'initiation à la recherche.
5. Fournir du matériel de manipulation.
6. Faire connaître les 6 étapes pour apprendre (formation de concepts).
7. Faire connaître les 3 façons d'apprendre:
   • information,
   • démonstration,
   • expérience.
8. Monter des banques de stratégies d'apprentissage.
9. Agenda «animé». Comment le gérer?
   • planification,
   • prévision,
   • prise de décision.
10. Élaborer avec les élèves des outils pour apprendre (méthodologie du travail intellectuel)
11. Utiliser la co-évaluation

Source: Centre de formation Jacqueline Caron inc.

Conclusion

On le voit, le désir de développer une approche centrée sur l'élève nécessite une préparation adéquate, car cette approche est exigeante. Elle requiert généralement de la part de l'enseignante

– un déplacement des efforts du contenu vers l'enfant. Ce qui est premier dans la démarche pédagogique, ce n'est plus le contenu des programmes, mais l'enfant avec ses forces, ses fragilités, ses besoins et, surtout, sa capacité de grandir et d'apprendre;
– un réel engagement dans une relation avec l'enfant. Celui-ci n'est plus un spectateur de la performance du maître. Il est partenaire dans une relation, responsable à part entière du processus de croissance dans lequel il est engagé avec l'adulte qui l'accompagne;
– une claire conscience de son rôle. Plus que jamais, dans la relation enseignante/élève, les rôles doivent être clairs. Si l'approche est centrée sur l'élève, l'enseignante doit découvrir toutes les nuances du concept d'accompagnement. Elle doit prendre sa place, sans jamais voler la vedette;
– une bonne maîtrise de certains outils. Plusieurs de ces outils sont à construire avec les élèves en classe. L'enseignante doit donc bien connaître leur sens, leur rôle et leur utilité pour ne pas les dénaturer.

Toutes ces innovations paraîtront moins exigeantes si l'enseignante est convaincue de la justesse de son orientation. Elles deviendront franchement dynamisantes si, en plus de sa conviction intérieure, elle trouve une collègue, une directrice d'école, une conseillère ou une équipe avec qui partager son expérience. Accompagnatrice, elle deviendra elle-même «accompagnée». L'enseignante trouvera, dans cette relation, le soutien nécessaire pour avancer hardiment sur la voie d'une gestion de classe participative.

2.1 QUELLES SONT TES ATTENTES?
QUELLES SONT MES ATTENTES?
(Décodage des attentes mutuelles)

Contexte et utilité

En début d'année, il est important d'aller vérifier les attentes des élèves à l'égard de l'enseignante. Qu'est-ce qu'une bonne enseignante pour toi? Si tu avais eu à me choisir, comment m'aurais-tu voulue?

Après, on demande aux élèves de cerner ce que l'enseignante est en mesure d'attendre d'eux. Qu'est-ce qu'une bonne ou un bon élève? Qu'est-ce que j'attends de vous pour réussir notre année?

Ce référentiel deviendra en quelque sorte un élément du projet éducatif de la classe.

Pistes d'utilisation

1. Vis une animation collective autour de ces questions. En plus de recevoir les attentes verbales, discutes-en avec les élèves, note-les sur des panneaux distincts qui demeureront affichés au-devant de la classe. (*Voir page 52.*)

2. Sers-toi de ces référentiels au début de chaque étape, comme rappel.

3. Utilise-les en cours d'étape, au besoin, pour te réajuster.

4. Transforme-les en contrat écrit, si tu le désires. (*Voir pages 53, 54 et 55.*)

5. Élabore un tableau mural à l'aide du matériel fourni par les élèves. (*Voir pages 56 et 57.*)

COMMENT CRÉER UN CLIMAT PARTICIPATIF?

«Une bonne enseignante, c'est...
Une bonne ou un bon élève, c'est...»

1. Au début de l'année, on définit avec nos élèves ce que c'est une bonne enseignante, ce que c'est une bonne ou un bon élève.

2. On choisit ce qui correspond le plus à nos attentes, à nos valeurs.

3. On définit à l'aide d'adjectifs ou de verbes.

   Exemples: patiente, souriante, écoutante, aidante, juste, etc. Elle est patiente, elle sourit, elle écoute, elle aide, etc.

4. On écrit ces attentes sur un carton que l'on affiche sur le tableau d'harmonie et on les relit au début de chacune des étapes.

5. On s'en sert pour se rappeler à l'ordre (autant l'enseignante que l'élève).

À la suite de plusieurs sondages faits auprès des élèves, voici cinq grandes attentes des élèves face à leur enseignante. Elle doit être:

a) humaine: elle sourit, elle écoute, etc.

b) compétente: elle connaît bien sa matière et elle est capable de bien la communiquer aux élèves

c) juste

d) patiente avec les élèves en difficulté

e) dotée du sens de l'humour

ATTENTES DES ÉLÈVES EXPRIMÉES EN CONTRAT

Qu'est-ce qu'une *enseignante idéale?*

C'est une enseignante qui:

1. est juste avec tout le monde, sans préférence, sans passe-droit; qui ne fait pas de sexisme.
2. possède le sens de l'humour, est capable de faire des farces et de détendre ses élèves.
3. n'est pas trop sévère, seulement quand c'est le temps.
4. est disponible en classe pour aider ses élèves, pour leur expliquer.
5. fait apprendre beaucoup de choses.
6. n'exige pas le silence parfait pendant que ses élèves travaillent en classe.
7. prend tout le temps nécessaire pour expliquer, n'est pas trop vite en affaire.
8. donne le bon exemple à ses élèves.
9. fait des remarques aux gens concernés.
10. essaie le plus possible de ne pas faire de cachette.
11. supporte les erreurs sans trop dramatiser.
12. laisse de la liberté à ses élèves pour qu'ils puissent se prendre en main.
13. donne des explications avant de proposer un travail.
14. explique le pourquoi d'une punition ou d'une récompense donnée à ses élèves.
15. accepte des retards de travaux, si les élèves n'ont pas compris ou s'ils éprouvent des difficultés d'apprentissage.
16. est capable d'accepter les idées de ses élèves même si elles sont différentes des siennes.
17. organise des projets dans la classe, pas seulement des activités de mathématiques et de français.
18. a la patience de recommencer les explications quand quelqu'un ne comprend pas.
19. est de bonne humeur, a le sourire facile et est capable de rire avec ses élèves.

Voilà ce que les élèves de _____ année attendent de leur enseignante!

Par conséquent, moi, _____
(signature de l'enseignante)

je suis prête à fournir les efforts nécessaires pour répondre à ces attentes.

Date: _____ École: _____

Source: D'après la liste de la classe de sixième année, École Mont-St-Louis, Bic.

ATTENTES DE L'ENSEIGNANTE EXPRIMÉES EN CONTRAT

Qu'est-ce qu'une ou un *élève idéal*?

C'est une ou un élève qui:

1. fait son possible pour comprendre, pour faire ce qui est demandé.

2. est capable de respecter les autres, surtout dans son langage.

3. se prend en main et est à son affaire.

4. s'installe rapidement à son travail et travaille sans perdre de temps.

5. est autonome, n'a pas toujours besoin de son enseignante pour fonctionner.

6. se conduit bien, même si l'enseignante-titulaire n'est pas là, avec les spécialistes et les suppléantes.

7. est capable d'accepter une remarque sans dramatiser.

8. participe activement à la vie de la classe, à la vie du groupe.

9. est capable de respecter les règles de vie que le groupe-classe s'est données, surtout dans les diverses zones de travail.

10. est capable de s'exprimer en classe, soit en équipe ou soit en grand groupe.

11. est capable d'écouter activement et attentivement une personne quand elle parle: que ce soit son enseignante, une ou un élève ou une invitée ou un invité.

12. attend son tour pour prendre la parole.

13. est pacifique, ne fait pas exprès pour chercher la chicane, la violence.

14. est calme, mais capable de faire des farces de temps à autre.

15. est discrète ou discret, pas trop bavarde ou bavard.

16. est gentille ou gentil, polie ou poli.

17. est à l'ordre, range bien ses travaux et ses effets personnels.

18. est curieuse ou curieux intellectuellement, ne se contentant pas du strict nécessaire ni uniquement de la réponse.

19. se préoccupe de former une vraie famille en acceptant les autres tels qu'ils sont, avec leurs qualités et leurs défauts.

20. aime la qualité du produit fini (vise toujours la qualité au lieu de la quantité).

21. est positive ou positif face aux personnes et aux situations en voyant toujours le bon côté.

Source: D'après la liste de la classe de sixième année, École Mont-St-Louis, Bic.

Voilà ce que _____ attend de ses élèves de _____ année!

Ça paraît exigeant, mais je te rappelle que cette liste d'attentes a été réalisée conjointement par toi et moi...

Par conséquent, moi, _____
(signature de l'élève)

je suis prête, prêt à fournir les efforts nécessaires pour répondre à ces attentes.

Date: _____   École: _____

Commentaires de l'élève:

_____

_____

_____

_____

_____

_____

Signature des parents: _____

Commentaires des parents:

_____

_____

_____

ATTENTES DE L'ENSEIGNANTE ET DES ÉLÈVES EXPRIMÉES SUR UN RÉFÉRENTIEL VISUEL

NOS RÔLES

PROFESSEUR	ELÈVES
1. Rendre le cours intéressant	1. Participer pleinement et activement aux cours (s'impliquer)
2. Avoir une présence amicale	
3. Être compréhensif	2. Prendre des moyens pour réussir
4. Mettre l'élève en confiance	
5. Respecter les opinions	3. Développer la coopération
6. Parler de notre rendement	4. Respecter les consignes
7. Nous apporter l'aide nécessaire à notre réussite	5. Ne pas juger les autres
8. Répondre à nos questions	6. Accepter d'apprendre
9. Nous donner des connaissances	

Matière: français production
Groupe: 4e et 5e secondaire
Enseignante: Diane Modery

Source: Commission scolaire de Vallée-de-la-Lièvre, Buckingham.

Pour être une bonne enseignante, je...

J'explique avec clarté.

Je suis patient.

Je sais rire et sourire.

Je sais m'adapter à mes élèves.

Je donne d'abord des avertissements.

Je suis une bonne ou un bon élève, donc...

J'attends mon tour pour parler.

Je respecte l'autre.

Je marche dans la classe.

Je range le matériel utilisé.

Je donne mon idée.

2.2 COMMENT PUIS-JE T'ACCUEILLIR DANS LA CLASSE?

(Banque d'activités d'accueil)

Contexte et utilité

Souvent, l'accueil des élèves en début d'année peut être limité aux activités d'accueil dans l'école.

En plus de parler des souvenirs de vacances, d'autres gestes peuvent être posés dans le but de créer un climat motivant dans la classe, de connaître l'élève sous différents angles et de permettre à chacune et à chacun de prendre sa place positivement dans la classe. Place à la créativité et à l'innovation dans ce domaine.

Pistes d'utilisation

1. Constitue-toi une banque d'activités d'accueil. (*Voir page 59.*)

2. Établis un choix d'activités et planifie un échéancier. (*Voir pages 60 et 61.*)

3. Assure-toi que le volet «accueil» touche différents aspects de la personne: états d'âme, intérêts, attentes, engagement dans la classe, responsabilités.

4. Veille à donner une place à chaque élève.

5. Vis un accueil progressif. Échelonne-le tout au long du mois de septembre. Prévois chaque jour une quinzaine de minutes à cette intention.

6. Objective l'accueil avec les élèves, note les points positifs, les éléments à améliorer.

7. Conserve ce bilan pour améliorer l'accueil de l'année suivante.

BANQUE D'ACTIVITÉS D'ACCUEIL DANS LA CLASSE

1. Activité de présentation: chacune, chacun dit aux autres un détail, un renseignement sur sa personne.

2. Conférence de presse et journalistes: une personne de la classe est l'invitée du jour et on la questionne afin de mieux la connaître.

3. L'enseignante-vedette: l'enseignante se dévoile humainement auprès de ses élèves (jour 1 = son enfance, jour 2 = son passe-temps préféré, jour 3 = un souvenir de voyage, jour 4 = sa musique préférée, jour 5 = seconde carrière que l'on aimerait entreprendre).

4. L'élève-vedette: chaque élève prend la vedette dans la classe pour une journée ou plus. Elle ou il se présente, parle de sa vie, de ses intérêts.

5. Choix de son pupitre et identification personnelle.

6. Baptême de la classe.

7. Décoration de la classe.

8. Création d'une mascotte ou d'un personnage complice, d'un logo.

9. Décodage d'intérêts collectifs.

10. Décodage d'intérêts personnels.

11. Élaboration du panneau de l'autonomie: discussion avec les élèves à partir de la problématique suivante: «Qui peut m'aider dans la classe, cette année, quand je suis en difficulté?»
    a) Mon coffre d'outils (méthodologie du travail intellectuel)
    b) Ma conseillère, mon conseiller (dyades structurées et permanentes)
    c) Mon enseignante

    En faire une petite affiche visuelle qui rappelle à l'élève comment devenir autonome. Les élèves pourraient, par la suite, lui trouver un nom: S.O.S., Au secours!, 9-1-1, Roue de secours, Système-dépannage, etc.

12. Élaboration du référentiel disciplinaire.

DESCRIPTION DES ACTIVITÉS D'ACCUEIL

- ## QUI SUIS-JE?

  Chaque élève compose une ou quelques devinettes sur elle ou lui, sur son aspect physique surtout et peut-être aussi sur un aperçu de sa personnalité.

  On place les devinettes dans une enveloppe ou une boîte. En grand groupe ou en ateliers, les élèves auront à associer ces devinettes à chaque camarade de la classe.

- ## JE ME PRÉSENTE

  Chaque élève rédige un texte la ou le présentant. Elle ou il écrit cette présentation sur un carton de 27,6 cm × 21,3 cm, découpe son carton en plusieurs pièces, ce qui constituera un casse-tête. Échange des casse-tête entre les élèves.

- ## UN CADEAU

  Chaque élève réalise un bricolage pour l'offrir à une amie ou à un ami de la classe.

- ## MESSAGE DE BIENVENUE

  Les élèves rédigent en équipe un message de bienvenue pour les autres élèves de la classe.

  Si le message est une phrase, ils découpent cette phrase en mots; s'il comprend plusieurs phrases, ils le découpent donc en phrases.

  Les autres équipes doivent reconstituer le message.

- ## UNE AFFICHE

  Les élèves font une affiche mettant en vedette leurs goûts, leurs intérêts (sports, émissions télévisées, films, loisirs, vedettes préférées, musique préférée, etc.).

- ## AUTOPORTRAIT

  Avec un dessin, de la peinture ou du tissu, l'élève fait son portrait ou celui d'une ou d'un de ses camarades de classe.

  Les travaux sont exposés.

- ## INTERVIEW OU PRÉSENTATION

  Deux à deux, les élèves préparent un interview pour apprendre à mieux se connaître.

  Chaque élève présente aux autres camarades de la classe sa ou son partenaire de la façon la plus originale possible.

- ## ACTIVITÉS DE L'ANNÉE

  En équipe, les élèves font un éventail des activités qu'ils aimeraient vivre pendant l'année. Ils en choisissent une parmi celles-ci. Ils essaient de convaincre, dans un texte à caractère incitatif, les autres camarades de la classe que leur activité est la meilleure.

- ## UN GRAND CASSE-TÊTE

  L'enseignante rédige un message de bienvenue qu'elle écrit sur un grand carton. Elle découpe ce carton en autant de pièces qu'elle a d'élèves.

  Elle distribue un morceau de casse-tête à chaque élève. Le groupe doit refaire le casse-tête pour y découvrir le message.

  (On peut faire plusieurs casse-tête et les faire assembler en équipe.)

- ## THÈME DE L'ANNÉE

  L'enseignante lance un concours sur le thème de l'année.

  Individuellement ou en équipe, les élèves trouvent un thème pour l'année.

  Les élèves votent pour choisir un thème.

  Un autre concours peut aussi être lancé pour illustrer le thème.

- ## NOUS DÉCORONS

  En fonction du thème choisi, les élèves se distribuent les tâches pour décorer le local. Les travaux peuvent se faire individuellement ou en équipe.

- ## THÈME DES VACANCES À EXPLOITER

  Choisir des cibles de discussion et les répartir sur une semaine.

  Privilégier également des moyens d'expression différents.

  Jour 1: Le moment le plus agréable de mes vacances (dessin ou peinture)

  Jour 2: Un apprentissage que j'ai fait durant mes vacances (mime, expression corporelle ou dramatique)

  Jour 3: Une personne avec qui j'ai passé des moments agréables (parole)

  Jour 4: Un animal que j'ai côtoyé (modelage ou sculpture)

  Jour 5: Le moment le plus triste de mes vacances (écriture)

- ## UN OBJET MYSTÉRIEUX

  Chaque élève apporte un objet ayant un lien avec un moment particulier de ses vacances. Elle ou il le place dans un sac et fournit trois indices au groupe-classe. On essaie de résoudre l'énigme.

Source: D'après un texte de Lisette Ouellet.

2.3 UNE CLASSE À BAPTISER
(Démarche pour baptiser le local-classe ou le groupe-classe)

Contexte et utilité

L'accueil des élèves dans la classe demeure un domaine où il faut innover.

Pourquoi ne pas inviter les élèves à baptiser leur classe ou leur groupe-classe? Pourquoi ne pas leur suggérer de se donner une mascotte ou un personnage-complice? Pourquoi ne pas les amener à s'engager dans la décoration de la classe par la suite?

Cette situation d'apprentissage permet à l'élève de développer quatre habiletés intellectuelles: la divergence, l'évaluation, la convergence et la prise de décision.

Je désire te rappeler que l'évaluation se situe dans les niveaux supérieurs de la pensée, c'est-à-dire au sixième, et que cette habileté peut se définir ainsi: c'est l'habileté à évaluer soigneusement (sérieusement) des données ou des solutions *à partir de critères* avant de prendre une décision.

J'ai repéré les moments où chaque habileté est développée à l'intérieur de la situation d'apprentissage.

Pistes d'utilisation

1. Demande aux élèves de trouver des moyens pour qu'ils prennent vraiment possession de leur classe.

2. Identifie une cible-action.

3. Propose-leur une démarche d'appropriation de leur classe. (*Voir page 63.*)

4. Vis le projet et intègre le résultat au vécu de la classe.

DÉMARCHE D'ANIMATION POUR L'ENSEIGNANTE

MISE EN SITUATION:

Depuis quelques jours, tu vis maintenant dans un nouveau local. Cette classe t'appartient et tu y es chez toi. Aurais-tu le goût de te l'approprier davantage? Penses-tu qu'on pourrait trouver un nom original pour identifier la classe où nous vivrons ensemble toute l'année?

PISTES DE TRAVAIL:

1. Énumère tous les noms possibles, sans évaluer, sans porter de jugement (étape de la divergence).

2. Maintenant, voici des critères d'évaluation qui te permettront de choisir le meilleur nom possible (étape de l'évaluation et cheminement vers l'étape de convergence).

   Ces critères sont de divers ordres, tels que:

   – Un nom qui est riche au point de vue de l'exploitation, c'est-à-dire que l'on peut y greffer des projets au sein de notre classe.

   – Un nom qui se visualise facilement afin que l'on puisse décorer ce local.

   – Un nom qui représente bien ce que l'on désire vivre cette année en classe.

   – Un nom qu'on serait fier de porter.

RÉALISATION:

Trouve un nom original pour ta classe (étape de la prise de décision).

VARIABLES:

On peut adapter cette démarche à différentes réalisations:

1. baptiser son groupe-classe;

2. se donner une mascotte ou un personnage-complice;

3. se créer un dessin-logo représentant le groupe-classe ou un mot de passe;

4. inventer un slogan caractérisant la dynamique du groupe ou un défi important à relever;

5. composer une chanson-thème que l'on fredonnera à différents moments de l'année ou de la journée.

2.4 QU'EST-CE QUI T'INTÉRESSE?
(Décodage des intérêts personnels)

Contexte et utilité

L'enfant qui arrive en classe y apporte tout son vécu. Elle ou il vit dans une famille et y connaît des joies, des peines, des peurs. Elle ou il reçoit motivation et stimulation de son entourage. Pourquoi ne pas en tenir compte?

Au moins deux fois par année (en septembre et en janvier), faire vivre aux élèves de la classe une phase de décodage d'intérêts personnels. Cette collecte de données peut nous fournir des portes d'entrée pour établir une relation avec une ou un élève et des pistes intéressantes pour planifier des projets, des recherches ou des situations d'apprentissage pour le groupe-classe.

Pistes d'utilisation

1. Élabore ou choisis un questionnaire pour le décodage d'intérêts personnels. Tiens compte du niveau d'âge des élèves dans la présentation, la longueur et la complexité de l'outil. (*Voir pages 65 à 75.*)

2. Permets aux élèves d'y répondre verbalement, par écrit ou par un dessin. Associe des adultes ou des élèves-tuteurs au besoin.

3. Compile les renseignements reçus par le biais d'un tableau à deux entrées: liste des élèves et relevé des intérêts personnels. (*Voir page 76.*)

4. Utilise ce profil de classe fréquemment. Fais-en une lecture autant à l'horizontale qu'à la verticale.

5. À une deuxième utilisation, dégage des intérêts permanents et des intérêts temporaires.

FICHE DE PRÉSENTATION
(POUR LES 5-6 ANS)

MA PHOTO

Mon nom est: _____

Dans ma famille, il y a: _____

_____

Mes camarades sont: _____

_____

_____

Mon activité préférée:

à la maison: _____

à l'école: _____

Mon sport préféré: _____

Ma vedette préférée: _____

Mon livre préféré: _____

Ma chanson (ou comptine)
préférée: _____

Mon animal préféré: _____

Je collectionne: _____

Ce que j'aimerais vivre à l'école:

_____

_____

_____

Source: Kathleen Dunnigan.

DÉCODAGE D'INTÉRÊTS PERSONNELS
(POUR LES 7-8 ANS)

MA FAMILLE

1. Dans ma famille, il y a _____ personnes (nombre).

2. Je te les présente (noms et âges):

   _____   _____

   _____   _____

   _____   _____

3. Je suis: ☐ enfant unique

   ☐ la plus âgée ou le plus âgé

   ☐ la ou le plus jeune

   ☐ autre _____

4. Je te nomme deux ou trois personnes de mon entourage avec lesquelles je me sens bien: _____

   _____

   _____

MES INTÉRÊTS

5. Je te parle d'activités qui m'intéressent beaucoup:

   _____

   _____

   _____

   _____

J'en dessine une:

6. Je te parle d'un endroit où j'aime me retrouver:

_____

_____

_____

Je le dessine:

_____

7. Je te parle de mon héroïne ou de mon héros:

_____

_____

_____

Je le dessine:

_____

8. Mon animal préféré est:

_____

_____

_____

Je le dessine:

_____

9. Mes jeux préférés sont:

_____

_____

_____

MON IMAGE

10. Je te parle de choses dans lesquelles je me trouve bonne ou bon:

   _____

   _____

   _____

11. Je te dis ce que j'aimerais apprendre:

   _____

   _____

   _____

12. Je te dis ce que j'aimerais apprendre à faire:

   _____

   _____

   _____

13. Je te parle de choses que je peux faire sans ton aide:

   _____

   _____

   _____

14. Je te parle d'un événement qui m'a beaucoup rendue heureuse ou rendu heureux:

   _____

   _____

   _____

15. Je te parle d'un événement qui m'a beaucoup rendue triste ou rendu triste:

   _____

   _____

   _____

16. Je te parle de mes peurs et de mes craintes:

   _____

   _____

   _____

Source: Groupe d'enseignantes du préscolaire de la commission scolaire De La Jonquière.

Feuille reproductible. © 1994 Les Éditions de la Chenelière inc.

INVENTAIRE D'INTÉRÊTS

(POUR LES 9-10 ANS)

Nom: _____   **Date:** _____

1) Mon animal préféré est _____
   parce que _____
   _____

2) Le meilleur livre que j'ai lu est _____
   _____

3) Mon sport préféré est _____
   _____

4) Quand j'ai du temps libre, je _____
   _____

5) Mon émission de télévision préférée est _____
   _____

6) Le jour de la semaine que j'aime le plus est _____
   parce que _____
   _____

7) Le personnage que j'admire le plus est _____
   parce que _____
   _____

8) Lire, c'est _____
   _____

9) J'aime lire des histoires à propos de _____
   _____

10) La matière que je préfère à l'école est _____
    parce que _____
    _____

11) La matière que j'aime le moins à l'école est _____
    parce que _____
    _____

12) Lorsqu'il pleut, je _____
    _____

13) Lorsque je serai grande ou grand, je serai _____
    parce que _____

    _____

14) La poésie, c'est _____

    _____

15) Les bibliothèques sont _____

    _____

16) Si je pouvais faire trois vœux, ce serait: _____
    1. _____
    2. _____
    3. _____

17) Mon mets préféré est _____

    _____

18) Mon jeu préféré est _____

    _____

19) Je n'aime pas _____

    _____

20) Si je pouvais être n'importe où dans le monde en ce moment,
    j'aimerais être _____
    parce que _____

    _____

21) Si je pouvais faire ce que j'aime, je _____

    _____

22) Si je pouvais changer l'école, je _____

    _____

23) Ma saison préférée est _____
    parce que _____

    _____

24) Ce qui me ferait le plus plaisir aujourd'hui, ce serait _____

    _____

25) Ce qui me fait le plus peur, c'est _____

    _____

Source: Jocelyne Giasson.

Feuille reproductible. © 1994 Les Éditions de la Chenelière inc.

DES SUJETS D'INTÉRÊT À DÉCOUVRIR...

(POUR LES 11-12 ANS)

Nom de l'élève: _____

Date: _____

PARTIE I

Sujets qui m'intéressent dans ma vie personnelle:

1. Quel est ton jeu préféré (sport) lorsque tu es en groupe?

   _____

2. Quand tu es seule ou seul, à quoi occupes-tu tes loisirs?

   _____

3. Qui est ton amie préférée ou ton ami préféré?

   _____

4. Quelles sont tes deux (2) émissions de télévision favorites?

   _____

5. De quoi parles-tu le plus souvent avec tes amies ou amis?

   _____

6. Les personnes que tu admires le plus font-elles… (Nomme-les.)
   a) du sport?_____
   b) de la musique? _____
   c) des romans?_____
   d) de la comédie (actrices, acteurs)? _____
   e) de la recherche scientifique? _____
   f) de la chanson? _____
   g) d'autres activités? _____

7. Aimes-tu voyager? _____
   Si oui, où aimerais-tu aller?

   _____

8. Collectionnes-tu quelque chose? _____
   Quoi? _____

9. Quand tu penses à ton avenir, quels métiers aimerais-tu exercer plus tard?

   1. _____

   2. _____

   3. _____

10. Quel genre de film préfères-tu? À partir des suggestions suivantes, écris-en trois par ordre d'importance:

aventures ☐

comique ☐

horreur ☐

science-fiction ☐

amour ☐

policier ☐

western ☐

documentaire (par exemple, Cousteau) ☐

1. _____

2. _____

3. _____

Merci pour tes confidences!

PARTIE II

Sujets qui m'intéressent dans ma vie scolaire:

1. Quelle est ta matière préférée en classe?

    _____

2. Peux-tu me dire pourquoi?

    _____

    _____

3. Quelle est la matière que tu aimes le moins?

    _____

4. Peux-tu me dire pourquoi?

    _____

5. Qu'est-ce que tu aimerais apprendre cette année à l'école?

    1. _____

    2. _____

    3. _____

6. Quels sont les activités ou les projets que tu aimerais réaliser?
    Activités (courte durée) _____

    _____

    Projets (durée plus longue)

    _____

7. Quel genre de livres choisis-tu à la bibliothèque? (Indique tes choix par des crochet.)

    a) livre d'aventures   _____

    b) bandes dessinées   _____

    c) science-fiction   _____

    d) recherche   _____

    e) album (beaucoup d'images, peu d'écriture)   _____

8. Quelle partie de la mathématique préfères-tu?

   – numération _____

   – géométrie _____

   – mesures _____

   – fractions _____

   – logique _____

   – un peu de tout _____

9. Par quoi aimerais-tu occuper tes moments libres quand tu as terminé ton travail en classe?

   1. _____

   2. _____

   3. _____

10. Si tu avais à changer deux choses qui t'agacent dans le fonctionnement de la classe, que changerais-tu?

   1. _____

   2. _____

Merci pour tes suggestions!

Source: M. Cimon, H. Roberge, L'enfant lecteur, une personne à découvrir (Questionnaire élaboré par un groupe d'enseignantes au PPMF), Québec, PUL, n° 22, p. 19.

GRILLE DE COMPILATION DES INTÉRÊTS DES ÉLÈVES

Date: _____

Nom	Activité préférée à la maison	Activité préférée à l'école	Sport	Vedette	Livre	Chanson	Animal	Collection	
1.									
2.									
3.									
4.									
5.									
6.									
7.									
8.									
9.									
10.									
11.									
12.									
13.									
14.									
15.									
16.									
17.									
18.									
19.									
20.									

Source: Kathleen Dunnigan.

2.5 COMMENT TE SENS-TU AUJOURD'HUI?
(Outils pour décoder les états d'âme)

Contexte et utilité

Le «savoir être» de l'enseignante et des élèves influence directement le vécu de l'enseignement et de l'apprentissage.

Décoder ses états d'âme et les exprimer volontairement peut s'avérer un moment libérant et un facteur de réussite.

Apprendre à identifier ce que l'on vit intérieurement, avoir des mots pour nommer cette réalité et se sentir en confiance pour l'exprimer, voilà des objectifs que l'on vise en utilisant l'un de ces outils.

Pistes d'utilisation

1. Choisis un référentiel qui convient à ton groupe d'élèves. (*Voir pages 78 à 85.*)

2. Invite les élèves à identifier ce qu'ils vivent.

3. Laisse une liberté d'expression aux élèves.

4. Varie toutes les facettes de cette activité éducatve:
   - groupes de travail (collectif, équipes de quatre, dyades, individuel);
   - moments de la journée (matin, midi, début ou fin des cours, avant ou après la récréation);
   - outils d'expression (parole, dessin, écriture, geste, outil personnel).

DÉCODAGE DE MON ÉTAT D'ÂME (ESTIME DE SOI) EN REGARD DE MA VIE, DE MES PROJETS

Suis-je?	1. Gagnante, gagnant?	
	2. Perdante, perdant?	
	3. En survie?	

1. Être gagnante, gagnant, c'est «être en expression»	• être en confiance • se trouver bonne ou bon dans son travail, belle ou beau dans la vie • se sentir forte ou fort, être ouverte ou ouvert • être sûre ou sûr de soi malgré le verdict des autres • être «en vie», en énergie, en passion • voir les autres beaux parce qu'on est belle ou beau
2. Être perdante, perdant, c'est «être en oppression»	• être en souffrance • se trouver terne, en souffrance, se déprécier • envier les autres au point d'égratigner leur image pour embellir la sienne, enlaidir son entourage pour retrouver sa beauté • critiquer, accuser, rejeter • être en réaction
3. Être en survie, c'est «être en dépression»	• être en méfiance, en silence, en indifférence • vivre en demi-vie • faire du passable, de l'acceptable • vivre en légitime défense, en oubli

Source: D'après Denise Gaouette, animatrice pédagogique, Sherbrooke.

DÉCODAGE DE MON ÉTAT D'ÂME EN REGARD DE MON TRAVAIL

Suis-je?	1. Visiteuse, visiteur?	
	2. Plaignarde, plaignard?	
	3. Acheteuse, acheteur?	

1. Visiteuse, visiteur

Une personne qui n'est pas consciente de ses difficultés; elle est là parce que quelqu'un lui a dit d'y aller (soit un parent, une enseignante ou une autorité quelconque).

Attitudes: aucune attente, ni désir de changement; considère qu'elle n'a pas de problèmes; ne reconnaît peut-être même pas qu'il y a un problème, une difficulté.

Type de communication: chercher les forces, les points positifs, donner des rétroactions positives.

2. Plaignarde, plaignard

Une personne qui éprouve des difficultés, mais qui n'a pas encore le désir d'agir.

Attitudes: utilise la formulation: «Oui, mais...»

Type de communication: chercher les forces, les réussites, lui demander d'observer ses réussites.

3. Acheteuse, acheteur

Une personne qui est consciente du fait qu'il y a une ou des difficultés et qui est prête à faire quelque chose.

Attitudes: ouverture, accueil, intérêt, optimisme, engagement.

Type de communication: recherche de solutions, tâches d'observation et de transformation en ayant confiance que la ou le jeune va faire la tâche et la trouver utile.

Source: D'après la P.N.L., programmation neurolinguistique.

EXEMPLES DE CARTES-SENTIMENTS

Je me sens joyeuse

Je me sens triste

Je suis surpris

Je suis en colère

Source: *Ministère de l'Éducation du Québec*, Dès le préscolaire… Recueil d'outils de gestion de classe, *juin 1992.*

Feuille reproductible. © 1994 Les Éditions de la Chenelière inc.

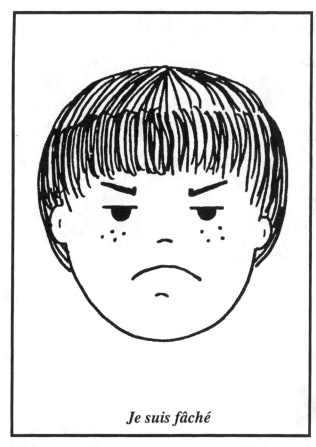

Je suis fâché

Je suis en colère

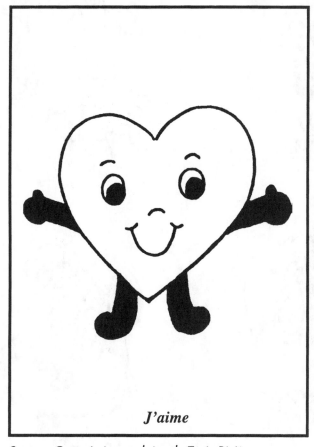

J'aime

Je n'aime pas

Source: Commission scolaire de Trois-Rivières.

QUI EST MON COMPAGNON AUJOURD'HUI?

COLÈRE

JOIE

TRISTESSE

CONFUSION

AMOUR

PEUR

FAIBLESSE

FORCE

PICTOGRAMMES POUR VÉRIFIER LES ÉTATS D'ÂME
COMMENT TE SENS-TU AUJOURD'HUI?

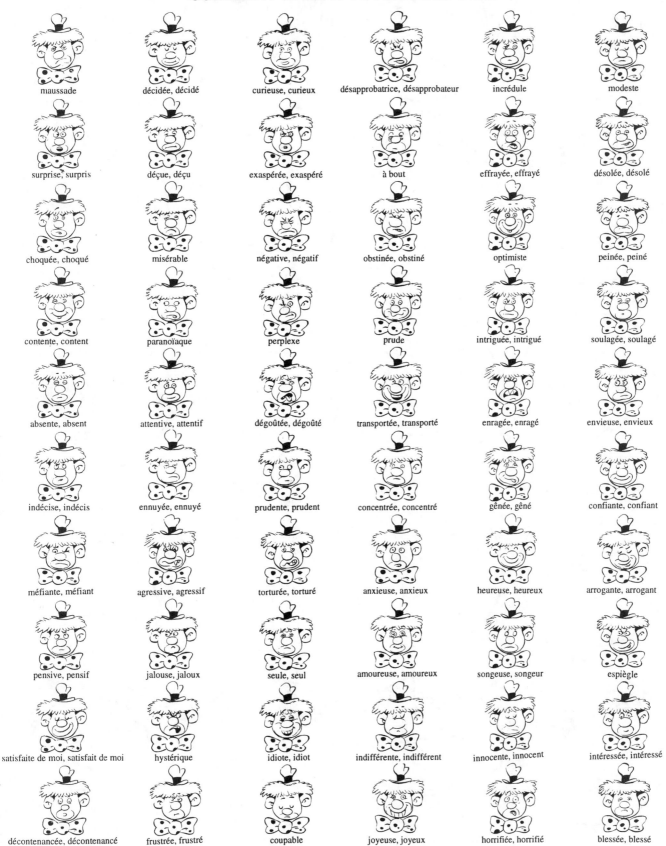

maussade	décidée, décidé	curieuse, curieux	désapprobatrice, désapprobateur	incrédule	modeste
surprise, surpris	déçue, déçu	exaspérée, exaspéré	à bout	effrayée, effrayé	désolée, désolé
choquée, choqué	misérable	négative, négatif	obstinée, obstiné	optimiste	peinée, peiné
contente, content	paranoïaque	perplexe	prude	intriguée, intrigué	soulagée, soulagé
absente, absent	attentive, attentif	dégoûtée, dégoûté	transportée, transporté	enragée, enragé	envieuse, envieux
indécise, indécis	ennuyée, ennuyé	prudente, prudent	concentrée, concentré	gênée, gêné	confiante, confiant
méfiante, méfiant	agressive, agressif	torturée, torturé	anxieuse, anxieux	heureuse, heureux	arrogante, arrogant
pensive, pensif	jalouse, jaloux	seule, seul	amoureuse, amoureux	songeuse, songeur	espiègle
satisfaite de moi, satisfait de moi	hystérique	idiote, idiot	indifférente, indifférent	innocente, innocent	intéressée, intéressé
décontenancée, décontenancé	frustrée, frustré	coupable	joyeuse, joyeux	horrifiée, horrifié	blessée, blessé

Source: D'après un concept graphique de Sylvie Morissette.

confiant

méfiant

patient

ravi

apeuré

boudeur

joyeuse

peinée

inquiet

calme

rusé

colérique

indifférente

curieuse

fière

impatient

surpris

violente

songeuse

rêveur

Source: Les 6-11 ans et les valeurs, publié aux Créations pédagogiques.

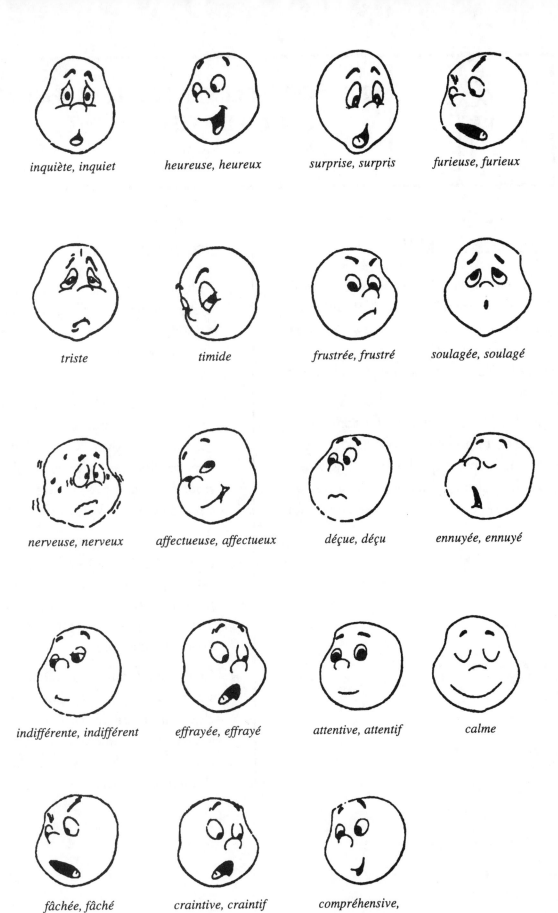

inquiète, inquiet   heureuse, heureux   surprise, surpris   furieuse, furieux

triste   timide   frustrée, frustré   soulagée, soulagé

nerveuse, nerveux   affectueuse, affectueux   déçue, déçu   ennuyée, ennuyé

indifférente, indifférent   effrayée, effrayé   attentive, attentif   calme

fâchée, fâché   craintive, craintif   compréhensive, compréhensif

Source: Commission scolaire de Jacques-Cartier, École Gentilly, Longueuil.

2.6 QU'EST-CE QUI PEUT BIEN DÉMOTIVER UNE OU UN ÉLÈVE?

(Questionnaire-échange)

Contexte et utilité

Il existe différents facteurs de démotivation. Avant d'élaborer un plan d'intervention adapté ou de poser des interventions de nature à motiver une ou un élève, il est de bon aloi de vérifier auprès de l'élève elle-même ou lui-même.

Pour faciliter cette étape, donnons-lui un cadre de référence, offrons-lui des mots pour nommer ce qu'elle ou il vit. Ce petit questionnaire peut servir à découvrir les facteurs de démotivation chez une ou un élève.

Pistes d'utilisation

1. Si tu es en présence d'une ou d'un élève autonome sur le plan de la lecture et de l'écriture, tu peux l'inviter à remplir ce questionnaire par écrit. (*Voir page 87.*)

2. Par contre, si l'élève ne maîtrise pas la lecture et l'écriture, tu dois planifier une rencontre-entrevue. Ce questionnaire te servira alors de canevas de discussion pour échanger avec l'élève sur son vécu de classe. (*Voir page 87.*)

3. Il pourrait arriver, pour des cas plus profonds de démotivation, que tu doives joindre au questionnaire une animation de ta part. L'aspect humain s'avère toujours plus efficace que l'aspect technique.

4. Ce questionnaire pourrait même s'adresser à tous les élèves d'une même classe si tu désirais évaluer le degré et la source de démotivation de tes élèves et dresser par la suite un profil de ta classe à ce niveau.

QUESTIONNAIRE À L'INTENTION D'UNE OU D'UN ÉLÈVE

Nom: _____   Date: _____

Faits observables	Oui	Non	Je ne peux répondre
1. Dans ma classe, je suis au courant de ce que je dois apprendre et je sais pourquoi je fais tel travail.	☐	☐	☐
2. Je sais comment m'y prendre pour faire mes travaux en classe.	☐	☐	☐
3. Je peux prendre ma place dans la classe: j'ai des responsabilités et je peux apporter des remarques et des suggestions.	☐	☐	☐
4. Je reçois des commentaires intéressants et valorisants de mon enseignante.	☐	☐	☐
5. Le climat est agréable dans ma classe.	☐	☐	☐
6. J'aime mon enseignante et les relations sont faciles avec elle.	☐	☐	☐
7. Dans ma classe, je me sens en situation de réussite.	☐	☐	☐
8. J'ai le temps de terminer mes travaux, en classe.	☐	☐	☐
9. Dans ma classe, j'ai des défis à relever.	☐	☐	☐
10. Dans ma classe, je me sens seule ou seul avec mes difficultés.	☐	☐	☐
11. Dans ma classe, les journées se vivent toujours de la même façon.	☐	☐	☐
12. Dans la classe, on tient compte de mon vécu: mes intérêts, mes besoins, mes états d'âme, mes préoccupations.	☐	☐	☐
13. J'aime apprendre et venir à l'école.	☐	☐	☐

14. Voici les matières que j'aime à l'école. Pourquoi?

_____

15. Voici les matières que je n'aime pas à l'école. Pourquoi?

_____

Source: D'après Michel Chassé.

2.7 UNE FORCE ET UN DÉFI POUR MON ENSEIGNANTE, POURQUOI PAS?
(Perceptions des élèves)

Contexte et utilité

À chaque étape, l'enseignante remet un bulletin à ses élèves. Il serait pertinent de permettre aux élèves de faire la même chose dans un climat de respect.

Toutefois, cette démarche doit se préparer. Tout au long de l'étape, donner aux élèves des forces et des défis, autant verbalement que par écrit.

Pour que ce bilan se vive sérieusement, fournir des points de repère aux élèves pour qu'ils puissent avoir une vision globale de l'acte pédagogique et qu'ils aient également des mots pour nommer ce qu'ils vivent, ressentent ou perçoivent.

Pistes d'utilisation

1. Élabore un cadre de référence où l'élève retrouvera une liste de points forts et de points faibles. (*Voir pages 89 et 90.*)

2. Demande d'identifier une force et un défi. Progressivement, tu peux augmenter le degré d'exigence.

3. Ce décodage sur les perceptions des élèves à ton égard peut être vécu verbalement ou par écrit.

4. Accueille ce que les élèves ont à livrer dans un climat de confiance, sans te sentir coupable ni insécure.

5. Note ce qui a été dit, réagis en exprimant ton point de vue aux élèves.

6. Tiens-en compte dans le quotidien.

Variantes:

- Tu peux utiliser uniquement le tableau des forces ou des défis.
- Tu peux jumeler les deux tableaux.
- Tu peux même alléger les cadres de référence en diminuant le nombre de comportements observables.
- Tu peux aussi joindre un dessin ou une illustration à chaque indicateur de comportement.

TABLEAU DES FORCES POUR MON ENSEIGNANTE

1. EN REGARD DU CLIMAT

- Tu es juste avec tout le monde.
- Tu possèdes le sens de l'humour.
- Tu es de bonne humeur, tu as le sourire facile.
- Tu es capable d'expliquer le pourquoi d'une punition ou d'une récompense.
- Tu donnes le bon exemple à tes élèves.
- Tu es capable d'accepter les idées de tes élèves même si elles sont différentes des tiennes.
- Tu nous donnes le goût de travailler.
- Tu aimes ce que tu fais.
- Tu es à notre écoute.
- Tu es capable de nous parler de la vraie vie.
- Tu respectes tes élèves.
- Tu nous rappelles à l'ordre sans te fâcher.
- Tu nous donnes des félicitations, des valorisations.
- Tu t'intéresses à notre vie personnelle.
- Tu communiques bien avec nos parents.

2. EN REGARD DU CONTENU

- Tu as la patience de recommencer les explications quand quelqu'un ne comprend pas.
- Tu connais bien ta matière.
- Tu nous prépares bien aux examens.
- Tu donnes toujours les explications nécessaires avant de proposer un nouveau travail.
- Tu es capable de passer ta matière de façon vivante et intéressante.

3. EN REGARD DES APPRENTISSAGES

- Tu nous apprends beaucoup de choses.
- Tu parles un langage qu'on comprend.
- Tu es capable de nous faire participer en classe.
- Tu es très disponible pour nous aider.
- Tu utilises du matériel concret pour nous faire comprendre.
- Tu acceptes nos erreurs sans dramatiser.
- Tu nous donnes des outils pour apprendre.
- Tu nous proposes des projets intéressants.
- Tu respectes notre façon d'appendre.

4. EN REGARD DE L'ORGANISATION DE LA CLASSE

- Tu laisses de la liberté à tes élèves pour qu'ils puissent se prendre en main.
- Tu permets à tes élèves de faire des choix.
- Tu respectes notre vitesse pour apprendre.
- Tu nous donnes des moments de travail personnel que l'on peut gérer nous-mêmes.
- Tu nous fais participer à la vie de la classe.
- Tu nous permets d'apprendre par l'entraide et la coopération.

VOICI TES FORCES:

Force 1: _____

_____

Force 2: _____

_____

Force 3: _____

_____

Signature de l'élève:_____ Date:_____

TABLEAU DES DÉFIS POUR MON ENSEIGNANTE

1. EN REGARD DU CLIMAT

- Essaie d'aimer plus tes élèves
- Ne te fâche pas pour des riens
- Sois moins rancunière
- Essaie d'aimer plus ce que tu fais
- Sois moins stressée
- Contrôle plus ta mauvaise humeur
- Sois plus sévère envers les élèves indisciplinés
- Prends le temps de t'intéresser à ce que l'on vit
- Sois plus juste, ne montre pas de préférences
- Fais attention pour ne pas ridiculiser des élèves
- Sois plus constante dans tes exigences
- Sois plus conséquente à l'égard des règlements prévus
- Essaie d'être moins autoritaire
- Aie moins peur du changement, de la nouveauté
- Respecte plus tes promesses
- Essaie de voir plus nos forces, oublie un peu nos faiblesses
- Ne te laisse pas envahir par des préjugés à notre égard
- Sois ponctuelle pour nous accueillir dans la classe le matin, le midi ou au début d'une période

2. EN REGARD DU CONTENU

- Parle moins fort
- Sois plus vivante, ne parle pas toujours sur le même ton
- Donne plus d'explications aux élèves qui en ont besoin
- Essaie de ne pas te fâcher même si l'on ne comprend pas tout de suite
- Répète moins, traite-nous moins en bébés
- Vérifie plus si l'on comprend avant d'entreprendre une tâche

- Ne pense pas seulement à tes programmes, pense aussi à tes élèves
- Panique moins au moment des examens

3. EN REGARD DES APPRENTISSAGES

- Délaisse la routine, fais-nous faire des choses différentes
- Ne nous laisse pas seuls avec nos difficultés
- Essaie d'être moins en retard dans la correction de nos travaux
- Surveille le niveau de difficulté des travaux que tu nous proposes
- Offre-nous des défis intéressants en classe
- Utilise d'autres moyens que les notes pour nous motiver en classe

4. EN REGARD DE L'ORGANISATION DE LA CLASSE

- Ne décide pas tout à notre place, consulte-nous à chaque fois que c'est possible
- Ne nous oblige pas à travailler tous à la même vitesse
- Accepte et favorise l'entraide et la coopération dans la classe
- Utilise plus les élèves comme personnes-ressources
- Apprends-nous à planifier et à faire des choix
- Donne-nous l'occasion de gérer notre temps en classe
- Essaie de modifier l'aménagement physique de la classe en complicité avec nous

VOICI TES DÉFIS:

Défi 1: _____

_____

Défi 2: _____

_____

Défi 3: _____

_____

Signature de l'élève:_____ Date:_____

Chapitre 3

Comment créer un climat motivant dans ma classe?

Tu m'enseignes plus par ce que tu es et ce que tu fais que par ce que tu dis.

(Auteur inconnu)

En bref...

- Le climat de la classe est le résultat d'un ensemble de facteurs.

- Il met en jeu des attitudes personnelles fondamentales chez l'enseignante.

- Il implique des relations toujours à construire avec les parents, avec chaque élève et avec le groupe-classe.

- Il nécessite un réel désir de développer la motivation et une saine estime de soi chez l'élève.

- Il fait appel à des qualités aussi diverses que la capacité d'instaurer une discipline, de former à l'autodiscipline et à la gestion des conflits.

- Sans le souci du climat de la classe, inutile de poursuivre des objectifs de connaissance ou de formation, si limités soient-ils.

- *Comment accueillir mes élèves en classe, en début d'année?*
- *Comment amener les parents à s'engager dans la vie de ma classe?*
- *Comment intervenir dans ma classe pour favoriser la motivation?*
- *Comment aider l'élève à prendre la responsabilité de ses comportements?*
- *Comment amener l'élève à s'engager dans l'évaluation de ses comportements?*
- *Comment habiliter mes élèves à résoudre des conflits?*
- *Comment décoder les intérêts de mes élèves?*
- *…*

C'est à partir de l'une ou l'autre de ces questions que tu as choisi de te donner un défi qui vise à changer quelque chose dans le climat de ta classe. Pour t'aider à atteindre ce défi, je te propose de suivre la démarche en trois temps qui a déjà été présentée dans le chapitre 1: **avant l'expérimentation, pendant l'expérimentation, après l'expérimentation.** *La figure ci-dessous rappelle la place du climat dans l'ensemble des champs de la gestion de classe.*

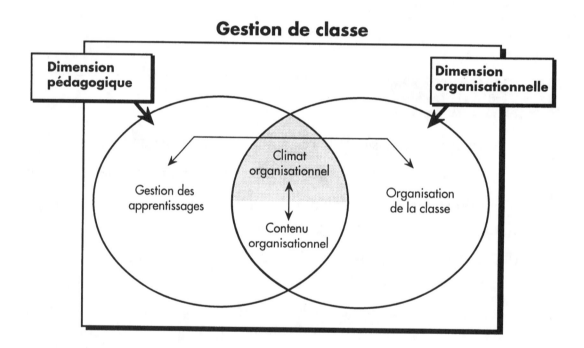

AVANT L'EXPÉRIMENTATION

PREMIÈRE ÉTAPE: L'AUTO-ANALYSE

Avant d'opérer quelque changement que ce soit, il est nécessaire de bien analyser la situation. Voici une grille d'analyse qui peut te permettre de cerner d'un peu plus près ta réalité et celle de ta classe.

Légende

Les cases numérotées de 1 à 5 indiquent le plus ou moins haut degré de possession de cette attitude que je me reconnais.

1. Je le fais très peu et ce n'est pas une priorité pour moi.
2. Je le fais très peu, mais je voudrais travailler ce point.
3. Je le fais avec quelque difficulté, mais je ne désire pas travailler ce point pour le moment.
4. Je le fais, mais j'aurais besoin d'améliorer encore ce point.
5. Je le fais et je suis bien dans ce comportement.

---

1. MES ATTITUDES PERSONNELLES

	1	2	3	4	5
1.1 Je me présente comme une personne authentique.					
– Je suis en contact avec mes émotions et ce que je vis à chaque moment.	❑	❑	❑	❑	❑
– Je suis capable de tenir compte de ce que l'autre pense et vit.	❑	❑	❑	❑	❑
– Je montre clairement aux autres ce que je suis et ce que je vis.	❑	❑	❑	❑	❑
– J'accepte ce que sont les autres.	❑	❑	❑	❑	❑
– Je crois ce que je dis et je m'engage dans les situations.	❑	❑	❑	❑	❑
1.2 Je suis chaleureuse dans mes contacts avec les autres.					
– Je suis capable d'être spontanée et disponible.	❑	❑	❑	❑	❑
– Je sais exprimer et recevoir des sentiments.	❑	❑	❑	❑	❑
– Je suis attentive aux autres et je sais communiquer mon enthousiasme.	❑	❑	❑	❑	❑
– Je reste toujours honnête et claire dans mes relations interpersonnelles.	❑	❑	❑	❑	❑

1.3   J'ai confiance en moi-même.

	1	2	3	4	5

– J'ai une certaine sécurité personnelle intérieure.   ❏ ❏ ❏ ❏ ❏

– Je ne me sens pas menacée par les autres
et je ne suis pas ordinairement sur la défensive.   ❏ ❏ ❏ ❏ ❏

– J'ai une image positive de moi et je suis capable
de manifester de l'ouverture aux autres et
à leur environnement.   ❏ ❏ ❏ ❏ ❏

– Je suis capable d'analyser les difficultés de
ma classe sans les vivre comme des difficultés
ou des échecs personnels.   ❏ ❏ ❏ ❏ ❏

– Je suis bien dans ce que je fais et je suis
généralement optimiste.   ❏ ❏ ❏ ❏ ❏

– Je souris facilement et je suis en pleine forme.   ❏ ❏ ❏ ❏ ❏

– Je suis tolérante face à ce qui n'est pas habituel.   ❏ ❏ ❏ ❏ ❏

1.4   J'ai un bon sens de l'humour.

– Je suis capable de rire de moi-même, de la vie
et j'accepte aisément qu'on tienne des propos
humoristiques autour de moi.   ❏ ❏ ❏ ❏ ❏

– Je suis capable de voir le côté insolite de la réalité.   ❏ ❏ ❏ ❏ ❏

– Je suis capable de tenir des propos humoristiques
avec mes élèves, sans tomber dans le ridicule
et l'ironie.   ❏ ❏ ❏ ❏ ❏

1.5   Je suis capable de m'affirmer.

– Je sais faire valoir mes opinions et je
n'abandonne pas à la première difficulté.   ❏ ❏ ❏ ❏ ❏

– Je suis capable de fermeté et de continuité
dans mes exigences.   ❏ ❏ ❏ ❏ ❏

– Je fais connaître les raisons de mes exigences
et je peux m'engager, au besoin, dans la
confrontation et la négociation.   ❏ ❏ ❏ ❏ ❏

– Je prends facilement des initiatives et je sais
courir des risques sans être téméraire.   ❏ ❏ ❏ ❏ ❏

	1	2	3	4	5

– Je sais démarrer un projet avec ce qui est
à ma disposition, sans attendre que tout
m'arrive préparé à l'avance. ❑ ❑ ❑ ❑ ❑

1.6 Je suis capable de m'engager.

– Je peux prendre des responsabilités et
mener mes engagements jusqu'au bout. ❑ ❑ ❑ ❑ ❑

– Je suis capable de résoudre des problèmes,
c'est-à-dire les identifier, trouver des solutions,
dégager des pistes de travail, des principes
d'application, trouver des stratégies. ❑ ❑ ❑ ❑ ❑

– Je suis capable de prendre du recul par rapport
à ce que je fais et par rapport à ce qui se passe;
je suis plutôt objective et «en recherche». ❑ ❑ ❑ ❑ ❑

– J'assume mon autorité tout en laissant aux enfants
la place qui leur revient; je suis favorable au partage
du pouvoir. ❑ ❑ ❑ ❑ ❑

– Je suis capable de saisir le sens des interactions
et des phénomènes de groupe qui se produisent
dans ma classe. ❑ ❑ ❑ ❑ ❑

– Je sais refléter mes observations aux élèves
et les aider à en tenir compte. ❑ ❑ ❑ ❑ ❑

– Je sais retourner aux élèves leurs propres
responsabilités. ❑ ❑ ❑ ❑ ❑

– Je suis capable de formuler mes propres difficultés
et de réclamer de l'aide. ❑ ❑ ❑ ❑ ❑

– J'intègre et j'utilise l'aide qui m'est apportée. ❑ ❑ ❑ ❑ ❑

2. MA CONNAISSANCE DES ENFANTS

2.1 **Je prends les mesures nécessaires pour obtenir le plus d'information possible à propos de chaque enfant.**

	1	2	3	4	5
– Je connais chacun des enfants de ma classe de façon précise: ses forces, ses faiblesses.	❏	❏	❏	❏	❏
– Je peux indiquer les différences individuelles des enfants.	❏	❏	❏	❏	❏
– Je sais observer des aspects précis du comportement; j'utilise des tests, des relevés, des listes, des questionnaires, des grilles d'observation, des entrevues pour pousser plus loin ma connaissance de chacun.	❏	❏	❏	❏	❏
– Je sais dissocier faits, opinions et jugements face à mes élèves.	❏	❏	❏	❏	❏
– J'évite les jugements rapides à la suite de mes observations des élèves.	❏	❏	❏	❏	❏
– Mes diagnostics partent de faits observés et d'une connaissance théorique adéquate.	❏	❏	❏	❏	❏
– Je sais tenir compte de mes réactions personnelles et subjectives, les nuancer sans les éliminer.	❏	❏	❏	❏	❏
– J'adopte une attitude d'accueil, d'écoute et de compréhension à l'égard de chaque élève.	❏	❏	❏	❏	❏

2.2 **Je connais le milieu socio-culturel de mes élèves.**

	1	2	3	4	5
– Je connais les parents de chaque enfant et j'ai exploré le quartier où ils vivent.	❏	❏	❏	❏	❏
– Je connais les principales caractéristiques socio-économiques et culturelles du milieu de vie de chaque élève.	❏	❏	❏	❏	❏
– J'accepte et je tiens compte des différences de leur milieu de vie.	❏	❏	❏	❏	❏
– Je suis au courant des conditions de vie et des difficultés auxquelles chaque enfant fait face dans sa famille et dans son quartier.	❏	❏	❏	❏	❏

3. MES RELATIONS AVEC LES PARENTS

3.1 **J'amène les parents à s'engager dans ma relation d'aide avec les enfants.**

	1	2	3	4	5

- Je fais connaître aux parents les composantes de la vie scolaire: objectifs des programmes d'études, approches pédagogiques, évaluation des apprentissages, fonctionnement de la vie de la classe. ❏ ❏ ❏ ❏ ❏

- Je consulte les parents quand un élève se trouve dans une situation qui nécessite des mesures particulières d'intervention. ❏ ❏ ❏ ❏ ❏

- J'invite les élèves à expliquer à leurs parents leur cheminement et leur rendement scolaires. ❏ ❏ ❏ ❏ ❏

- J'offre aux parents la possibilité de participer à certaines activités de la classe. ❏ ❏ ❏ ❏ ❏

- Je donne aux parents les informations pertinentes sur le cheminement scolaire et personnel de leur enfant. ❏ ❏ ❏ ❏ ❏

- J'aide les parents à découvrir le soutien qu'ils peuvent apporter à leur enfant dans ses apprentissages. ❏ ❏ ❏ ❏ ❏

- Je contribue à l'information des parents sur les services offerts par l'école et sur le rôle qu'eux-mêmes peuvent jouer dans l'école. ❏ ❏ ❏ ❏ ❏

4. MON INTERVENTION EN CLASSE

4.1 **Je sais créer un climat favorable dans ma classe, fondé sur les relations d'aide interpersonnelles harmonieuses.**

	1	2	3	4	5

- Je suis soucieuse de la qualité des rapports interpersonnels qui existent dans ma classe. ❏ ❏ ❏ ❏ ❏

- Je vois à améliorer la qualité du contact entre moi et mes élèves et entre les élèves. ❏ ❏ ❏ ❏ ❏

- J'amène les enfants à se respecter entre eux et à respecter leurs différences. ❏ ❏ ❏ ❏ ❏

- Je les entraîne à s'écouter et à apporter leurs idées. ❏ ❏ ❏ ❏ ❏

	1	2	3	4	5

– Je permets à mes élèves d'exprimer les perceptions de leur vécu dans leur milieu, en classe et à l'école. ❑ ❑ ❑ ❑ ❑

– Je les aide à percevoir les différences qu'ils ont entre eux et à valoriser ces différences. ❑ ❑ ❑ ❑ ❑

– Je sais maintenir un rapport chaleureux dans la confrontation. ❑ ❑ ❑ ❑ ❑

– Ma classe est un endroit vivant et agréable à fréquenter où chacun a le souci de l'autre. ❑ ❑ ❑ ❑ ❑

– Je favorise des relations d'entraide ❑ ❑ ❑ ❑ ❑

   • entre les élèves de ma classe, ❑ ❑ ❑ ❑ ❑

   • entre mes élèves et ceux d'autres classes. ❑ ❑ ❑ ❑ ❑

4.2 Je suis capable de soutenir la motivation de chaque élève.

– J'insiste sur la motivation interne. ❑ ❑ ❑ ❑ ❑

– J'utilise judicieusement les renforcements positifs et j'évite les remarques négatives. ❑ ❑ ❑ ❑ ❑

– Je sais mettre en évidence les réussites des enfants. ❑ ❑ ❑ ❑ ❑

– Je valorise le travail et la qualité de ce qui est produit. ❑ ❑ ❑ ❑ ❑

– Je favorise la présentation des travaux dans la classe et j'évite les rétroactions négatives. ❑ ❑ ❑ ❑ ❑

– J'encourage et je soutiens les efforts, et je propose des défis adaptés à chaque élève. ❑ ❑ ❑ ❑ ❑

– J'amène mes élèves à développer leur

   • autonomie, ❑ ❑ ❑ ❑ ❑

   • sens des responsabilités, ❑ ❑ ❑ ❑ ❑

   • sentiment d'appartenance à l'école, ❑ ❑ ❑ ❑ ❑

   • initiative, ❑ ❑ ❑ ❑ ❑

   • créativité, ❑ ❑ ❑ ❑ ❑

   • souci du travail bien fait, ❑ ❑ ❑ ❑ ❑

   • authenticité. ❑ ❑ ❑ ❑ ❑

4.3 J'assure un équilibre constant entre les différents aspects de la vie de la classe.

	1	2	3	4	5

– J'accorde autant d'importance à mes préoccupations pédagogiques (programmes, matériel, démarches, etc.) qu'aux intérêts et aux besoins des enfants. ❏ ❏ ❏ ❏ ❏

– Je garde un équilibre constant entre la préoccupation de la tâche et la préoccupation de la personne. ❏ ❏ ❏ ❏ ❏

– J'assure un équilibre entre la liberté et la sécurité physique ou psychologique. ❏ ❏ ❏ ❏ ❏

– Je sais tenir compte à la fois de la collectivité, de chaque enfant et de moi-même. ❏ ❏ ❏ ❏ ❏

4.4 Je suis capable d'assurer une discipline souple dans ma classe.

– Ma discipline est adaptée à ce qui se passe dans la classe et elle vise un meilleur fonctionnement. ❏ ❏ ❏ ❏ ❏

– J'amène les élèves à établir des règles de vie et des procédures minimales. ❏ ❏ ❏ ❏ ❏

– Je m'assure du respect de ces règles. ❏ ❏ ❏ ❏ ❏

– Je suis capable d'expliquer aux enfants les raisons de mes exigences et d'en discuter. Je reste ouverte à des transformations pertinentes. ❏ ❏ ❏ ❏ ❏

– Je suis toujours équitable dans mes transactions avec les enfants et j'évite toute forme de chantage ou de harcèlement. ❏ ❏ ❏ ❏ ❏

– Je sais négocier avec eux pour faire respecter mes intérêts et mes besoins personnels et professionnels, tout en maintenant mes orientations sur les enfants. ❏ ❏ ❏ ❏ ❏

– Ma discipline est centrée sur la tâche et sa réalisation plutôt que sur des habitudes ou des marottes. ❏ ❏ ❏ ❏ ❏

– Je sais distinguer ce que je réclame pour moi et mes besoins propres et ce qui est dans l'intérêt de la tâche ou des enfants. ❏ ❏ ❏ ❏ ❏

Source: D'après *Inventaire des habiletés nécessaires dans l'enseignement au primaire*, de André Paré et Thérèse Laferrière, Sainte-Foy, Centre d'intégration de la personne de Québec inc., 1985, p. 31-36, 39-40, 78-84; *Auto-supervision pédagogique*, Guide élaboré en région Abitibi-Témiscamingue, novembre 1987, p. 47-48; *Auto-appréciation sur les pratiques pédagogiques*, Questionnaire aux enseignantes ou enseignants, Gouvernement du Québec, Direction générale du développement pédagogique, p. 16-17.

DEUXIÈME ÉTAPE: LA RÉFLEXION

La grille d'analyse précédente permet de prendre conscience que le climat d'une classe est une réalité complexe. De multiples facteurs entrent en interaction pour le créer, le consolider ou le dégrader. Avant de relever un défi qui vise à améliorer le climat de la classe, il est donc nécessaire de bien cerner cette réalité. C'est une étape de lecture et de réflexion qui procure une idée claire du terrain sur lequel on veut intervenir.

Qu'est-ce que le climat d'une classe?

D'une façon générale, les dictionnaires définissent le climat comme «un ensemble de phénomènes (températures, vents, précipitations...) qui caractérisent l'état moyen de l'atmosphère et son évolution en un lieu donné[1] ». Même si elle convient surtout à la météorologie, la définition a le mérite de faire ressortir un certain nombre de points qui valent aussi pour le climat d'une classe. Dans une classe, on pourrait appeler «climat» cet ensemble de phénomènes (relations, conflits, discipline, motivation...) qui caractérisent l'atmosphère et qui donnent ou non le goût d'enseigner et d'apprendre.

Importance du climat

Le climat est la composante la plus importante à gérer, autant en classe régulière qu'en classe d'adaptation. De lui dépend l'apprentissage. Plus les élèves ont des difficultés d'apprentissage ou de comportement, plus il faut s'interroger sur le climat de la classe et chercher à l'améliorer. Si le climat n'est pas bon, on aura beau mettre en œuvre la meilleure pédagogie, utiliser les outils les plus sophistiqués, tous les efforts tomberont à l'eau.

À quoi reconnaît-on un «bon climat» pour apprendre?

La réponse est simple: un bon climat développe le goût de produire, autant chez l'enseignante que chez les élèves. Si l'enseignante ressent son travail comme un poids, si les élèves éprouvent plus de difficultés que de satisfaction, c'est que l'énergie des uns et des autres est utilisée ailleurs: sans doute à lutter contre un mauvais climat. L'enseignante passe son temps à faire régner la discipline, à «éteindre les feux», et les élèves, à créer des situations déstabilisantes. C'est leur manière de manifester qu'ils ne sont pas bien dans le climat de la classe. Il n'y a plus de place pour la créativité et pour le plaisir d'apprendre.

Les composantes du climat de la classe

Le climat d'une classe est le résultat d'un ensemble d'éléments:

– l'attitude personnelle de l'enseignante,
– le style de relation qu'elle a avec ses élèves et leurs parents,
– sa capacité de susciter la motivation, d'instaurer une saine discipline, de gérer les conflits.

---

1. *Dictionnaire encyclopédique Larousse*, 6ᵉ édition, Paris, Librairie Larousse, 1979, p. 329.

Le questionnaire au début de ce chapitre faisait bien ressortir la participation de ces divers éléments dans la création du climat de la classe. Il est maintenant nécessaire de s'arrêter plus longuement à chacun d'eux.

L'attitude personnelle de l'enseignante

La première composante du climat d'une classe, c'est le climat intérieur de celle qui en a la responsabilité. L'enseignante est-elle agressive, facilement bouleversée ou, au contraire, suffisamment en sécurité avec elle-même, calme et accueillante? Elle n'a même pas besoin de le dire, son corps parlera de son attitude intérieure. Cette dernière se fera sentir dans son ton de voix, ses attitudes, ses gestes, ses décisions, ses façons d'entrer en relation. Les élèves la ressentiront et y réagiront à leur manière, selon leur propre climat intérieur.

Bien sûr, il s'agit ici d'attitudes habituelles, qui traduisent l'être de la personne, plutôt que d'attitudes passagères. Les enfants savent bien faire la différence. Ils seront les premiers à dire: «Qu'est-ce que tu as ce matin? Tu n'es pas comme d'habitude; on dirait que tu es fâchée.» Ces petites réflexions agissent comme un miroir. Elles disent la perception que les élèves ont du climat intérieur habituel de leur enseignante et de la perturbation actuelle dans ce climat. Elles aident celle qui les reçoit à saisir ce qu'elle transmet à son insu.

L'enseignante a donc tout intérêt à bien connaître son profil. Qui est-elle réellement? Une personne habituellement calme ou inquiète? supportant mal les perturbations ou aimant la nouveauté? rigoureuse ou fantaisiste? L'enseignante doit s'observer sans se juger. Le jugement provoquerait une culpabilité qui, elle aussi, se ferait sentir dans le climat de la classe. C'est donc en toute sérénité que l'enseignante devrait pouvoir se regarder sous toutes les coutures et s'accepter. Elle est le premier matériau de sa réussite dans ses relations avec ses élèves.

Se regarder sans se juger ne veut pas dire se cantonner dans des attitudes néfastes. L'enseignante qui a l'honnêteté de nommer pour elle-même des attitudes qui nuisent au climat de la classe devrait aussi être capable de se mettre en mouvement pour acquérir des attitudes plus constructives. Mais plutôt que de chercher à changer rapidement et en surface, elle devrait chercher à comprendre où s'enracinent ces attitudes, quelle peur ou quelle souffrance elles traduisent. Si elle ne peut le faire seule, de nombreux groupes d'entraide ou services individuels sont à sa disposition pour la soutenir dans sa démarche. Le changement qui naîtra de ce travail aura toutes les chances d'être profond et durable.

Quelles sont les attitudes intérieures qui influencent positivement le climat d'une classe? Le questionnaire au début de ce chapitre les fait assez bien ressortir: l'authenticité, la chaleur dans les contacts avec les autres, la confiance en soi, le sens de l'humour, la capacité de s'affirmer, le sens des responsabilités, l'empathie, l'ouverture, la tolérance… Ces attitudes ont un impact sur le climat de la classe, comme elles ont un impact sur toutes les relations humaines. Plus elle les cultive, plus l'enseignante s'ouvre à des relations humaines enrichissantes.

Le style de relation

Avec les élèves

Toute véritable relation est le résultat d'un processus qui va de la connaissance à la reconnaissance. Au point de départ, il est nécessaire à l'enseignante de posséder un certain nombre d'informations sur ses élèves: leur identité, leur milieu social, leur situation familiale. Mais ces informations ne disent pas l'être. Il faut aller plus loin, s'intéresser à chacun personnellement, découvrir ses forces et ses lacunes, décoder ses intérêts. Au terme de ce processus, la connaissance est déjà plus profonde. Chaque élève prend aux yeux de l'enseignante une personnalité qui lui est propre. Mais la relation s'établit réellement quand l'enseignante reconnaît les enfants pour ce qu'ils sont, les invite à manifester ce qu'ils sont, les soutient dans leurs efforts pour atteindre ce qu'ils sont. En un mot, quand ils sont reconnus comme personnes, comme sujets de leur croissance.

Avec les parents

Dans ce processus de connaissance et de reconnaissance, l'enseignante n'est pas seule. Si elle sait aller au-devant des parents, solliciter leur concours, leur donner accès à cette part de la vie de l'enfant qui se déroule dans le cadre scolaire, ils deviendront des partenaires pour faciliter l'épanouissement de l'enfant. L'enfant sentira cette solidarité; elle sera sécurisante. Elle lui donnera de l'audace pour travailler à sa croissance.

Il existe bien des façons de construire une relation avec les parents d'élèves: réunions d'information, contacts personnels à l'occasion d'une maladie ou d'un succès sportif, rencontres formelles au moment de la remise des bulletins, participations à des activités extrascolaires, invitations en classe pour un témoignage ou une contribution, etc. Les relations les plus solides, et peut-être les plus fructueuses pour l'enfant, sont celles qui s'établissent d'abord entre adultes, d'égal à égal, où l'enfant n'est pas la seule occasion de contacts. À travers ces relations, l'enseignante s'intègre de plus en plus à son milieu. Aux yeux de l'enfant, elle n'est plus simplement un élément, plus ou moins à sa taille, du milieu scolaire. Elle prend son véritable rang dans la chaîne des générations, aux côtés de ses parents. Cette clarification ne peut avoir que des effets bénéfiques sur sa maturation psychologique.

Il est clair qu'une véritable action éducatrice est le résultat de trois collaborations très étroites: celle de l'enfant, celle des parents et celle de l'enseignante. Bien sûr, les conditions de réunion de ces trois forces sont parfois délicates. On voit du côté des familles

– des structures familiales de plus en plus variées;
– des relations nouvelles entre parents et enfants;
– des valeurs familiales qui diffèrent d'un milieu à un autre;
– des origines ethniques et culturelles de plus en plus diverses;
– des parents qui ont des aspirations élevées, mais peu de temps à consacrer aux enfants;
– des enfants plus stimulés, mais plus exposés à diverses formes de pauvreté;
– à côté d'enfants surprotégés, des enfants complètement laissés à eux-mêmes;
– des familles plus instruites, mais pas forcément plus riches…

De son côté, l'école

- doit faire face de plus en plus à la gestion des différences tant pour les élèves que pour les parents;
- veut bien la collaboration des parents, mais offre peu de moyens concrets pour rendre cette collaboration effective;
- n'a pas forcément révisé ses démarches et ses stratégies pour informer les parents et les amener à s'engager;
- cherche à faire plus quand elle devrait chercher à faire autrement;
- se tient parfois plutôt sur la défensive face aux parents au lieu de développer l'accueil, l'écoute et le partenariat;
- est confrontée à l'émergence de nouveaux besoins et est obligée de créer un modèle nouveau de collaboration avec la famille, un modèle qui s'éloigne des acquis antérieurs;
- a de plus en plus de concurrence…

… Avec, pour résultat, le sentiment, tant dans la famille qu'à l'école, que les deux institutions qui encadrent l'enfant s'éloignent de plus en plus l'une de l'autre. Pourtant, si le développement de l'enfant est au cœur des préoccupations de chacun, si l'école arrive à penser et à agir autrement avec les parents et avec les enfants, il sera possible d'établir des relations constructives qui agiront sur le climat de la classe.

La capacité de favoriser la motivation

Le climat d'une classe tient encore à quelques capacités particulières de l'enseignante, soit celles

- de favoriser la motivation,
- d'instaurer une saine discipline,
- de gérer les conflits.

La motivation, on le sait, est l'ensemble des forces qui poussent une personne à agir. Cette motivation peut être

- «intrinsèque», c'est-à-dire liée au plaisir et à la satisfaction que l'on retire de l'action, ou
- «extrinsèque», c'est-à-dire liée à toutes sortes d'autres raisons que le plaisir et la satisfaction: éviter une punition, recevoir une récompense, acquérir un outil important, éviter la culpabilité, faire comme les autres, etc.

Toute forme de motivation peut conduire à un apprentissage, mais plus la motivation est intrinsèque, liée au plaisir et à la satisfaction, plus l'apprentissage est riche et bien ancré. Cela vaut autant pour les adultes que pour les enfants.

Les dernières recherches dont fait état Jacques Tardif montrent que la motivation s'apprend, se cultive[2]. Mais cela n'est possible que dans la mesure où l'élève, quel que soit son âge, se perçoit comme ayant du pouvoir sur ce qui lui arrive. Ce sentiment de pouvoir peut être créé par une volonté réelle de l'enseignante d'amener les élèves à s'engager dans le processus d'apprentissage. Elle doit donc faire connaître aux élèves les démarches et les stratégies qui mènent à la réussite. Elle doit les rendre aptes à utiliser ces stratégies dans le plus de situations possible. Les élèves développeront peu à peu le

---

2. Jacques TARDIF, *Pour un enseignement stratégique. L'apport de la psychologie cognitive*, Montréal, Éditions Logiques, 1992, p. 109.

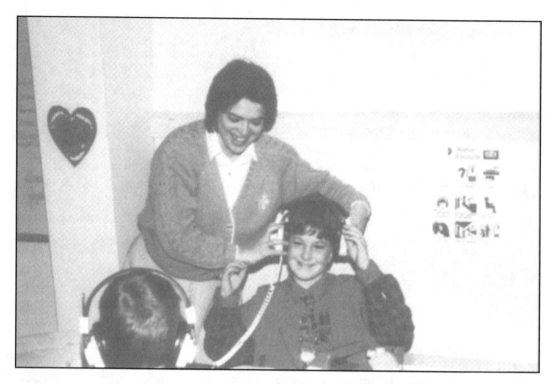

sentiment qu'ils ont du pouvoir sur leur apprentissage, sur leurs réussites et leurs échecs. Ce pouvoir fera d'eux des personnes réellement motivées.

Il existe un lien entre la motivation et l'*estime de soi*. L'estime de soi est la confiance fondamentale d'une personne en ses perceptions, son efficacité et sa valeur. Elle se construit progressivement dans la relation avec les parents et les personnes significatives pour les enfants. Plus les adultes renvoient aux enfants une image positive d'eux-mêmes, de leurs perceptions et de leurs capacités, plus ceux-ci acquièrent une image positive d'eux-mêmes. Cette image positive leur donnera l'énergie pour s'engager dans le processus de croissance qui doit être le leur.

L'estime de soi est aussi le résultat d'un ensemble de sentiments internes:

– le sentiment de sécurité: «Je suis dans un milieu connu, avec des gens que j'aime et qui m'aiment…»;
– le sentiment d'identité: «Je sais qui je suis, de quelle famille je viens…»;
– le sentiment d'appartenance: «J'appartiens à une famille, à un groupe social…»;
– le sentiment de détermination: «Je sais ce que je veux…»;
– le sentiment de compétence: «Je sais que je suis capable de faire des choses…».

C'est la variation dans la fermeté de l'un ou l'autre de ces sentiments qui fait qu'une estime de soi est plus ou moins solide. Si ces sentiments n'ont pas été bien construits dans la petite enfance, il peut être difficile de réparer les dégâts, mais l'aide éclairée d'une enseignante ou de professionnels peut heureusement y contribuer.

La construction de l'estime de soi de l'enfant sera aussi fortement influencée par l'estime d'eux-mêmes qu'ont les parents et les enseignantes. Il y a des signes qui ne trompent pas. Ainsi,

– quand les attentes des parents et des enseignantes sont contradictoires,
– quand les enseignantes ont du mal à se définir des buts personnels et à exprimer des attentes réalistes,
– quand les parents et les enseignantes sont enclins à exiger une obéissance aveugle,

– quand ils critiquent les enfants et mettent l'accent sur leurs lacunes plutôt que sur leurs forces,

– quand ils acceptent mal les remarques qui leur permettraient de s'auto-évaluer,

– quand ils se fixent des buts trop élevés et se culpabilisent facilement,

– quand l'école n'est pas un lieu propice à un sentiment de bien-être psychologique…

les adultes en cause ont une faible estime d'eux-mêmes. Dans ce contexte, l'enfant aura du mal à construire une image positive de lui-même.

Au contraire, les parents et les enseignantes qui ont une juste estime d'eux-mêmes permettent aux enfants de progresser

– en les aidant à développer des stratégies pour régler leurs problèmes,

– en établissant des règles claires et en les faisant respecter,

– en traitant les enfants comme des personnes, avec respect,

– en faisant connaître leurs besoins et leurs attentes réalistes à l'égard des enfants,

– en les aidant à s'auto-évaluer,

– en sachant manifester du soutien et de la satisfaction face aux enfants.

Cette dernière manifestation de l'estime de soi s'appelle aussi *valorisation*. La valorisation est une manière de souligner les progrès et les réussites de l'enfant. Elle peut s'adresser

• à un individu: prendre le temps de dire à l'élève qu'on est fière de lui, de son attitude, de ses progrès, de ses réussites;

• à une équipe: encourager et féliciter des enfants qui, tout en travaillant en équipe, répondent bien aux attentes, s'entraident, etc.;

• à une collectivité: s'adresser à tout le groupe-classe pour dire sa satisfaction, sa fierté ou pour encourager les élèves dans une tâche plus difficile.

Cette valorisation peut prendre diverses formes. Elle peut être

– non verbale: un sourire, un geste de la main, un clin d'œil manifestent de la satisfaction ou de l'encouragement;

– verbale: dire clairement sa satisfaction;

– écrite: écrire un petit message dans le cahier ou adresser des messages aux équipes de la classe;

– en entrevue: au cours d'une rencontre personnelle, encourager les efforts, souligner les bons résultats, proposer de nouveaux défis;

– matérielle: apporter un nouveau matériel qui va relancer la motivation, donner des diplômes, distribuer des autocollants, des coupons de tirage.

De toute façon, pour qu'une rétroaction[3] soit positive et agisse comme valorisation, il faut qu'elle soit

– précise: elle doit soutenir un acte ou un geste bien spécifiques,

– intermittente: fréquente au début et de plus en plus espacée ensuite,

– immédiate: sinon elle perd de sa force de valorisation,

– claire: elle ne doit pas comporter d'éléments négatifs qui rendent difficile son interprétation,

– dynamisante: elle doit inviter à un nouveau défi, à un réinvestissement des forces.

---

3. Jean ARCHAMBAULT, Monique DOYON, *Du feed-back pour apprendre. Comment aider l'élève à obtenir plus de feed-back pédagogique?*, Montréal, C.E.C.M., 1986.

Ces réflexions sur l'estime de soi et la valorisation montrent que l'enseignante peut jouer un rôle fondamental dans la motivation de l'enfant. Elle fera toujours partie des forces extérieures qui peuvent mettre l'enfant en mouvement. Mais elle a comme fonction principale d'aider l'enfant à découvrir une motivation intrinsèque à son apprentissage. Son rôle est de susciter, d'engager, de soutenir et de maintenir la motivation à apprendre, en adoptant des méthodes efficaces. Son rôle est de créer les conditions pour que l'enfant découvre sa motivation intrinsèque à faire tel ou tel apprentissage. Il existe des outils pour ce faire.

La grille de Paul Hersey ci-dessous, accompagnée d'un plan d'intervention général, fait déjà ressortir les gestes de base à poser pour favoriser la motivation chez les élèves:

1. Découvrir le degré de motivation ou de démotivation de l'élève. (Qui?)
2. Dans un cas de non-motivation, en trouver les facteurs avec l'élève. (Pourquoi?)
3. Intervenir en fonction des catégories mentionnées sur le plan de la motivation. (Comment?)

Grille de Paul Hersey et plan d'intervention général

Catégorie 1	Catégorie 2	Catégorie 3	Catégorie 4
Élève non motivé et non capable	Élève motivé et non capable	Élève non motivé et capable	Élève motivé et capable

1. Non motivé, non capable

- ne pas cibler les deux aspects en même temps, en choisir un;
- vérifier la qualité de la relation enseignante/élève;
- offrir une situation d'apprentissage avec possibilité de réussite;
- respecter le rythme d'apprentissage;
- faire apprendre par expérience, démonstration, manipulation. L'information est trop difficile;
- respecter le style d'apprentissage;
- valoriser lorsqu'il y a motivation et réussite;
- vérifier sa perception de lui-même et intervenir en ce qui concerne l'estime de soi;
- vérifier sa perception de l'école.

3. Non motivé, capable

- décoder les intérêts personnels de l'élève, découvrir une porte d'entrée possible;
- discuter avec lui des raisons de sa démotivation, lui donner un cadre de référence pour exprimer ce qu'il vit;
- offrir un encadrement;
- valoriser lorsqu'il y a réponse sur le plan de la motivation;
- vérifier certains facteurs affectifs. Aime-t-il son enseignante? l'école? la matière? Est-il accepté de ses pairs?

2. Motivé, non capable

- proposer des tâches d'apprentissage adaptées, allégées même pour ce qui est de la longueur ou de la complexité;
- proposer des seuils de réussite réalistes;
- adapter l'échéancier;
- l'aider à réussir par des démarches et des stratégies d'apprentissage;
- donner des ressources supplémentaires: dyades permanentes, matériel complémentaire;
- soutenir l'élève, l'encourager;
- valoriser s'il y a réponse sur le plan de la réussite;
- décoder son style d'apprentissage afin de vérifier si sa porte d'entrée est respectée.

4. Motivé, capable

- déléguer des rôles (dyade d'entraide, animation d'une «clinique», production de matériel);
- guider l'élève pour qu'il aille plus loin: défis d'enrichissement, projets personnels, etc.;
- fournir un cadre à l'intérieur duquel l'élève puisse exercer sa liberté;
- valoriser.

La capacité d'instaurer une saine discipline

Si le mot «discipline» a pratiquement perdu ses références aux châtiments corporels et aux punitions, il reste encore, pour beaucoup de personnes, lié à des attitudes coercitives. «Comment faire pour que tel élève arrête de se comporter de telle façon?» dira une enseignante. Ou bien: «Comment m'y prendre pour me faire obéir?» dira un parent débordé. Ces interrogations montrent bien que la discipline reste encore souvent un privilège des adultes, l'exercice d'un pouvoir sur les enfants.

En réalité, la discipline est une manière d'apprendre à l'enfant à organiser sa vie et ses actions, de façon à en tirer le maximum de plaisir, en tenant compte des autres et du monde dans lequel il vit. Elle exige une formation comme n'importe quel autre apprentissage. Cette formation est réussie quand elle obtient comme résultat l'autodiscipline. L'enfant en arrive à régulariser son comportement pour être de plus en plus en harmonie avec lui-même, les autres et son milieu.

Pour en arriver là, l'enfant doit faire un réel apprentissage, c'est-à-dire

- connaître les règles du jeu (savoir);
- vivre les règlements de l'école et participer à l'élaboration de certaines règles de la vie de la classe et des conséquences qui en découlent (savoir-faire);
- développer, au contact de l'adulte, des valeurs et des attitudes d'engagement et de responsabilité (savoir-être).

Connaître les règles du jeu

Quand ils arrivent à l'école, les enfants ont déjà acquis une certaine forme d'autodiscipline. Ils savent contrôler leurs gestes pour se nourrir, s'habiller, manier certains outils… Ils connaissent aussi un certain nombre de règles de discipline en usage dans la famille, dans le groupe de jeu, dans un lieu public… Mais ils ignorent les règles concernant le fonctionnement d'un groupe d'enfants en apprentissage, dans une classe, sous la direction d'une enseignante. Cette dernière, au contraire, possède pratiquement toutes les règles de ce fonctionnement. C'est elle qui les a faites, elle en a la pratique depuis un certain temps et, de plus, elle est très consciente de sa responsabilité et de son pouvoir d'influence. Tout l'enjeu de la formation des enfants sera de les aider à intégrer ces règles pour qu'elles deviennent les leurs. Le premier pas à faire, pour l'enseignante, est d'informer les enfants des principaux règlements de la vie de l'école et de leurs raisons d'être. Si les enfants sont capables de les comprendre et de les respecter, ces règles leur donnent déjà de la sécurité et un certain pouvoir sur la vie dans ce milieu.

Vivre les règlements de l'école et participer à l'élaboration de certaines règles de la vie de la classe et des conséquences qui en découlent

À partir du moment où les enfants connaissent les règlements de l'école, ils peuvent les mettre en pratique et ainsi avoir un certain pouvoir sur leur personne. Ce contrôle d'eux-mêmes, de leurs gestes, de leurs paroles, de leurs attitudes, il est essentiel que les enfants le perçoivent comme une étape de croissance. Le bébé au berceau n'a aucun pouvoir, pas même celui du contrôle de ses sphincters. À six ans, il en aura déjà acquis un bon nombre. Et chaque pas qu'il fera lui en accordera de nouveaux.

En les invitant à participer à l'élaboration de certaines règles de la vie de la classe, l'enseignante ouvre aux enfants un nouveau champ. Ceux-ci acquièrent du pouvoir sur leur environnement, sur leur milieu de vie. Ils apprennent à établir ce pouvoir en tenant compte des autres et des conditions matérielles. C'est une épreuve de réalisme et d'adaptation. Elle doit prendre en compte l'erreur, l'évaluation, le réajustement, qui sont toutes des étapes normales de l'apprentissage.

Il n'est pas superflu d'amener les enfants à participer à l'élaboration des conséquences qui découlent de l'observation ou non des règles de la vie de la classe. C'est un choix qui va peut-être à l'encontre du mouvement général de la société, mais il contribue fortement à la construction d'un réel sens des responsabilités.

La société d'aujourd'hui, on le sait, met fortement l'accent sur «les droits et libertés de la personne». Chaque minorité, le syndicat des prisonniers autant que l'association des non-voyants, peut réclamer le respect de ses droits fondamentaux. Mais peu de voix se font entendre pour rappeler aux uns et aux autres l'importance d'assumer les conséquences de leurs gestes, heureux ou malheureux.

La famille elle-même n'échappe pas à ce courant. Beaucoup de parents qui ont souffert d'une éducation autoritaire veulent donner à leurs enfants une éducation plus libérale. S'ils savent parfois dialoguer avec eux pour établir certaines règles, ils ne savent pas toujours les amener à faire face aux conséquences de leurs gestes. Ces conséquences sont rarement prévues, négociées. Quand les parents s'en rendent compte, souvent trop tard, ou bien ils les assument eux-mêmes ou bien ils placent l'enfant face à des conséquences disproportionnées par rapport à l'acte. Et que dire des familles reconstituées où l'enfant est encadré par trois ou quatre adultes, où les règles changent sans cesse...

Le risque est grand de retrouver dans la classe une situation semblable. Parfois, l'enseignante croit que les règlements de l'école suffisent à encadrer les enfants. Pourtant, ils ne règlent rien dans la vie d'une classe. Et quand l'enseignante veut amener les enfants à faire face aux conséquences de leurs actes, celles-ci sont parfois subites, non prévues, elles n'ont pas été négociées, elles sont disproportionnées et n'ont que peu de liens avec le geste posé. L'humeur, la fatigue, la sympathie ou l'antipathie de l'enseignante entrent en ligne de compte et contribuent à placer les enfants face à l'arbitraire plutôt qu'à la réalité.

Établir les conséquences, c'est prévoir avec les enfants les suites tristes ou heureuses, agréables ou désagréables, de leurs gestes. L'opération leur permet d'établir des liens entre leurs gestes et les conséquences, de susciter chez eux une saine responsabilité. Elle est toujours une façon de faire vivre aux enfants «la thérapie de la réalité». Elle est, finalement, l'occasion de former à une vraie liberté.

Développer, au contact de l'adulte, des valeurs et des attitudes d'engagement et de responsabilité

La véritable autodiscipline s'enracine dans des valeurs de base, comme la capacité de s'engager et le sens des responsabilités. Ces valeurs ne peuvent en général être enseignées. Elles s'acquièrent au contact de quelqu'un qui les possède et les vit au jour le jour. Au fur et à mesure que les enfants prennent du pouvoir sur eux-mêmes et leur milieu, qu'ils s'ajustent aux autres et aux conditions matérielles, ils développent un vouloir-être comme l'adulte qui dirige et soutient leur démarche. Si l'enseignante sait être complice, responsable, authentique, chaleureuse, ouverte, elle incitera les enfants à adopter ces attitudes et à les faire leurs.

Bien sûr, l'apprentissage de l'autodiscipline ne se développe pas de façon linéaire et séquentielle mais plutôt de façon globale et simultanée. Le savoir-faire se développe en même temps que le savoir et c'est à travers le vécu des deux premières étapes que se vit aussi la troisième, le savoir-être. La distinction n'est soulevée ici que pour que l'enseignante ait une claire conscience des terrains sur lesquels elle se trouve quand elle participe à la formation de l'autodiscipline de l'élève.

La capacité de résoudre les conflits

Le conflit fait partie de toute relation humaine. Dès que deux personnes sont réunies, qu'elles soient enfants ou adultes, il y a risque d'incompréhension, de mésententes, de conflits. Vouloir une classe où les relations sont toujours harmonieuses, c'est vivre dans l'imaginaire plutôt que dans la réalité. Mais tout en reconnaissant cette réalité, il ne s'agit pas non plus d'être à la merci des conflits. Ces derniers, non ou mal résolus, finissent par gâter totalement la vie d'un groupe et provoquer son éclatement. Il s'agit donc plutôt de vivre les conflits de manière à ce qu'ils deviennent des situations de croissance.

Il existe divers moyens de résoudre les conflits dans une classe. Mais quels que soient les outils utilisés, il sera toujours utile de les situer dans l'ensemble d'une démarche dont il est important que tous, enseignante et élèves, soient conscients.

Première étape: reconnaissance du déséquilibre

Avant le conflit, il existait entre les deux personnes un certain équilibre qui fondait l'harmonie de la relation. Pour une raison ou une autre, cet équilibre est rompu. Il y a donc un «manque» à combler: l'équilibre et l'harmonie. Cette première étape peut paraître évidente, mais beaucoup de conflits ne sont jamais résolus, simplement parce que les conflits eux-mêmes ne sont jamais reconnus. Ils perdurent et font leurs ravages en profondeur. Il faut du courage pour reconnaître et accepter une rupture. Mais sans cette opération-vérité, il sera difficile d'aller plus avant dans la résolution du conflit.

Deuxième étape: décision d'amorcer un travail de résolution du conflit

Là aussi, la démarche peut sembler évidente. En réalité, la décision de se mettre au travail pour résoudre un conflit n'est pas toujours claire. Certaines personnes, même des enfants, peuvent inconsciemment vouloir profiter du conflit pour rompre une relation qui ne leur va plus. Avant d'engager des énergies dans la résolution du conflit, il faut donc que les deux parties soient au clair avec leur désir de garder ou non la relation et d'entreprendre le travail de résolution du conflit. Il est inutile d'essayer d'amener à la réconciliation deux personnes, enfants ou adulte et enfant, qui ne le veulent pas. Cette volonté est à respecter.

Troisième étape: recherche des solutions

Puisque les conflits sont des ruptures d'équilibre, il faut trouver les moyens qui permettront de restaurer l'équilibre. C'est une étape d'essais et d'erreurs. L'enseignante qui accompagne les élèves dans cette démarche ne devra pas conclure trop rapidement à la «mauvaise volonté». Il s'agit plutôt d'apprendre à écouter son être profond pour saisir à quel moment l'équilibre est effectivement revenu à l'intérieur de soi et dans la relation. Le rôle de l'adulte est d'offrir une variété de stratégies afin que chacun puisse trouver celle qui convient: dialogue avec une troisième personne, expression des sentiments, changements, etc.

Quatrième étape: émergence d'une solution et satisfaction des deux parties

Si les étapes précédentes ont été bien faites, dans le respect des sentiments des deux parties, il arrive un moment où l'équilibre se rétablit. Tous le ressentent et l'harmonie règne à nouveau. C'est un moment à célébrer.

Cinquième étape: objectivation

Les personnes, adultes ou enfants, qui viennent de vivre un conflit et de le résoudre tireront tous les bénéfices de ce travail si elles prennent le temps de revenir sur ce qu'elles ont vécu. Cette manière de mettre un peu à distance le processus pour se l'approprier davantage permet la transformation de l'événement en expérience. Dans tout conflit ultérieur, il sera possible de revenir à celui-ci et d'en tirer des moyens pour faire face au nouveau conflit et le résoudre. L'objectivation est l'opération indispensable pour que le conflit se transforme en expérience positive et constructive.

L'enseignante qui s'engage dans un processus de résolution de conflit avec des élèves sera donc consciente qu'elle s'engage réellement dans un processus. Toutes les étapes ne seront pas franchies au rythme où elle le souhaite, au moment ou avec les moyens qu'elle souhaite. Son rôle est de faciliter, avec respect, la clarification des sentiments et des émotions, l'exploration des moyens, le retour sur le processus et sa compréhension. Et pourquoi ne pas faciliter la réalisation d'une petite fête de réconciliation?

Conclusion

Chercher à créer un climat motivant dans une classe est donc une entreprise qui met en cause plusieurs facteurs. Elle suppose des relations qui ne sont jamais simples, avec les parents, avec chaque enfant et avec le groupe-classe. Elle exige des attitudes qui sont souvent encore en construction chez l'adulte, qui doit pourtant les solliciter quotidiennement: l'authenticité, l'ouverture, la chaleur… Elle nécessite une attention à tout ce qui peut avoir des répercussions sur la motivation de l'enfant. Elle fait appel à des capacités aussi diverses que celles de former à l'autodiscipline et de gérer les conflits. Mais sans cette préoccupation, il est inutile de chercher à atteindre un objectif de connaissance ou de formation, si modeste soit-il. Dans une classe où le climat est sain, fondé sur le respect des personnes, l'apprentissage peut se vivre à tous les niveaux. Le climat est la pierre angulaire de la vie de la classe et de la formation de l'élève.

TROISIÈME ÉTAPE: LE CHOIX DES OUTILS

Les mêmes outils peuvent avoir plusieurs formes différentes, par exemple, les outils pour vérifier les états d'âme ou pour élaborer un référentiel disciplinaire. Tu peux en utiliser plus d'un ou simplement choisir celui qui te paraît convenir le mieux. Tu peux même le personnaliser, l'adapter à la réalité de ta classe.

PENDANT L'EXPÉRIMENTATION

Tu trouveras dans le chapitre 1, aux pages 21, 22, 26 et 27, les éléments de réflexion et l'instrument nécessaire pour vivre les trois étapes:

– l'expérimentation,
– l'objectivation,
– le réajustement.

APRÈS L'EXPÉRIMENTATION

Pour t'aider à faire le point sur le défi que tu viens de relever concernant le climat de ta classe, retourne au chapitre 1, aux pages 22, 23, 28 et 29 qui concernent

– l'évaluation,
– le réinvestissement.

Tu y trouveras aussi des instruments pour accomplir ces dernières étapes de ton parcours.

3.1 STRATÉGIES POUR CRÉER UN CLIMAT DE CLASSE MOTIVANT

(Cadre de référence à consulter)

Contexte et utilité

S'il est un domaine où l'enseignante a du pouvoir, c'est bien au niveau du climat. Il est possible d'influencer le climat parce qu'on travaille avec des humains.

Un climat, ça se cultive, ça se prépare, ça s'entretient, ça peut même se détruire. Au fait, as-tu le goût de mesurer la température de ton climat?

Cet outil peut servir de grille d'analyse pour effectuer un bilan général de son climat de classe.

Il peut offrir des solutions de rechange pour améliorer un climat de classe qui laisse à désirer.

Pistes d'utilisation

1. Lis chacune des stratégies et indique par un (+) ou un (-) si celle-ci correspond à une force ou à une faiblesse chez toi, chez tes élèves ou dans ta classe. (*Voir pages 114 et 115.*)

2. Détermine parmi les stratégies faibles ou absentes une, deux ou trois priorités sur lesquelles tu désires travailler dans l'immédiat.

3. Expérimente, objective et réinvestis.

TRENTE STRATÉGIES POUR CRÉER UN CLIMAT DE CLASSE MOTIVANT

Je sais que ces attitudes sont créatrices d'harmonie et de motivation dans ma classe:

1. La bonne humeur et le sourire.

2. Le sens de l'humour.

3. Le dynamisme dans ma façon d'enseigner.

4. Un accueil de qualité le matin, le midi ou au début d'un cours.

5. L'écoute et la sensibilité à ce que vivent mes élèves: problèmes personnels, conflits, états d'âme, fatigue, etc.

6. La patience.

7. Le respect, la compréhension et l'acceptation des erreurs de mes élèves.

8. Le goût de prendre du temps pour trouver avec eux des moyens pour régler ou diminuer leurs difficultés.

9. L'authenticité.

10. Une image de moi positive et gagnante.

11. De la souplesse alliée à de la rigueur: je sais fixer des limites, donner de la corde, mais la tenir lorsque c'est nécessaire. Je sais fournir aux élèves une structure d'encadrement à l'intérieur de laquelle ils peuvent bénéficier d'une certaine liberté.

12. L'élaboration d'un référentiel disciplinaire avec mes élèves: règles de vie, conséquences désagréables et conséquences agréables.

13. Le décodage des attentes mutuelles: «Qu'est-ce qu'une bonne enseignante?» et «Qu'est-ce qu'une bonne ou un bon élève?»

14. La présence d'activités d'accueil dans la classe, en début d'année.

15. Le décodage des intérêts collectifs des élèves.

16. Le décodage des intérêts personnels des élèves.

17. La possibilité donnée aux élèves, à chaque étape de l'année, d'évaluer la qualité de l'enseignement reçu.

18. L'utilisation de rétroactions positives, auprès de chaque élève sous différentes formes: verbales, non verbales et écrites.

19. La remise du bulletin au cours d'une entrevue.

20. L'expérimentation de l'entraide et de la coopération dans la classe, par le biais de dyades et d'équipes spontanées ou permanentes.

21. L'élaboration, avec les élèves, d'une banque de stratégies pour résoudre des conflits dans la classe.

22. L'utilisation d'une démarche de résolution de problèmes et de conflits dans ma classe.

23. L'engagement des élèves dans la vie de la classe: choix d'un nom de classe, décoration et aménagement, tableau de responsabilités, décisions ou remaniements concernant la classe.

24. La création de situations d'apprentissage intéressantes et stimulantes.

25. L'utilisation et l'animation d'un conseil de coopération.

26. L'auto-évaluation ponctuelle des attitudes et des comportements dans la classe.

27. Les moments privilégiés pour planifier et vivre avec mes élèves des activités parascolaires à caractère éducatif, sportif ou culturel.

28. Les gestes délicats que je peux poser pour souligner les anniversaires des élèves.

29. Les rétroactions informelles que je me permets de vivre au retour d'une fin de semaine ou d'un congé plus long.

30. Les permissions que je me donne pour parler de la vraie vie avec mes élèves.

J'ajoute d'autres stratégies que j'ai découvertes:

_____

_____

_____

_____

_____

_____

_____

_____

_____

3.2 STRATÉGIES POUR CONSTRUIRE L'ESTIME DE SOI

(Cadre de référence à consulter)

Contexte et utilité

L'estime de soi découle de l'ensemble des perceptions qu'une personne a d'elle-même. Ces perceptions peuvent prendre la forme de cinq sentiments: les sentiments de sécurité, d'identité, d'appartenance, de détermination et de compétence.

Des actions toutes simples peuvent aider l'enfant à construire ces sentiments. Cet outil peut t'aider à avoir une vision globale de l'estime de soi. Il t'offre des pistes concrètes pour développer chacun des cinq sentiments créateurs de l'estime de soi.

Pistes d'utilisation

1. Explore de façon générale cet outil.

2. Détermine le sentiment sur lequel tu désires intervenir. (*Voir page 117.*)

3. Analyse ton vécu en regard du sentiment-cible retenu.

4. Sélectionne les gestes pertinents à poser pour les élèves de ta classe. (*Voir page 117.*)

VINGT STRATÉGIES POUR CONSTRUIRE L'ESTIME DE SOI

SENTIMENTS	STRATÉGIES
Sécurité	– J'établis des règles claires, j'offre une structure de fonctionnement. – Je fais respecter les règles établies avec constance et loyauté. – Je m'efforce de préserver le respect de soi-même pour chacune et chacun. – Je fais appel au sens des responsabilités.
Identité	– J'aide mes élèves à clarifier leurs valeurs, à décoder leurs intérêts et à communiquer leurs attentes. – Je donne des rétroactions positives. – Je manifeste de l'attention et de l'acceptation à leur égard.
Appartenance	– Je crée un climat accueillant. – Je crée des conditions favorisant l'interaction. – Je développe des comportements de soutien mutuel.
Détermination	– Je fais connaître mes attentes. – Je construis la confiance et la foi dans le succès. – Je clarifie avec l'élève ses rêves et ses ambitions. – J'aide l'élève à établir un plan en vue de la réalisation de ses objectifs.
Compétence	– J'indique les choix ou les solutions de rechange. – Je développe des habiletés dans la résolution de problèmes. – Je donne du soutien. – J'aide l'élève à s'auto-évaluer. – J'offre récompenses et reconnaissance. – Je suggère des forces et des défis.

Source: Lucille Robitaille.

3.3 COMMENT GÉRER UN RÉFÉRENTIEL DISCIPLINAIRE?
(Tableau d'harmonie)

Contexte et utilité

Les règlements d'école ne règlent absolument rien en classe. L'élève d'aujourd'hui a besoin de vivre à l'intérieur d'un cadre bien défini, d'une structure sécurisante. Il est possible de développer une discipline dans laquelle l'élève peut s'engager. Le climat et les relations ne s'en porteront que mieux. Toute cette démarche de gestion d'un référentiel disciplinaire dans la classe se veut un excellent moyen d'apprivoiser la thérapie de la réalité. L'élève a des droits, mais aussi des devoirs. Et elle ou il doit apprendre à assumer les conséquences de ses actions.

Cet outil offre des pistes concrètes pour actualiser dans le quotidien cette philosophie de vie en société et de relations interpersonnelles.

Pistes d'utilisation

1. Élabore progressivement avec les élèves un référentiel disciplinaire (*voir pages 119, 125 à 129*):
   - règles de vie (*voir pages 120 à 124*);
   - conséquences agréables (*voir page 133*);
   - conséquences désagréables (*voir page 134*).

2. Prévois des moments d'objectivation collective avec les élèves, pour réajuster s'il y a lieu.

3. Privilégie aussi des périodes d'auto-évaluation. (*Voir pages 136 à 138.*)

4. Évite de garder un référentiel disciplinaire statique. Fais-le bouger. Il doit suivre l'évolution, la dynamique du groupe. C'est à chaque mois, à chaque étape que tu peux revoir ton cadre de référence et le réaménager.

5. Ne te contente pas de le vivre verbalement avec les élèves. Traduis-le par écrit avec des mots ou des dessins. Il peut même se traduire en contrat.

6. Tu peux même transposer cette philosophie et appliquer certains outils à la gestion de la discipline dans l'école. (*Voir pages 130 à 132, 139 et 140.*)

COMMENT BÂTIR UN RÉFÉRENTIEL DISCIPLINAIRE?

1. Profiter d'une situation problématique dans la classe pour lancer l'idée de l'élaboration d'une règle de vie. Toujours le faire en fonction du vécu.

2. Questionner les élèves afin de vérifier avec eux ce qui est permis et ce qui ne l'est pas. Noter tous les renseignements donnés.

3. Sélectionner avec eux ce qu'on doit retenir et formuler par la suite la règle de vie.

4. Formuler la règle:
   - en utilisant le «je»;
   - en formulant positivement;
   - en employant le présent;
   - en donnant une consigne courte;
   - en décrivant un comportement observable et mesurable;
   - en évitant les adverbes, car ce n'est pas assez précis (je circule calmement?) (j'écris proprement?).

5. Trouver avec les élèves des conséquences agréables pour récompenser le respect des règles de vie: conséquences-cadeaux et conséquences du cœur.

6. Trouver avec les élèves des conséquences désagréables pour faire respecter les règles de vie décidées par le groupe: conséquences directes ou conséquences générales, étapistes.

7. Écrire ou faire écrire les règles. Les afficher bien en vue dans la classe pour que les élèves les aient devant les yeux quand ils travaillent (tableau d'harmonie) et s'y référer en cas de manquement et de non-respect. Faire des cartons amovibles pour les règles, cela permettra de les enlever lorsqu'elles seront intégrées par les élèves. Remplacer par une nouvelle règle. Placer une pochette près du tableau d'harmonie, dans laquelle on placera les consignes intégrées. On pourra, de cette façon, les replacer si nécessaire.

EXEMPLES DE RÈGLES DE VIE ET LEURS CONSÉQUENCES

1. Je circule sans courir dans la classe.

2. J'utilise un langage poli envers les adultes et les élèves de l'école.

3. Je soigne la qualité de mon écriture.

4. J'ai tout mon matériel au début du cours.

EXEMPLES DE CONSÉQUENCES AGRÉABLES
(de nature extrinsèque)

- Mon enseignante me félicite.

- Je reçois un coupon-tirage.

- Je bénéficie d'une activité libre dans la semaine.

- Je participe à la période «Activités du vendredi».

- Mes parents reçoivent un message «Bonne nouvelle».

- Je reçois un petit diplôme de félicitations.

EXEMPLES DE CONSÉQUENCES DÉSAGRÉABLES
(de nature générale)

- Je reprends mon travail le vendredi.

- Je perds mon activité libre.

- Je perds un privilège.

- Je travaille seule ou seul à ma place.

- Je réfléchis sur mon comportement avec ma fiche de réflexion.

Règles de vie à respecter

1. Je suis calme en tout temps.
2. Je garde le silence au signal.
3. Je garde le silence quand quelqu'un parle.
4. Je lève la main pour avoir le droit de parole.
5. J'ai du respect pour moi-même, le matériel et les autres.
6. Je fais attention aux autres par mes gestes et mes paroles.
7. Je garde le silence quand je fais un travail seule ou seul.
8. Je parle à voix basse quand je travaille en équipe.
9. Je travaille personnellement quand mon enseignante est occupée.
10. Je suis à mon affaire en tout temps.
11. Je prends mon rang en silence.
12. Je suis propre sur moi-même, dans mes cahiers et dans la classe.
13. Je remets mon travail à temps.

Conséquences directes du non-respect des règles de vie

1. Je copie la règle.
2. Je ne peux pas parler lors de la période d'échange, pour un temps défini.
3. Je perds le droit de parole pour un temps défini.
4. Je perds le droit de parole pour un temps défini.
5. Je fais une réflexion écrite.
6. Je m'excuse et je fais une réflexion écrite.
7. Je copie la règle.
8. Je dois garder le silence pour un temps défini.
9. Je copie la règle.
10. Je dois faire un travail obligatoire donné par mon enseignante.
11. Je prends mon rang avec mon enseignante.
12. Je refais mon travail qui n'est pas propre, je range mon bureau après l'école.
13. Je fais mon travail à la récréation ou après l'école.

Règles de vie à respecter

1. _____
2. _____
3. _____
4. _____
5. _____
6. _____
7. _____
8. _____
9. _____
10. _____
11. _____
12. _____
13. _____

Conséquences directes du non-respect des règles de vie

1. _____
2. _____
3. _____
4. _____
5. _____
6. _____
7. _____
8. _____
9. _____
10. _____
11. _____
12. _____
13. _____

ILLUSTRATIONS DE RÈGLES DE VIE

Je suis capable

**d'écouter et d'attendre
mon tour pour parler.**

Je suis capable de

marcher:

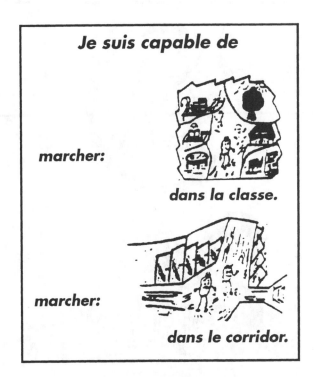

dans la classe.

marcher:

dans le corridor.

Je suis capable

**de participer au rangement
dans les ateliers.**

Je suis capable

**de dire avec des mots
pourquoi je suis fâché.**

Source: Ministère de l'Éducation du Québec, Dès le préscolaire… Recueil d'outils de gestion de classe, *juin 1992.*

**Je dis avec des mots pourquoi
je suis en colère.**

Source: Commission scolaire de Trois-Rivières.

RÉFÉRENTIEL DISCIPLINAIRE (POUR LES ÉLÈVES DE 5 À 8 ANS)

CADRE THÉORIQUE

Règles de vie	Conséquences heureuses	Conséquences tristes
• Message en «je» • Verbe au présent • Forme positive • Courte (1 geste à la fois) • Description d'un comportement observable et mesurable • Illustration de la règle de vie accompagnant l'énoncé (selon l'âge des élèves)	• Conséquences internes, intrinsèques • Conséquences qui viennent du cœur • Expression progressive de ces conséquences • Conséquence illustrée et écrite • Conséquences relues, au besoin	• Conséquences directes (reliées à la nature du geste posé) • Conséquences établies avec les élèves • Conséquences établies au même moment où l'on crée une nouvelle règle de vie • Conséquences qui peuvent bouger tout au long de l'année, suivant le développement moral des élèves

Exemple d'un tableau d'harmonie

RÈGLES DE VIE	CONSÉQUENCES DU CŒUR	CONSÉQUENCES DIRECTES
1. Je marche dans la classe.	• Je suis heureuse, heureux. • Je suis fière, fier de moi. • J'apprends beaucoup. • Je réussis mon année. • J'ai un beau bulletin. • Mes parents sont contents. • Mon enseignante m'apprécie.	Je refais le trajet en marchant.
2. J'attends mon tour pour parler.		Je parle la dernière ou le dernier à la causerie.
3. Je range le matériel utilisé dans l'atelier.		Je fais du rangement avant de prendre ma collation.

RÉFÉRENTIEL DISCIPLINAIRE
(POUR LES ÉLÈVES DE 9 À 13 ANS)
TABLEAU D'HARMONIE

Volet I: Une bonne enseignante, c'est...

Faire exprimer par les élèves ce qu'ils attendent de leur enseignante (valeurs des élèves).

Afficher ce référentiel dans la classe et inviter les élèves et l'enseignante à l'utiliser au besoin afin de se rappeler les attentes.

Volet II: Une bonne ou un bon élève, c'est...

Faire décoder par les élèves ce que l'enseignante attend d'eux. Compléter, si nécessaire.

Afficher ce référentiel dans la classe et inviter les élèves et l'enseignante à l'utiliser au besoin afin de se rappeler les attentes.

Volet III: Règles de vie

Pour être heureuse ou heureux et apprendre dans la classe, je dois observer les règles suivantes:
- message en «je»;
- verbe au présent;
- exprimé positivement;
- décrit un comportement observable et mesurable;
- règle qui décrit un geste à la fois.

Important: En cibler cinq seulement à la fois pour des fins d'application des conséquences et pour des fins d'auto-évaluation.

Volet IV: Conséquences agréables

Que va-t-il m'arriver si je respecte les règles de vie?

Élaborer une banque de cinq ou six privilèges. L'élève doit être libre de choisir son privilège à la fin de la semaine, après l'auto-évaluation.

On peut jouer avec deux sortes de conséquences agréables:
- internes, intrinsèques (du cœur);
- externes, matérielles (cadeaux).

Volet V: Conséquences désagréables

Que va-t-il m'arriver si je ne respecte pas les règles de vie?

On peut élaborer des conséquences générales (pour l'ensemble des règles de vie) ou particulières, directes (spécifiques à la nature du geste posé).

Dans le cas des conséquences générales, établir de concert avec les élèves l'ordre chronologique suivant lequel ces conséquences s'appliqueront.

RÉFÉRENTIEL DISCIPLINAIRE
(POUR LES ÉLÈVES DU SECONDAIRE)

CONSÉQUENCES AGRÉABLES	RÈGLES DE VIE	CONSÉQUENCES DÉSAGRÉABLES
• Se sentir bien dans sa peau.	1. Je respecte les autres.	• Présenter des excuses.
• Avoir ses récréations et ses midis libres.	2. Je ne mâche pas de gomme.	• Se faire avertir.
• Avoir sa récréation et son midi libres.	3. Je suis assise, assis à ma place à la cloche.	• Rester après le cours.
• Avoir sa récréation.	4. J'ai toutes mes affaires pour le début du cours.	• Perdre sa récréation.
• Avoir une réponse immédiate.	5. Je lève la main quand j'ai besoin de parler.	• Se faire avertir.
• Se sentir bien dans sa peau.	6. Je suis polie, poli et j'ai un langage acceptable.	• Faire des excuses.
• Congé de devoirs et midis libres.	7. Je remets mes travaux à temps.	• Avoir une retenue.
• Travailler à l'ordinateur. • Congé de devoirs. • Mériter une demi-heure d'activité personnelle à la fin d'un cours, le vendredi.	8. Je travaille sans déranger les autres en classe.	• Avoir une retenue. • Faire un travail supplémentaire.
• Avoir des activités le vendredi. • Se sentir bien dans sa peau. • Ne connaître que le côté agréable de ce tableau.	9. Je respecte toutes ces règles de vie.	• Avoir une retenue. • Perdre l'activité du vendredi. • Perdre le cinq minutes à la fin du cours. • Faire un travail supplémentaire.

Source: Commission scolaire de La Pocatière, Cheminements continus, sec. I, II et III.

RÉFÉRENTIEL DISCIPLINAIRE:
TABLEAU DES COULEURS

Le tableau des couleurs est la reconnaissance de mes compétences en vue d'une organisation efficace de mon travail et l'amélioration de ma participation à la vie de classe.

Blanc
- ❑ 1. Je me mets au travail sur demande.
- ❑ 2. J'ai besoin qu'on me rappelle souvent d'écouter ou d'être calme.

Jaune
- ❑ 1. Je défais mon sac.
- ❑ 2. Je remets les messages à la maison ou à l'école.
- ❑ 3. Je range mon matériel.
- ❑ 4. Je garde mon casier en ordre.
- ❑ 5. J'attache mes souliers et je les garde dans mes pieds.

J'ai le *privilège* d'aller au coin d'écoute une fois par semaine.

Orangé
- ❑ 1. Je suis responsable d'une tâche.
- ❑ 2. Je complète mon tableau de programmation.
- ❑ 3. Je demande la permission avant de prendre quelque chose.
- ❑ 4. Je remets ce que j'emprunte.
- ❑ 5. Je prends soin du matériel de l'école.
- ❑ 6. Je prends soin de mon matériel.

J'ai le *privilège* d'utiliser seule ou seul le matériel de la classe (pinceaux, peinture, gros crayons-feutres, etc.).

Bleu
- ❑ 1. Je demande la parole avant de parler.
- ❑ 2. Je garde ma place aux collectifs.
- ❑ 3. Je participe aux collectifs: je donne mon opinion.
- ❑ 4. Je suis tolérante ou tolérant avec les autres.
- ❑ 5. Je respecte les camarades au jeu.

J'ai le *privilège* d'animer un groupe.

Brun
- ❏ 1. Je présente des travaux aux autres.
- ❏ 2. Je sais diriger une équipe de travail.
- ❏ 3. J'exprime mes idées et je respecte mon opinion personnelle.
- ❏ 4. J'apporte des solutions à des problèmes.
- ❏ 5. Je sais m'excuser et je suis polie ou poli.

J'ai le *privilège* de choisir mon activité à l'ordinateur.

Noir
- ❏ 1. J'essaie avant de dire que je ne suis pas capable.
- ❏ 2. Je ne perds pas de temps et je trouve quelque chose à faire.
- ❏ 3. Je présente du travail propre.

J'ai le *privilège* de choisir des activités vertes personnelles.

Multicolore
- ❏ 1. Je sais trouver du travail seule ou seul.
- ❏ 2. Je peux diriger la classe seule ou seul.
- ❏ 3. Je suis autonome et responsable.

J'ai le *privilège* d'organiser une sortie éducative.

Vert
- ❏ 1. Après avoir essayé, je demande de l'aide au lieu de perdre mon temps.
- ❏ 2. J'écoute la personne qui parle.
- ❏ 3. Je respecte une amie ou un ami au travail en ne les dérangeant pas.
- ❏ 4. Je garde mes travaux propres.
- ❏ 5. Je ne parle pas en même temps qu'une autre personne.
- ❏ 6. Je fais mes moments de calme.
- ❏ 7. Je prends mon rang correctement.
- ❏ 8. Je circule calmement partout où je vais.

J'ai le *privilège* de me déplacer seule ou seul dans l'école.

Remarque: Cet outil doit être adapté à la clientèle à laquelle il s'adresse et vécu en complicité avec les élèves. Il n'est pas seulement un outil disciplinaire pour l'enseignante, mais d'abord un outil de développement personnel pour l'élève.

Source: Johanne Plourde et Gilda Lavoie, de la commission scolaire La Pocatière

Contrat

À toi, mon amie,
À toi, mon ami,

Tu fréquentes l'école   . Tu y es vraiment chez toi... Tu as des droits que nous, les adultes, allons essayer de respecter tout au long de l'année.

Par ce contrat, nous en prenons l'engagement. Et la direction de ton école sera la porte-parole de l'école lorsqu'elle apposera sa signature au bas du présent contrat.

Mais tu ne vis pas seule ou seul dans cette école. Nous formons une famille d'environ   personnes. Tous ces gens-là ont des droits, tout comme toi d'ailleurs.

Voilà pourquoi nous devons te parler des devoirs, des responsabilités que tu as également. En effet, à chaque droit que tu possèdes se rattache un devoir que tu dois assumer.

C'est un objectif de vie que nous allons essayer de réaliser ensemble cette année à l'intérieur de notre projet éducatif. Si chacune, chacun vit cette préoccupation, il n'y a pas de doute que chacune, chacun fera de son année scolaire une véritable réussite.

Nos droits et nos devoirs

1. J'ai droit au respect.

Par conséquent, je dois respecter aussi les autres.

Donc, chaque jour,

Devoir 1   • J'appelle les autres par leur nom véritable.

Devoir 2   • Je surveille mon langage et mes manières lorsque j'adresse la parole à une autre personne.

Devoir 3   • J'évite la violence physique, autant dans la cour que dans mon école.

---

2. J'ai droit à l'autonomie, à la responsabilité.

Par conséquent, je dois me prendre en main dans mon école.

Donc, chaque jour,

Devoir 4 • Je marche normalement, sans courir, sans bousculer, lorsque je circule dans mon école.

Devoir 5 • Je parle normalement, sans crier, sans hurler lorsque je circule dans mon école.

Devoir 6 • Je circule individuellement dans mon école seulement pour des raisons valables, sans perdre de temps et sans déranger les autres élèves qui travaillent en classe.

3. J'ai droit à un environnement riche et stimulant.

Par conséquent, je dois respecter tous les biens qui m'entourent.

Donc, chaque jour,

Devoir 7 • Je respecte le matériel dont je me sers.

Devoir 8 • Je respecte le matériel qui appartient aux autres.

Voilà des règles de vie nécessaires au fonctionnement d'un groupe-école! Tous les membres du personnel enseignant et la direction de l'école t'invitent donc à les respecter.

Pour t'aider à le faire:

• Les enseignantes et la direction de l'école te le rappelleront une, deux ou trois fois, si nécessaire.

• La direction de l'école te rencontrera au besoin afin de t'aider à trouver une solution au problème de comportement inapproprié.

• La direction de l'école avertira tes parents par écrit du comportement à améliorer.

• La direction de l'école te rencontrera en compagnie de tes parents afin de t'aider à trouver une solution au problème de comportement inapproprié.

J'espère que tu pourras améliorer ton comportement au cours de l'une ou l'autre de ces étapes. Si ce n'est pas le cas, nous devrons envisager une mesure qui te semblera moins positive, c'est-à-dire une punition.

Formule d'engagement

Par la présente, je m'engage à faire tous les efforts nécessaires pour respecter les huit (8) devoirs ou responsabilités contenus dans mon contrat.

Ces devoirs devront être respectés en tout temps, que je sois sous la responsabilité de ma titulaire de classe, d'une ou d'un spécialiste, d'une autre enseignante ou de la direction de l'école.

Je reconnais que toutes ces personnes sont là pour m'aider à parfaire mon éducation et à progresser sur le plan des apprentissages.

Pour démontrer le sérieux de mon engagement, je vais apposer ma signature au bas de ce contrat.

EN FOI DE QUOI, LES DEUX PARTIES ONT SIGNÉ, À _____

CE JOUR DE _____

_____
Signature de la personne déléguée de l'école

_____
Signature de l'élève

_____
Signature de l'autorité parentale (témoin)

BANQUE DE CONSÉQUENCES AGRÉABLES

1. Recevoir un collant.
2. Jouer à un jeu éducatif.
3. Écouter de la musique de détente pendant une période donnée.
4. Recevoir une rétroaction positive par écrit.
5. Avoir un message «Bonne nouvelle» pour ses parents.
6. Faire partie du club des responsables.
7. Écrire le menu de la journée au tableau.
8. Recevoir de l'argent scolaire.
9. Recevoir un billet de tirage.
10. Être commissionnaire dans l'école.
11. Circuler seule ou seul dans l'école.
12. Colorier son dessin «motivation».
13. Être le mini-professeur dans la classe.
14. Travailler à l'ordinateur.
15. Recevoir un petit «méritas».
16. Avoir une période pour travailler un projet personnel.
17. Prendre une collation pendant le temps de classe.
18. Se choisir une amie ou un ami et se placer à côté pour la journée.
19. Écrire au tableau.
20. Avoir congé de dictée: c'est l'élève qui la donne aux autres.
21. Aider l'enseignante à donner un atelier.
22. Travailler au bureau de l'enseignante.
23. Choisir un jeu de la classe et l'apporter à la maison.
24. Porter le macaron «Élève super».
25. Se choisir trois feuilles de papier construction pour un bricolage personnel.
26. Être la première ou le premier dans le rang.
27. Aller lire une histoire à la maternelle.
28. Aller parler de mes réussites à la direction de l'école.
29. Apporter un livre de bibliothèque «privilège» à la maison.
30. Corriger les mots d'orthographe ou la dictée du jour.

BANQUE DE CONSÉQUENCES DÉSAGRÉABLES

1. Mon enseignante m'avertit _____ fois.
2. Je m'isole du groupe pour réfléchir sur mon comportement à l'aide d'une fiche de réflexion.
3. Je copie la règle de vie à laquelle j'ai manqué (___ fois).
4. Je rencontre mon enseignante en entrevue.
5. Je perds quelque chose qui me plaît.
6. Je fais un travail supplémentaire.
7. J'avertis moi-même mes parents de mon comportement par la fiche de réflexion.
8. Je suis en période de retenue.
9. Mon enseignante avertit mes parents par téléphone.
10. Je travaille pour le groupe-classe.
11. Je rencontre la direction de l'école.
12. Je rencontre mon enseignante avec mes parents.
13. _____
14. _____
15. _____

Remarque: Ces conséquences doivent être vécues comme des occasions d'apprentissage et des arrêts d'agir.

On peut les regrouper ainsi:
- l'arrêt d'agir verbal (rappel, avertissement);
- la correction (réparation, correction, restauration de la situation produite par le comportement inadéquat);
- la surcorrection (travail communautaire);
- la pratique positive (pratique d'une séquence de comportements en vue de réaliser le comportement attendu);
- le plan d'action;
- la mini-conférence avec les parents et le plan d'action;
- le retrait avec plan d'action (en classe, à l'extérieur de la classe ou à l'extérieur de l'école).

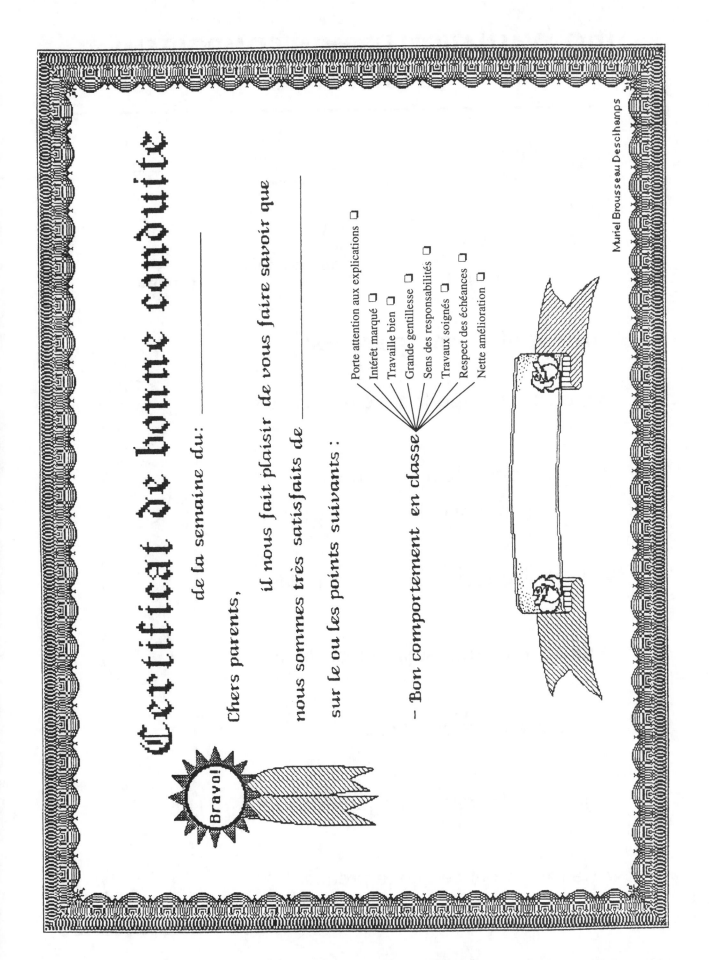

Certificat de bonne conduite

de la semaine du : _____

Chers parents,

il nous fait plaisir de vous faire savoir que

_____

nous sommes très satisfaits de _____

sur le ou les points suivants :

☐ Porte attention aux explications
☐ Intérêt marqué
☐ Travaille bien
☐ Grande gentillesse
☐ Sens des responsabilités
☐ Travaux soignés
☐ Respect des échéances
☐ Nette amélioration

– Bon comportement en classe

Bravo!

Muriel Brousseau Deschamps

AUTO-ÉVALUATION DE MON COMPORTEMENT

(ÉLÈVES DE 5 À 8 ANS)

Page de _____

Légende:

presque toujours   quelquefois   rarement

Comment je me perçois:

✎ J'accepte de partager avec les autres.

✎ Je sais demander les choses
à mon enseignante.

✎ Je choisis seule, seul mes activités.

✎ Je travaille sans salir autour de moi.

✎ J'écoute les explications.

✎ Je travaille sans déranger les autres.

✎ Je range tout ce que je prends.

AUTO-ÉVALUATION DE MON COMPORTEMENT

(ÉLÈVES DE 9 À 13 ANS)

Semaine du: _____ **Nom de**

_____ **l'élève:** _____

Échelle d'appréciation

1 = J'ai respecté la règle de vie.

2 = Je me suis oubliée, oublié (quelquefois).

3 = J'éprouve des difficultés dans ce domaine.

	Mon évaluation			Enseignante		
1. Je suis propre dans mes travaux.	1	2	3	1	2	3
2. Je respecte les échéances.	1	2	3	1	2	3
3. Je travaille sans perdre de temps.	1	2	3	1	2	3
4. Je participe à la vie de la classe.	1	2	3	1	2	3
5. Je travaille sans déranger les autres.	1	2	3	1	2	3
6. Je surveille mon langage avec les autres.	1	2	3	1	2	3
7. Je surveille mes attitudes envers les autres.	1	2	3	1	2	3
8. Je prends soin de mes effets scolaires (crayons, efface, ciseaux, colle, etc.).	1	2	3	1	2	3

Mes commentaires: _____

_____

Commentaires de l'enseignante: _____

_____

_____

Commentaires d'un parent: _____

_____

_____

Signature d'un parent: _____

Source: Muriel Brousseau-Deschamps et Pierre Deschamps

AUTO-ÉVALUATION DE MON COMPORTEMENT
(À LA FIN D'UN MOIS OU D'UNE ÉTAPE)

COMPORTEMENT À ÉVALUER	J'ai réussi.	J'ai eu des difficultés.	Mon enseignante a dû intervenir.
1. Au sujet des habitudes de travail:			
1. J'ai travaillé proprement.			
2. J'ai travaillé sérieusement et rapidement.			
3. J'ai eu de l'ordre dans mes affaires.			
4. Je suis allée ou allé au bout de mon travail (échéances).			
5. J'ai occupé mes moments libres.			
6. J'ai travaillé en équipe.			
7. J'ai planifié mon travail chaque jour.			
8. Je me suis évaluée ou évalué chaque semaine.			
2. Au sujet des attitudes sociales:			
1. J'ai respecté les règles de vie.			
2. J'ai écouté la personne qui parle.			
3. J'ai assumé mes responsabilités.			
4. Je me suis prise ou pris en main avec les spécialistes.			
5. J'ai circulé correctement dans la classe et dans l'école.			
6. J'ai surmonté les difficultés.			
7. J'ai respecté les autres et leurs idées.			
8. Je suis entrée ou entré en relation avec les autres élèves de la classe.			
9. J'ai participé à la vie de ma classe.			

AUTO-ÉVALUATION DE MON CONTRAT
(RÈGLES DE VIE DANS L'ÉCOLE)

Au début de l'année, je me suis engagée, engagé à faire de mon mieux pour respecter les huit (8) règles de vie contenues à l'intérieur d'un petit contrat signé entre la direction de l'école et moi.

Aujourd'hui, je prends quelques minutes pour me situer quant à mes responsabilités en tant qu'élève dans l'école.

J'utiliserai les trois (3) feux de circulation comme outils d'évaluation:

Feu vert: Je peux continuer ainsi. Tout va bien pour moi!

Feu jaune: Je ralentis et je réfléchis, car je m'oublie de temps à autre...

Feu rouge: DANGER! Je ne peux continuer ainsi. J'éprouve de sérieuses difficultés à me prendre en main et j'ai besoin d'aide, de soutien.

---

1. J'appelle les autres par leur nom véritable.

2. Je surveille mon langage et mes manières lorsque j'adresse la parole à une autre personne.

3. J'évite la violence physique, autant dans la cour que dans mon école.

4. Je marche normalement, sans courir, sans bousculer, lorsque je circule dans mon école.

5. Je circule individuellement dans mon école seulement pour des raisons valables, sans perdre de temps et sans déranger les autres élèves qui travaillent en classe.

6. Je parle normalement, sans crier, sans hurler, de façon à ne déranger personne, lorsque je circule dans mon école.

7. Je respecte le matériel dont je me sers.

8. Je respecte le matériel qui appartient aux autres.

Commentaires de l'élève:

_____

_____

_____

_____

Date:_____   Signature de l'élève

_____

Réactions de la direction de l'école:

1. Je suis en accord avec ton auto-évaluation et je te félicite.   ❑

2. Je ne suis pas tout à fait en accord avec ton auto-évaluation et j'aimerais te rencontrer pour en discuter.   ❑

3. Je m'aperçois que tu éprouves de grandes difficultés à respecter ce contrat et j'ai besoin de l'aide de tes parents.   ❑

Commentaires des parents:

_____

_____

_____

_____

Date:_____   Signature du parent
ou de la personne responsable

_____

3.4 JE RÉFLÉCHIS SUR MON COMPORTEMENT
(Fiche de réflexion)

Contexte et utilité

Les règles de vie et les conséquences dans la classe ne peuvent pas éliminer tous les troubles de comportement. Quand ceux-ci se manifestent, l'enseignante a intérêt à placer l'élève en situation de résolution de problèmes. L'enfant doit vivre des étapes bien précises pour apprendre un nouveau comportement. Elle ou il a besoin de se faire guider plus que de se faire dire: «Va réfléchir dans le corridor.»

Le présent outil offre des pistes différentes pour aider l'élève à cheminer dans l'apprentissage d'un comportement.

Pistes d'utilisation

1. Amène les élèves à faire des prises de conscience à l'égard des troubles de comportement. À partir du résultat qui est là, je peux aller plus loin. Je peux apprendre…

2. Propose aux élèves une démarche d'apprentissage pour un nouveau comportement (*voir page 142*):
   • Qu'est-ce que j'ai fait?
   • Je comprends ce que j'ai fait.
   • Je juge ce que j'ai fait.
   • À l'avenir, je décide de…
   • J'agis.

3. Utilise dans la classe un outil concret pour actualiser cette démarche: plan d'action ou fiche de réflexion. (*Voir pages 143 à 148.*)

4. Prévois même un endroit tranquille dans la classe pour que l'élève puisse vivre cette phase d'introspection.

5. Sers-toi de ces outils seulement quand c'est absolument nécessaire. Prévois d'autres conséquences préalables.

CADRE THÉORIQUE D'UNE FICHE DE RÉFLEXION

SCHÈME DES OPÉRATIONS DE LA CONNAISSANCE INTENTIONNELLE	PLAN D'ACTION
Ce que je fais quand j'apprends	Ce que je fais quand j'apprends un nouveau comportement.

EXPÉRIENCE

Je regarde et j'observe.
J'entends, je goûte, je touche et je palpe.
Je sens, j'éprouve des sentiments, j'imagine.
Je me rappelle, je me représente les objets connus.
Je recueille des données de première main.
Je trouve des données traitées.

QU'EST-CE QUE J'AI FAIT?

L'enfant nomme ce qu'il a fait.
Je comprends ce que j'ai fait.

COMPRÉHENSION

Je cherche, je fais des liens.
Je classe mes données, je saisis.
Je me fais une idée, j'établis des relations.
Je nomme ce que je connais.
Je m'exprime et je comprends bien.
J'élabore, je formule des hypothèses.

JE COMPRENDS CE QUE J'AI FAIT.

L'enfant décrit:
• la séquence d'action (avant, pendant et après);
• le contexte (émotif, personnes présentes, temps de la journée, activités);
• l'impact (sur moi, autrui, tâche, environnement);
• le lien avec le code de vie.

JUGEMENT

Je réfléchis, je vérifie, je cherche à valider.
Je prouve, je vérifie, je compare.
Je pèse le vrai et le faux.
J'affirme, je discerne.
Je donne mon assentiment.
Je reconnais ce qui est bon.

JE JUGE CE QUE J'AI FAIT.

Est-ce bon:
• en relation avec les règles du code de vie?
• en relation avec les valeurs du code de vie (respect de soi, d'autrui, coopération, production, respect de l'environnement)?

DÉCISION

J'agis, je décide, je choisis.
J'exécute, j'assume mes choix.
Je prends mes responsabilités.
Je délibère, je prends parti.

À L'AVENIR, JE DÉCIDE DE...

Choix d'un nouveau comportement, engagement et signature.

ACTION

J'agis comme une personne responsable.

J'AGIS.

J'actualise un nouveau comportement responsable.

Source: Pierre Angers et Colette Bouchard, La mise en œuvre du projet d'intégration, *Montréal, Bellarmin, coll. «L'activité éducative — Une théorie, une pratique», 1984.*

FICHE DE RÉFLEXION

Date: _____

Je nomme ce que j'ai fait.

Je juge ce que j'ai fait.

Je décide et je m'engage à...

_____   _____
Signature de l'élève   Signature d'un parent

FICHE DE RÉFLEXION

Date: _____

Cette fiche peut être utilisée par la parole, l'écriture ou le dessin.

1. Je nomme ce que j'ai fait.	**2. J'explique ce que j'ai fait.**
3. Comment je me sens? ❑ triste ❑ gênée, gêné ❑ seule, seul ❑ coupable ❑ indifférente, indifférent ❑ bien ❑ en colère	**4. Je réparerai mon geste de la façon suivante:**

_____   _____
Signature de l'élève   Signature d'un parent

JE M'AMÉLIORE

Nom: _____ Date: _____

Forces: _____

_____

_____

Dèfis: _____

_____

_____

Conditions de réalisation:_____

_____

_____

Conséquences agréables	**Conséquences désagréables**
_____	_____
_____	_____
_____	_____

Date de révision: _____

··

Évaluation:_____

_____

Décision: _____

_____

Signature de l'élève:_____

Signature de l'enseignante:_____

Signature d'un parent: _____

Source: Lisette Ouellet

MON PLAN D'ACTION

Réflexion

J'écris ce que j'ai fait:

_____

_____

_____

_____

Est-ce que cela est un comportement responsable? Pourquoi?

_____

_____

_____

_____

Qu'est-ce que cela m'a apporté?

_____

_____

_____

_____

Je rédige mon plan d'action.

Au prochain manquement,
j'appliquerai la conséquence suivante:

_____

_____

_____

Date: _____   Signature: _____

LE PLAN D'ACTION

Le plan d'action est un type de conséquence privilégiée dans une démarche disciplinaire qui met l'accent sur le choix et la responsabilité de l'élève. Il est un outil d'apprentissage d'un nouveau comportement et, en ce sens, il reprend les composantes du schème des opérations de la connaissance intentionnelle de Colette Bouchard et de Pierre Angers.

MON PLAN D'ACTION

Qu'est-ce que j'ai fait?

Je suis attentive, attentif à moi-même, aux autres, au matériel de l'école, etc.

_____

_____

_____

_____

_____

_____

_____

Pourquoi ce que j'ai fait n'est-il pas acceptable?

Je cherche à comprendre le sens et la raison: de mes besoins personnels, des besoins des autres et des exigences de l'environnement.

_____

_____

_____

_____

_____

_____

Pour éviter de refaire le même manquement, voici ce que je ferai:
Je réfléchis; je cherche à discerner ce qui est valable.

_____

_____

_____

_____

_____

Si je continue à faire ce que j'ai fait, quelle en sera la conséquence?

_____

_____

_____

_____

_____

_____

**Je suis consciente, conscient et responsable de mes actes.
Je m'engage à réaliser mon plan d'action.**

_____   _____
Date   Signature

J'ai pris connaissance de ton plan d'action.

_____
Signature de l'enseignante

Source: École Les Petits Castors, commission scolaire Jacques-Cartier, Longueuil.

3.5 LE CONSEIL DE COOPÉRATION EN CLASSE

(Classe coopérative)

Contexte et utilité

Les élèves vivent plusieurs heures en classe dans une année. Avec leurs pairs, ils connaissent des réussites, des difficultés, des conflits. Ils vivent en groupe et forment une petite société que l'on pourrait appeler une classe coopérative. Pourquoi ne pas se servir de cette dynamique pour orchestrer toutes les modalités sociales humaines du groupe?

Le conseil de coopération existe dans certaines classes et on en vante les effets bénéfiques. Tous les élèves sont membres du conseil de coopération au même titre que leur enseignante. Chaque semaine, ils se rencontrent pour échanger, discuter, valoriser ou régler des problèmes.

Pistes d'utilisation

1. Informe les élèves de la possibilité de se donner une structure du genre. Vérifie leur intérêt à le faire.

2. Avec eux, prépare un journal mural pour afficher quatre feuilles thématiques.

3. Prévois aussi un cahier de bord collectif pour noter les décisions retenues.

4. Vis une première rencontre et objective avec eux. On peut même y aller progressivement quant au nombre de volets abordés au cours de la rencontre et quant à la durée de la réunion.

5. Charge-toi de l'animation les premiers temps afin de t'offrir en modèle. Par la suite, coanime avec une ou un élève volontaire. Après, établis un calendrier d'animation avec les élèves intéressés.

PRINCIPES DE BASE DU CONSEIL DE COOPÉRATION

1. **Qu'est-ce que le conseil de coopération?**
   Le conseil de coopération est un moment privilégié pour faire un retour sur ce qui s'est vécu en classe ou à l'extérieur de la classe. Ce retour touche plusieurs aspects sur le plan des relations interpersonnelles et sociales, mais aussi du travail en classe. La classe coopérative permet de régler plusieurs problèmes.

2. **Comment fonctionne le conseil de coopération?**
   Les élèves sont chacune et chacun à leur place respective ou ils forment un cercle. L'enseignante peut agir comme animatrice ou on peut nommer une ou un élève qui fera l'animation. Des points sont indiqués au tableau. On peut décider de parler d'un point précis ou de plusieurs points lors du conseil de coopération. Les élèves qui désirent intervenir lèvent la main, l'animatrice ou l'animateur du conseil inscrit les noms l'un à la suite de l'autre.

   Les élèves doivent toujours commencer leur intervention en nommant la personne à qui ils s'adressent. Ensuite, ils utilisent les phrases suivantes, selon l'intervention:

   (Prénom), je te félicite pour…
   L'enfant qui a été félicité a le droit de parole pour remercier ou ajouter quelque chose.

   (Prénom), j'aurais souhaité que...
   L'enfant qui a été nommé a le droit de réplique.

   (Prénom), j'aimerais que…
   L'enfant qui a été nommé a le droit de réplique.

   (Prénom), je remarque que...
   L'enfant qui a été nommé a le droit de réplique.

3. **Combien de temps dure le conseil de coopération?**
   Selon les interventions et l'âge des élèves, le conseil de coopération peut durer de quinze à quarante-cinq minutes.

4. **Combien de fois par semaine?**
   Habituellement, il y a une période de conseil de coopération par semaine. Il peut, selon les besoins, y avoir une courte période de cinq à dix minutes tous les jours. Donc, cela dépend vraiment des besoins du groupe-classe. Souvent, ce sont les élèves qui demandent de placer une période de conseil à l'horaire de la journée. Dans la mesure du possible, il est important de répondre aux besoins des enfants.

5. Matériel nécessaire

- Journal mural où l'on affiche chaque semaine des feuilles intitulées:

Je félicite…

Je remercie…

Je critique…

Je voudrais…

C'est à partir de ce référentiel que les élèves notent au fur et à mesure leurs besoins, leurs préoccupations et leurs intérêts. Ils cernent progressivement les sujets qu'ils veulent aborder.

Avant la réunion, on recueille les feuilles et on élabore l'ordre du jour de la rencontre.

- Cahier de bord dans lequel seront notées les décisions importantes prises lors de la réunion et sur lesquelles il faudra revenir à la prochaine rencontre.

6. Avantages du conseil de coopération

Le conseil de coopération permet de régler plusieurs problèmes sans utiliser la force ni la violence. C'est une manière de régler des conflits de façon civilisée. Les élèves font des efforts pour s'améliorer, car le groupe-classe en est témoin. Quand un enfant dit devant toute la classe: «Je ferai des efforts pour améliorer mon comportement ou j'écouterai les consignes», il est un peu gêné si on lui fait remarquer à un autre conseil de coopération qu'il ne s'est pas amélioré. Donc, c'est un moyen efficace et participatif qui permet aux élèves d'avoir de bonnes relations interpersonnelles et aussi de donner leur point de vue. Jamais il n'y a eu de menaces de la part des élèves qui ont été nommés. Au contraire, il y a une nette amélioration du comportement et du travail.

Bref, c'est un excellent moyen d'intervenir sur le plan du climat de la classe (attitudes, relations). De plus, cet outil permet de renforcer la gestion du tableau d'harmonie en classe (référentiel disciplinaire). Les élèves qui ont des troubles de comportement sont souvent plus sensibles aux remarques de leurs pairs qu'à celles de l'enseignante. Enfin, quoi de mieux pour amener les élèves à participer à la vie de la classe par des suggestions, des remarques, des commentaires? Ils ont de l'emprise sur la classe.

Source: Danielle Jasmin et Gaétane Grossinger Divay.

3.6 DES MOYENS POUR RÉGLER NOS CONFLITS
(Démarches et stratégies)

Contexte et utilité

Les conflits font partie de la vie de tout être humain: conflits au travail, en classe, à la maison. On ne peut les éviter totalement. Il s'agit plutôt d'apprendre à les régler autrement que par des paroles ou des gestes violents.

Pour arriver à les surmonter de façon positive, le fait de se donner une démarche et des stratégies de résolution de conflits constituera un soutien précieux.

Pistes d'utilisation

1. Profite de l'occasion où une situation de conflit est présente dans la classe.

2. Discute avec les élèves pour trouver une solution satisfaisante pour les deux parties.

3. Fais objectiver les étapes vécues et écris-les sur un référentiel. Voilà la naissance de la démarche! (*Voir pages 153 et 154.*)

4. Exploite d'autres situations conflictuelles pour faire décoder les stratégies pertinentes pour vivre chacune des étapes de la démarche.

5. Élabore une banque de stratégies visuelles de résolution de conflits. (*Voir pages 155 à 158.*)

6. Amène les élèves à faire le lien entre la nature du conflit et la stratégie pertinente à utiliser.

DÉMARCHE POUR RÉSOUDRE UN CONFLIT (N° 1)

Les conflits font partie de la vie et il faut savoir les régler.

Voici les quatre étapes de résolution de conflits:

1. Je constate le problème.

2. Je trouve des solutions.

3. Je choisis la meilleure solution.

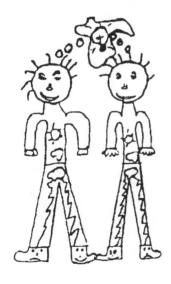

4. J'applique la solution choisie.

Source: Anne-Marie Binette, École Jacques-Bizard, Montréal.

DÉMARCHE POUR RÉSOUDRE UN CONFLIT (N° 2)
(POUR LES ÉLÈVES)

1. Je cherche ce qui est à l'origine du conflit.

2. J'écoute ce que l'autre a à dire.

3. J'explique sincèrement ce que je pense.

4. J'analyse les différentes opinions émises.

5. Nous prenons ensemble une décision finale.

6. Nous faisons comme nous l'avons finalement décidé.

«J'accepte les droits des autres sans renier les miens.»

Source: Charles Côté, La discipline en classe et à l'école, Montréal, Guérin, 1992.

MÉTHODOLOGIE POUR IMPLANTER LA BANQUE DE STRATÉGIES

- Ces stratégies doivent se retrouver visuellement dans une banque (référentiel pour les élèves).

- Cette banque doit être élaborée conjointement: élèves et enseignante, par de l'animation collective ou par des tables rondes.

- On a intérêt à élaborer cette banque progressivement (étape par étape).

- Il est préférable d'élaborer la banque dans un climat de calme et de confiance (pas dans le cadre d'un conflit intense).

- Les périodes de formation personnelle et sociale peuvent se prêter à faire des liens avec la banque de stratégies et les volets «vie en société» et «relations interpersonnelles».

- Le mime, les jeux de rôles, les sketches peuvent être des outils pour illustrer des conflits et des stratégies pouvant les résoudre (humour, dédramatisation).

- Cette banque peut être utilisée pour régler un conflit de groupe, un conflit d'équipe ou un conflit d'individus.

- On peut même prévoir dans la classe un espace physique appelé «coin pour régler les conflits»: un endroit un peu isolé avec table et chaises, avec support visuel de la banque de stratégies.

JACOBI VOUS DONNE 10 MOYENS
POUR RÉGLER VOS CONFLITS (BANQUE N° 1)

1. L'écoute:
Prends le temps d'écouter l'autre et de le comprendre.

2. Le message «je»:
Utilise «je» au lieu de «tu» pour dire ce que tu ressens.

3. L'excuse:
Reconnais tes torts et excuse-toi.

4. L'abandon:
Laisse tomber une situation que tu ne peux régler.

5. L'alternance:
Tire au sort pour savoir qui sera le premier.

6. Le compromis:
Accepte de partager.

7. La négociation:
Discute afin de trouver une solution avec l'autre.

8. La médiation:
Demande l'aide d'un arbitre: enseignante, parents, amies, amis, etc.

9. L'ajournement:
Remets à plus tard; tu auras le temps de te calmer.

10. La distraction:
Mets un peu d'humour dans tes petits conflits.

Source: École Jacques-Bizard, Île-Bizard, Montréal.

BANQUE DE STRATÉGIES POUR RÉSOUDRE DES CONFLITS (N° 2)

1. J'écoute l'autre attentivement.

2. Je m'explique.

3. Je m'excuse.

4. J'alterne les rôles.

5. Je partage les tâches ou le matériel.

6. Je choisis au hasard.

7. Je fais un compromis.

8. Je négocie avec l'autre.

9. J'applique la démarche de résolution de problèmes sans perdant.

10. J'ai recours à la médiation (présence d'une autre personne).

11. etc.

Source: Programme Harmonie, C.L.S.C. de Saint-Eustache.

BANQUE DE STRATÉGIES POUR RÉSOUDRE DES CONFLITS (N° 3)

1. J'arrête le mauvais comportement et je suis à nouveau son amie, son ami.

2. Je dis la vérité, j'avoue mes torts.

3. Je respecte les autres, le matériel.

4. Je dis ce que je n'aime pas.

5. J'écoute l'autre.

6. Je vais dans un coin tranquille pour régler mon conflit.

7. Je m'excuse.

8. Je prends du temps seule ou seul pour me calmer.

9. Je dis ce que je pourrais faire de bien.

10. Je m'explique.

Source: Cette banque a été réalisée par une psycho-éducatrice de la commission scolaire Jacques-Cartier, Longueuil.

3.7 REDÉCOUVRIR LES SOIRÉES D'INFORMATION AUX PARENTS
(Canevas d'organisation)

Contexte et utilité

La soirée d'information aux parents est une activité pédagogique des plus importantes. Très souvent, c'est elle qui détermine le degré de confiance et de collaboration des parents avec l'enseignante tout au long de l'année.

Les parents attendent beaucoup de cette rencontre. Ils veulent comprendre l'école nouvelle, le vécu de la classe, le cheminement de leur enfant. Ils attendent aussi qu'on leur manifeste des gestes concrets à poser pour accompagner le mieux possible leur enfant.

Des parents bien informés collaborent, tandis que des parents mal informés se plaignent... Voilà un défi intéressant et cet outil présente le canevas détaillé de l'organisation de cette soirée.

Pistes d'utilisation

1. Fixe la date de la rencontre avec les parents. Donne-toi toutes les chances de réussite en effectuant ce choix.

2. Prépare une lettre d'invitation à l'intention des parents. (*Voir page 166.*)

3. Élabore un ordre du jour détaillé de la rencontre. Prévois-en des copies que tu remettras aux parents en début de soirée. (*Voir page 167.*)

4. Prévois même des moyens d'évaluer la qualité de cette soirée d'information: états d'âme et feuillet d'évaluation. (*Voir pages 168 et 169.*)

5. Remets par écrit aux parents les attentes que tu as envers eux. (*Voir page 170.*)

6. Donne-leur des suggestions d'engagement pour favoriser la réussite éducative de leur enfant. (*Voir page 171.*)

PISTES D'ORGANISATION POUR LES SOIRÉES D'INFORMATION AUX PARENTS

1. Chaque titulaire de classe devrait rencontrer les parents en début d'année pour tenir une soirée d'information aux parents.

2. Cette rencontre ne doit pas se vivre dans le stress, dans une compression d'horaire. Il faut que chaque équipe-niveau d'enseignantes ait le temps nécessaire pour vivre pleinement cette rencontre (deux heures au moins).

3. Cette rencontre ne doit pas avoir lieu dès les premiers jours de septembre. Il faut laisser le temps à l'enseignante et aux élèves de démarrer ensemble leur année scolaire et d'articuler leur fonctionnement.

4. Il est important que la lettre d'invitation provienne de l'enseignante plutôt que de la direction de l'école.

5. Si on le désire, on pourrait amener les élèves à s'engager dans le déroulement de cette soirée. Dans ce cas-là, on est assurée d'une présence maximale des parents. Il faudra prévoir alors un rôle précis pour chaque élève de la classe.

6. Une carte d'invitation ou une carte de rappel à cette soirée peut être envoyée aux parents par chacune ou chacun des élèves.

7. Prévoir des façons différentes d'animer la soirée: accueil, exposés théoriques, échanges, travail d'équipe, utilisation du visuel (vidéo, diaporama, gravures, photographies), visite de la classe, pause-café, etc.

8. Permettre aux parents d'évaluer la soirée d'information aux parents: remettre à cette intention un formulaire d'évaluation pouvant être retourné à l'école dans les jours qui suivent.

9. Être sensible au climat de la soirée d'information aux parents: faire décoder les états d'âme.

10. Demander aux parents de verbaliser leurs attentes envers l'école et envers l'enseignante.

11. Tout renseignement sur les objectifs peut être remis par écrit aux parents.

12. Consacrer du temps pour expliquer concrètement le fonctionnement de la vie de la classe. C'est le désir des parents.

13. Remettre par écrit aux parents une banque de suggestions de pistes de collaboration possibles entre la famille et l'école.

14. Outiller les parents dans l'accompagnement pédagogique de leur enfant à la maison: démarche de lecture, stratégies de lecture, stratégies pour mémoriser des mots d'orthographe, démarche de résolution de problèmes, etc.

15. Sensibiliser les parents à des concepts nouveaux, tels l'esprit des programmes, le développement d'habiletés, les styles d'apprentissage, etc. Les parents ne sont pas des illettrés et ils sont capables de comprendre.

16. Définir avec les parents les formes de collaboration possibles avec l'école et les déposer par la suite par écrit.

17. Élaborer une banque de ressources de l'école. Tous les parents ne peuvent pas collaborer de la même façon et il faut exploiter cette richesse offerte par la diversité: fabrication de jeux éducatifs, prêt de matériel (photographies, diapositives, peintures), prêt de collections, mini-conférences sur des sujets précis, animation d'ateliers en classe, accompagnement lors de sorties éducatives, participation à des activités de financement, présentation de vidéos-voyages en regard de la région, de la province, du pays ou du monde, préparation de mets pour une fête ou une dégustation, etc.

18. Trouver des solutions de rechange pour les parents qui ne peuvent être présents à une rencontre: téléphone-discussion, bilan écrit, prêt d'un vidéo, rencontre avec rendez-vous, visite dans la famille, etc.

19. Offrir un scénario de rencontres d'information sur le vécu et le fonctionnement de l'école échelonnées sur une année scolaire. Le nombre de rencontres peut varier selon l'intérêt des parents et la disponibilité des locaux.

20. Permettre aux parents d'évaluer au moins deux fois par année les services que l'école offre aux parents et aux élèves: récréations, bibliothèque, enseignement, garderie, cafétéria, suppléance.

CADRE ORGANISATIONNEL POUR UNE SOIRÉE D'INFORMATION AUX PARENTS

Avant la rencontre

1. Déterminer la date de cette rencontre, si possible après le 20 septembre. Avant cette date, la classe n'est pas assez organisée.

2. Décider si la soirée d'information aux parents sera coanimée par les élèves ou si celle-ci sera plutôt animée par l'enseignante.

3. Préparer et expédier aux parents une lettre d'invitation chaleureuse, incitative et descriptive des éléments les plus stimulants prévus à l'ordre du jour. Prévoir même en annexe un coupon-réponse que les parents devront retourner à l'école pour signifier leur absence ou leur présence.

4. Faire préparer par les élèves une carte d'invitation destinée à chacun des parents, surtout si les élèves sont de la partie.

5. Préparer un ordre du jour écrit.

6. Aménager le local-classe de façon adéquate. Prévoir une disposition qui favorise l'accueil, les échanges. Les pupitres en rangées ne sont pas nécessairement un facteur propice à la discussion. Prévoir suffisamment de chaises.

7. Faire écrire par les enfants un petit message d'accueil leur souhaitant la bienvenue et les remerciant de leur présence.

8. Préparer les documents écrits qui seront remis lors de la soirée.

9. Prévoir la tenue d'une pause santé à l'horaire de la soirée.

10. Déterminer l'espace physique où l'on désire intervenir pour faire l'animation de la soirée. Se tenir debout derrière son pupitre n'est pas la position idéale. Avoir une attitude dégagée, proche de ses participants, peut créer plus facilement un climat de confiance et d'ouverture.

11. Prévoir un mécanisme pour prendre en note la présence des parents à cette réunion.

12. Afficher son diplôme d'enseignement dans la classe. C'est un droit professionnel qu'il vaut la peine d'exercer, d'autant plus qu'il inspire confiance au client!

Pendant la rencontre

1. Accueillir les parents avec une musique d'ambiance.

2. Se placer près de la porte d'entrée pour les saluer et leur remettre une copie de l'ordre du jour.

3. Prendre le temps de se présenter: l'enseignante se présente personnellement et les parents pourraient se présenter, si l'on est dans un milieu où les gens se connaissent très peu.

4. Faire préciser les attentes des parents. Leur demander ce qu'ils attendent de l'école et de l'enseignante en poste.

5. Préciser ses attentes envers les parents. Qu'est-ce que vous attendez d'eux? Comment voulez-vous qu'ils collaborent avec vous tout au long de l'année?

6. On pourrait, si on le désire, placer les parents en équipe de trois ou quatre, pour une discussion d'une dizaine de minutes sur: «Qu'est-ce qu'une bonne enseignante pour vous?» et «Qu'est-ce qu'un bon parent peut faire pour collaborer avec l'enseignante?» Il y aurait une petite plénière par la suite. Ce serait une excellente mise en situation pour les points 4 et 5 cités précédemment.

7. Présenter le référentiel disciplinaire et discuter avec les parents de la possibilité d'un transfert à la maison.

8. Aborder la thématique des devoirs et des leçons. Voir avec les parents où se situe leur niveau de responsabilité et comment pourrait se vivre leur rôle d'accompagnement.

9. Vivre une pause santé de dix à quinze minutes, question pour l'enseignante de souffler un peu et de permettre aux parents de faire connaissance et d'échanger entre eux.

10. Présenter le coffre d'outils des élèves: démarches, procédures et stratégies. Indiquer aux parents que ce cahier sera apporté quotidiennement à la maison et qu'on peut s'y référer, au besoin.

11. À la toute fin de la rencontre, faire décoder les états d'âme des parents à l'aide d'un référentiel écrit. En plus d'être une forme d'évaluation discrète, cela les sensibilise au fait qu'il est important de le faire à la maison avec leurs propres enfants.

12. Remettre aux parents une feuille d'évaluation de la soirée. Expliquer l'utilité de cet outil et leur demander de la remplir à la maison et de la retourner à l'école dans les jours suivants.

Après la rencontre

1. Dresser le bilan de sa rencontre à partir du décodage des états d'âme, des commentaires recueillis dans le cadre de la soirée ainsi que des évaluations qui auront été acheminées à l'enseignante.

2. Adresser personnellement une lettre d'appréciation à chaque parent qui aura participé à la soirée d'information.

3. Donner un suivi aux demandes qui auraient pu être faites par les parents, lors de cette soirée.

4. Conserver une copie de la liste des présences des parents à cette soirée. Ce renseignement peut s'avérer utile pour vous, durant l'année scolaire, au cas où il y aurait des désaccords importants à l'égard de votre fonctionnement de classe.

5. Rédiger un petit compte rendu de la rencontre (enseignante ou parent volontaire présent à la soirée). Le faire parvenir aux parents non présents. Y joindre un feuillet-réponse afin d'indiquer qu'ils ont pris connaissance du rapport et qu'ils sont en accord ou en désaccord avec le fonctionnement de votre classe.

6. Faire circuler auprès des parents non présents la cassette qui a été enregistrée lors de la soirée. On pourrait, à cet effet, prévoir l'installation d'un magnétophone, pour se donner un outil de communication. Toujours y joindre un feuillet-réponse pour vérifier l'utilisation de la bande sonore et les opinions émises par les parents concernés.

7. Téléphoner aux parents absents pour leur donner l'essentiel des renseignements et recueillir aussi leurs commentaires.

8. Planifier une rencontre de sous-groupe à laquelle sont invités tous les parents qui n'étaient pas présents à la soirée.

9. Fixer un rendez-vous personnel dans votre classe à chacun des parents absents. Certains parents préfèrent rencontrer l'enseignante individuellement, ils se sentent alors plus à l'aise qu'en grand groupe.

10. Envisager la possibilité de se déplacer, d'aller dans la famille pour rencontrer les parents. Les consulter au préalable et, d'un commun accord, fixer le moment de ce rendez-vous personnel à la maison.

PRINCIPES D'ANIMATION

1. **Dans votre animation, rappelez-vous les caractéristiques et les besoins du parent:**

   Caractéristiques:

   Il est très sensible aux jugements de valeur des animatrices.

   Il est peu à l'aise avec les exposés théoriques.

   Il a peur d'être jugé sur ce qu'il fait et ne fait pas.

   Il se culpabilise facilement.

   Il est inquiet de l'avenir de son enfant.

   Il a peu de temps à consacrer à des activités de formation.

   Il est intéressé à établir une relation significative avec son enfant.

2. **Besoins:**

   Il a besoin de réponses concrètes à des questions pratiques.

   Il a besoin de place pour parler de ce qu'il vit avec son enfant.

   Il a besoin qu'on reconnaisse ses compétences.

   Il a besoin d'un climat serein pour s'exprimer.

   Il a besoin d'être écouté avec respect et attention.

   Il a besoin d'être compris dans ses inquiétudes et ses choix de valeurs.

3. **Sachez décoder ce que vit le parent dans la rencontre, pour mieux intervenir:**

   la colère et l'agressivité,

   la culpabilité,

   la fuite,

   la négation,

   le lien trop envahissant.

4. **Privilégiez les attitudes et les comportements suivants:**

   — Considérez le parent comme une personne qui fait de son mieux.

   — Partez du principe qu'il faut faire confiance pour créer l'ouverture.

   — Soyez vigilante et profitez de l'occasion pour valoriser le parent dans ce qu'il fait de bien.

Sources: Michel Blais et Marie-Andrée Dion, Éduquer ensemble, *commission scolaire Saint-Jean-sur-Richelieu; Commission scolaire des Manoirs,* Les parents et vous: garder le lien!, *Terrebonne.*

MODÈLE DE LETTRE AUX PARENTS

(Endroit), le (date)

Aux parents des (nom de la classe),

Bonjour! Voilà déjà plus d'un mois que je vis en classe avec votre enfant... Ensemble, nous avons aménagé la classe, structuré des projets, réalisé divers apprentissages, etc.

Vous voulez sûrement recevoir davantage d'information sur ce vécu de classe. Voilà pourquoi je suis heureuse de vous inviter à ma réunion d'information qui aura lieu le (date), (heure).

Lors de cette rencontre, je vous ferai part de mes objectifs, de mon approche pédagogique, de mes exigences, de nos projets, etc. De plus, nous verrons comment vous, parents, pouvez suivre et appuyer votre enfant dans son cheminement à l'école.

Ce sera la seule réunion d'information que je tiendrai au cours de l'année. La présence de chaque parent m'apparaît très importante. À nouveau, je réitère mon invitation et je compte sur vous.

Au plaisir de se voir!

✂------------------------ **À détacher et à remplir** ----------------------------

Je serai présente ou présent à cette réunion   oui ❑   non ❑
Commentaires, s'il y a lieu: _____

_____

_____

_____
Signature du parent

ORDRE DU JOUR POUR LA SOIRÉE D'INFORMATION AUX PARENTS

Sujets à traiter:

1. Projet éducatif de classe
    (valeurs, croyances, objectifs)

2. Philosophie des nouveaux programmes
    versus vécu concret de la classe

3. Attentes des parents face à l'école
    Attentes des parents face à l'enseignante

4. Attentes de l'enseignante face aux parents
    (énumération des différentes formes
    de collaboration)

5. Fonctionnement de la vie de la classe

6. Référentiel disciplinaire dans la classe
    et règlements d'école

7. Travail à la maison

8. Évaluation des apprentissages

9. Aperçu des programmes et des manuels
    scolaires (présenter les objectifs par écrit,
    expliquer plutôt les démarches qui seront
    utilisées dans chacune des matières)

10. Renseignements divers

11. Projets spéciaux

12. Période de questions

13. Évaluation de la rencontre

Notes personnelles

Note: Les sujets ne sont pas tous placés par ordre chronologique; l'enseignante peut les orchestrer à sa façon.

DÉCODAGE DES ÉTATS D'ÂME DES PARENTS

❏ Intriguée,
intrigué

❏ Timide

❏ Espiègle

❏ Perplexe

❏ Étonnée,
étonné

❏ Dynamisée,
dynamisé

❏ Motivée,
motivé

❏ Prudente,
prudent

❏ Déçue,
déçu

❏ Gagnante,
gagnant

❏ Contente,
content

❏ Inquiète,
inquiet

❏ Épuisée,
épuisé

❏ Négative,
négatif

❏ Satisfaite,
satisfait

❏ Surprise,
surpris

❏ Hésitante,
hésitant

❏ Confiante,
confiant

❏ Ennuyée,
ennuyé

❏ Déterminée,
déterminé

❏ Frustrée,
frustré

❏ Indifférente,
indifférent

❏ Heureuse,
heureux

❏ Attentive,
attentif

❏ Soutenue,
soutenu

❏ Ravie,
ravi

❏ Soupçonneuse,
soupçonneux

❏ Privilégiée,
privilégié

❏ Positive,
positif

❏ Curieuse,
curieux

❏ Enthousiaste

❏ Emballée,
emballé

❏ Sceptique

ÉVALUATION DE LA SOIRÉE D'INFORMATION AUX PARENTS

1. Qu'est-ce que je pense de la formule de réunion vécue ce soir?

   _____

   _____

   _____

2. Comment je me sens à la suite de cette réunion?

   _____

   _____

   _____

3. Qu'est-ce qui m'a satisfaite ou satisfait quant à l'information et à la discussion?

   _____

   _____

   _____

4. Quels sont les points qui ne sont pas encore clairs pour moi?

   _____

   _____

   _____

5. Y a-t-il des points qui n'ont pas été abordés au cours de cette réunion et que je considère comme très importants? [Oui ou non] Si oui, lesquels?

   _____

   _____

   _____

Les questions sont là dans le but de vous aider à évaluer.
Vous n'êtes pas obligés de tenir compte de toutes les questions.
Vous choisissez celles qui vous semblent les plus pertinentes.

Remarque: Cette formule d'évaluation peut être remise à la fin de la rencontre et retournée à l'école au cours des jours suivants.

ATTENTES DE L'ENSEIGNANTE À L'ÉGARD DES PARENTS

Je m'attends à ce que les parents de mes élèves s'engagent, et cela, sur différents plans:

A) Comme parents

J'aimerais que les parents:

- s'informent de ce que l'enfant vit dans sa classe;
- soient positifs face à l'école, à l'enseignante, aux activités et aux projets vécus;
- restent en contact avec l'enseignante;
- regardent à l'occasion les travaux et les cahiers de l'enfant;
- l'aident à planifier son temps et son travail, si nécessaire;
- lisent ses évaluations, en discutent avec l'enfant et prennent le temps de noter une remarque, un commentaire;
- l'aident pour certains travaux, si l'enfant en éprouve le besoin. Et je cite: mémorisation de tables (addition et multiplication), lectures à haute voix, mémorisation de poèmes, fiches-dictées à préparer, etc.

B) Comme personnes-ressources, à l'occasion

J'aimerais que les parents m'aident:

- à faire lire les enfants à voix haute, une fois par semaine;
- à faire réciter des poèmes, de temps à autre;
- à animer des ateliers, tels que: art culinaire, théâtre, menuiserie, tricot, macramé, fils tendus, peinture, petites expériences de sciences, mécanique, etc.;
- à venir bricoler avec les enfants des cadeaux de Noël, pour la fête des mères, pour la fête des pères;
- à participer au financement des activités culturelles et sportives, si cela s'avère nécessaire, en cours d'année;
- à venir montrer des chants aux enfants;
- à accompagner les enfants lors des sorties culturelles et sportives;
- à organiser certaines fêtes, en collaboration avec les enfants (fête de Noël, Sainte-Catherine, etc.);
- à donner de l'information aux enfants sur des sujets exploités par eux-mêmes dans leurs projets personnels ou dans leurs recherches;
- à fournir de la documentation aux enfants sur l'histoire, la géographie, les arts, l'actualité: livres usagés, revues, journaux, diapositives, cartes postales, dépliants touristiques, photos, etc.

C) Comme membres d'un comité de classe

Il s'agit d'un petit comité indépendant du comité d'école. Ce comité se réunit trois à quatre fois par année. Il est composé de l'enseignante, de trois membres du conseil étudiant de la classe et des parents qui acceptent d'y participer. Son mandat sera à déterminer avec les nouveaux membres, lors de la première rencontre. Il y sera sûrement question de projets, de vécu de classe, d'intégration des parents à la vie scolaire, etc.

COMMENT AIDER SON ENFANT À RÉUSSIR?

Pour aider son enfant à réussir en classe, un parent peut utiliser quatre moyens.

> 1. L'encouragement
> 2. L'engagement
> 3. L'encadrement
> 4. L'extension

Ce que nous appelons les quatre E.

ENCOURAGEMENT
a) s'intéresser à ce qu'il fait
b) le soutenir par un bon mot
c) prendre le temps de l'aider
d) le féliciter pour des travaux pour lesquels elle s'est engagée ou il s'est engagé
e) afficher les travaux dignes de mention
f) écrire des messages
g) parler avec elle ou lui de l'école, de ses activités, de ses problèmes, de ses amies et amis

ENGAGEMENT
a) être présent
b) être à l'écoute
c) le soutenir dans ses demandes d'aide
d) assister aux réunions
e) aller chercher le bulletin

ENCADREMENT
a) respecter le rythme de l'enfant
b) avoir des exigences positives, claires et précises
c) contrôler les heures de sommeil
d) surveiller la valeur nutritive des repas
e) convenir avec l'enfant d'un horaire de travail à moments fixes
f) établir des règles disciplinaires claires
g) maintenir un juste équilibre entre les heures consacrées au travail scolaire, aux activités physiques et à la télévision
h) prévoir un endroit tranquille, sans télévision et sans va-et-vient excessif

EXTENSION
a) donner des responsabilités
b) élargir ses connaissances par:
  • la lecture de menus, de cartes routières
  • la discussion

Source: Projet de Marie Champagne, S.E. de la Chaudière, et Chantal Bourque, cégep Beauce-Appalaches. Ce document, publié par la CEQ, a été adapté par Michel Chassé, de la commission scolaire des Belles-Rivières.

BILLET D'AVERTISSEMENT À L'INTENTION DES PARENTS

École: _____

Date: _____

Bonjour _____ ,

    La présente est pour vous avertir que votre enfant, _____ , éprouve actuellement certaines difficultés en classe... Ces difficultés pourraient se décrire ainsi:

_____ bavarde beaucoup trop inutilement

_____ dérange les autres sans raison suffisante

_____ circule sans raison dans la classe

_____ perd son temps en classe

_____ manque d'ordre et de propreté dans ses travaux, dans ses affaires personnelles

_____ est en retard dans ses travaux

_____ aurait avantage à travailler davantage à la maison

_____ manque de sérieux pendant les cours des spécialistes

_____ aurait besoin de davantage de suivi et de soutien

_____

    Par l'envoi de ce billet, je veux vous mettre immédiatement au courant de la situation, afin d'éviter des conséquences plus pénibles. Je suis persuadée que vous saurez m'apporter votre collaboration. Je vous remercie à l'avance.

Enseignante

Signature de l'élève: _____

Signature du parent: _____

BILLET D'AVERTISSEMENT À L'INTENTION DES PARENTS

ATTENTION

Votre enfant n'a plus:

❏ de cahier
❏ d'efface

ATTENTION

❏ de colle
❏ autres _____

_____

_____

_____

ATTENTION

❏ de crayons à mine
❏ autres _____

_____

_____

_____

Je sais qu'en début d'année votre enfant avait tous ces articles. Certains sont brisés, égarés ou épuisés. S.V.P. identifiez-les. Tous les articles de chacun se ressemblent...

Merci de votre collaboration

L'enseignante de votre enfant

Source: Pierrette Gaudreau, Le savoir apprendre: 1er cycle du primaire — 2e cycle du primaire, Aylmer, Commission scolaire d'Aylmer, 1992

AUTO-ÉVALUATION DE MON ÉTAPE

RENCONTRE DE PARENTS   (DATE: (1RE ÉTAPE)   HEURE: _____ H _____)

Nom de l'élève: _____   Étape: _____

1994-1995	LECTURE	ÉCRITURE	MATHS
MOI			
CLASSE			

COMPORTEMENT

	A	B	C
Je suis attentive ou attentif en classe.	◯	◯	◯
Je participe à mes apprentissages.	◯	◯	◯
Je respecte les autres.	◯	◯	◯

FORCE: signifie une compétence que je possède dans un domaine.

DÉFI: signifie un but, un objectif que je me donne pour mieux réussir.

DOMAINES	FORCE	DÉFI
Français	_____ _____ _____	_____ _____ _____
Mathématiques	_____ _____ _____	_____ _____ _____
Autres domaines (scientifique, artistique, social, culturel, humain)	_____ _____ _____	_____ _____ _____

SIGNATURE ET REMARQUES DE L'ÉLÈVE _____

_____

SIGNATURE ET REMARQUES DU PARENT _____

_____

SIGNATURE ET REMARQUES DE L'ENSEIGNANTE _____

Source: Guy Desrochers et Hélène Bigras, École Paul VI, commission scolaire Chomedey-Laval.

MESSAGE DE FÉLICITATIONS POUR LES PARENTS

Date:_____

Aux parents de _____ Groupe: _____

Chers parents,

La présente est pour vous informer que votre enfant a reçu une «note de félici-tations», en démontrant une ou plusieurs qualités, en respectant le code de vie:

– par ses paroles, votre enfant:
- est encourageante, encourageant ❑
- est capable de s'expliquer ❑
- reconnaît sa responsabilité ❑
- est polie, poli ❑

– par ses gestes, votre enfant:
- coopère avec d'autres ❑
- essaie de s'entendre avec d'autres ❑
- s'excuse ❑
- fait preuve d'efforts ❑
- est capable de régler un conflit ❑

– par ses attitudes, votre enfant:
- est à l'écoute des autres ❑
- accepte les différences des autres ❑
- est patiente, patient ❑

– autres:
- _____ ❑

Une «note de félicitations» de ce genre mérite un encouragement à votre enfant pour son comportement respectueux. Nous vous invitons à écrire vos commentaires.

Nous vous remercions de votre attention et de votre collaboration.

_____   _____
Élève   Directrice de l'école

La note de félicitations a été donnée par:_____

Signature des parents:_____

COMMENTAIRES: _____

_____

_____

Source: Louise Martin, psychoéducatrice, École Le Rucher, Mascouche.

175

3.8 REQUESTIONNER LA ROUTINE DES DEVOIRS ET DES LEÇONS
(Éléments de solution)

Contexte et utilité

Les devoirs et les leçons questionnent plus que jamais les enseignantes, les élèves et les parents. C'est un sujet qui soulève même des polémiques. L'école doit requestionner cette dimension. Les devoirs et les leçons doivent s'adapter aux nouvelles dimensions de la culture, aux nouvelles réalités familiales et aux contraintes d'horaire que vivent autant les élèves que les parents en dehors des heures de classe. Et cette réflexion ne peut s'effectuer sans un partenariat avec l'élève, l'enseignante et le parent.

Place à l'innovation dans ce domaine!

Pistes d'utilisation

1. Cerne ton portrait de classe quant aux devoirs et aux leçons. Pose-toi les questions suivantes: Pourquoi? Quoi? Comment? Quand? (*Voir pages 177 et 178.*)
2. Discutes-en également avec les élèves.
3. Lors de la soirée d'information aux parents, place ce point à l'ordre du jour.
4. Développe un cahier de méthodologie du travail intellectuel pour soutenir à la fois l'enfant et le parent dans le travail à la maison.
5. Introduis la notion de travaux avec échéanciers.
6. Offre une variété de devoirs et de leçons au cours d'une étape.
7. Encourage les projets personnels, les recherches et les initiatives.
8. Ouvre les modalités de gestion des devoirs et des leçons progressivement.
9. Définis les niveaux de responsabilité par rapport aux devoirs:
   • ce qui appartient à l'enseignante (*voir page 179*);
   • ce qui appartient à l'élève (*voir page 180*);
   • ce qui appartient aux parents (*voir page 181*).
10. Amène les élèves à auto-évaluer leur travail à la maison. (*Voir pages 182 et 183.*)
11. Informe rapidement les parents dès que l'élève néglige ses leçons et ses devoirs. (*Voir page 184.*)

QUESTIONS ET ÉLÉMENTS DE SOLUTION

Questions que l'on se pose:

1. L'école doit-elle donner des leçons et des devoirs?

2. Si oui, que doit-on donner comme tâches à la maison? Pourquoi?

3. La formule du devoir à faire chaque soir est-elle dépassée? Doit-on introduire la notion d'échéances?

4. Comment inciter les élèves à faire leurs devoirs?

5. Comment gérer la correction des devoirs?

6. Que fait-on avec les élèves qui ne font pas leurs devoirs?

7. etc.

Éléments de solution

1. Avant de donner du travail à la maison aux élèves, il peut être pertinent de se poser quatre questions: Pourquoi? Quoi? Comment? Quand?

Ces interrogations nous amènent à explorer les buts souhaités par les devoirs:

a) Construction du savoir dans le sens d'un accroissement des connaissances. (Poursuite des apprentissages amorcés dans la classe.)

b) Développement des stratégies d'étude (entraînement au travail personnel).

c) Développement de l'autonomie.

d) Accès à de nouveaux champs de connaissances.

e) Obtention de meilleurs résultats scolaires.

2. Dans cette optique, ayons en tête le cadre d'un scénario d'apprentissage:

   – situation de départ,

   – situations de formation, d'approfondissement,

   – situations d'évaluation,

   – situations de consolidation,

   – situation d'enrichissement.

Ce référentiel peut nous inciter à utiliser en devoirs des tâches de consolidation, d'enrichissement. On pourrait même suggérer aux élèves des tâches d'approfondissement, à condition qu'il y ait eu auparavant des pratiques guidées. Il n'appartient pas aux parents d'enseigner des notions nouvelles à notre place. Des situations de prédépart pourraient être utilisées également dans le but de recueillir un minimum de matériel ou d'information avant de s'engager dans un projet d'apprentissage.

Il existe plusieurs types de devoirs intéressants: les devoirs servant de préparation au prochain cours, les devoirs permettant de compléter une notion déjà vue, les devoirs faisant appel à la créativité, qui encouragent le développement d'habiletés supérieures et, enfin, les devoirs débouchant sur les intérêts personnels des élèves.

3. La notion d'échéancier est à véhiculer et à vivre, et ce pour tous les niveaux du primaire. Cela amène les élèves à gérer leur temps et à faire preuve de prévision et de planification. Quand l'élève arrive en première secondaire, avec un cycle de neuf jours, le choc culturel est moins fort.

4. La perspective d'une banque de devoirs peut même être envisagée:
   – devoirs obligatoires,
   – devoirs facultatifs,
   – devoirs à caractère scolaire,
   – devoirs à caractère culturel, artistique, manuel ou développemental.

5. Les devoirs devraient avoir des liens entre les défis personnels que doit se donner une ou un élève pour aller plus loin, pour réinvestir ses apprentissages. Dans cette perspective, il est à déconseiller d'utiliser les devoirs et les leçons comme punition ou récompense. On brise alors le véritable sens des devoirs et des leçons, soit l'élément intégrant du scénario d'apprentissage.

6. Pour les devoirs facultatifs, l'idée de «projet personnel» peut être véhiculée grandement. Tout en partant des intérêts, des besoins, des préoccupations de l'élève, on agit directement sur sa motivation et son goût d'y travailler. On n'est pas obligée de le forcer à le faire.

7. Toutes les fois que c'est possible, utiliser différentes formes de correction de travaux: autocorrection, correction en dyade, correction en équipe, correction collective, etc. Ne pas utiliser seulement la correction individuelle faite par l'enseignante.

8. Au début de la journée, prévoir une petite période de dix minutes pour que les élèves puissent faire un retour en dyades sur leurs devoirs et leurs leçons. Possibilité de faire sa lecture à voix haute, de donner des mots d'orthographe en dictée à l'autre, de pratiquer ses jeux d'addition.

9. Établir des règles de vie et des conséquences quant à l'encadrement des devoirs. Si le devoir est obligatoire, on se doit de définir avec les élèves les mécanismes d'application. Autrement, on perd toute crédibilité.

10. Ne pas avoir peur d'objectiver avec les élèves sur les devoirs et les leçons:

    Ce que j'aime sur ce plan. Ce qui me déplaît. Ce que je trouve facile. Ce que je trouve difficile. Quelles sont les pistes de travail que vous me suggérez comme tâches à la maison?

11. Élaborer avec les élèves un cahier de méthodologie du travail intellectuel. Ces derniers ont besoin d'outils pour apprendre. Très souvent, à la maison, ils vont bloquer sur le «comment faire?». Travailler avec eux les démarches et les stratégies d'apprentissage et en laisser des traces visuelles.

RÔLE DE L'ENSEIGNANTE EN CLASSE

Comment peut-on accompagner les élèves dans leurs devoirs et leurs leçons?

1. Lecture des consignes.

2. Explication du travail.

3. Exemple avec les élèves.

4. Liens à faire avec un autre devoir.

5. Suggestion d'une procédure pour la réalisation des devoirs.

6. Questions de compréhension sur la tâche proposée.

7. Transfert du modèle vécu en classe à celui proposé à la maison.

8. Décodage des ressources disponibles à la maison.

9. Réalisation de schémas, de tableaux synthèses.

10. Formulation de questions sur le contenu disciplinaire à étudier.

11. Création d'exemples et d'analogies.

12. Transcription du contenu disciplinaire à étudier.

13. Élaboration d'un cahier de méthodologie du travail intellectuel (démarches et stratégies).

14. Planification d'un horaire d'étude.

15. Choix d'un lieu d'étude approprié.

RÔLE DE L'ÉLÈVE À LA MAISON

COMMENT PUIS-JE TRAVAILLER EFFICACEMENT MES DEVOIRS ET MES LEÇONS?

Conditions d'une bonne étude

Je me fixe un horaire régulier.
Je me trouve un endroit calme.
J'organise le matériel dont j'ai besoin.
Je m'assure d'un bon éclairage.

Comment étudier efficacement

Je vois les notions nouvelles au fur et à mesure.
J'étudie peu à la fois, mais souvent.
Je révise même des notions déjà vues.
Je me fais interroger au hasard.
Je gradue mes difficultés.

RÔLE DES PARENTS À LA MAISON

Comment peut-on accompagner son enfant dans ses devoirs et ses leçons?

1. Planifier l'horaire d'étude avec l'enfant.

2. Déterminer avec l'enfant un lieu d'étude approprié.

3. Encourager l'enfant dans ce qu'elle ou il fait, la ou le valoriser, lui donner des forces et des défis.

4. La laisser seule ou seul pour travailler, pendant une période donnée.

5. Intervenir directement, selon les besoins et les circonstances.

6. S'informer du vécu scolaire de l'enfant et lui demander de verbaliser son plan de travail à la maison.

7. Regarder les cahiers et les travaux de l'enfant et émettre un commentaire positif.

8. Mettre à la disposition de l'enfant des ressources telles que dictionnaire, atlas, globe terrestre, revues, journaux.

9. Créer dans la maison un climat propice aux études.

10. Offrir son aide pour écouter une lecture, demander une leçon, critiquer une production écrite, donner des pistes pour démarrer une activité.

11. Guider l'enfant dans la réalisation de son projet personnel.

12. Être disponible pour vivre avec son enfant un devoir à caractère développemental: partie d'échecs, discussion sur un thème d'actualité, préparation d'une recette, réalisation de mots croisés, lecture du journal quotidien, visionnement d'une émission de télévision à une station anglaise.

GRILLE D'AUTO-ÉVALUATION POUR L'ÉLÈVE

Nom:_____

Mes leçons et mes devoirs

	Je suis capable toute seule ou tout seul.	J'ai besoin d'aide. Enseignante	Parents
Je dois être en forme			
1. Je dors onze ou douze heures.	_____	_____	_____
2. Je mange trois bons repas par jour.	_____	_____	_____
3. Je mange des collations nourrissantes.	_____	_____	_____
4. Je joue dehors tous les jours.	_____	_____	_____
5. Je me divertis tous les jours.	_____	_____	_____
Je planifie mon temps			
6. Je travaille tous les jours à la même heure.	_____	_____	_____
7. Je travaille environ....... minutes par jour.	_____	_____	_____
8. Je commence par le plus difficile.	_____	_____	_____
Je sais bien m'organiser			
9. Je travaille à une table ou à un pupitre.	_____	_____	_____
10. Je m'assois sur une chaise droite.	_____	_____	_____
11. J'ai les outils nécessaires.	_____	_____	_____
12. Je travaille dans le calme et le silence.	_____	_____	_____

	Je suis capable toute seule ou tout seul.	J'ai besoin d'aide. Enseignante	Parents

Je peux obtenir de l'aide à l'école!

13. Je note bien ce que je dois faire. _____ _____ _____

14. Je comprends comment le faire. _____ _____ _____

Je peux obtenir de l'aide à la maison!

15. Pour m'expliquer une question difficile. _____ _____ _____

16. Pour vérifier si mon travail est bien fait. _____ _____ _____

17. Pour me faire recommencer un travail mal fait. _____ _____ _____

18. Pour me faire répéter une leçon. _____ _____ _____

_____ _____
Signature de l'élève   Signature d'un parent

Source: D'après Le savoir-apprendre *de Pierrette Gaudreau, de la commission scolaire d'Aylmer.*

NOTE AUX PARENTS

Date: _____

Chers parents,

Je considère qu'il est important de vous informer que _____ n'a pas remis le travail à domicile suivant:

Journal personnel	Recherche	Texte	Gobe-fautes	Énigme d'Albert	Énigme de Marie	Énigme de Félix	Atelier à finir	Catéchèse	Autres
❑	❑	❑	❑	❑	❑	❑	❑	❑	❑

_____

_____

_____

À remettre le lendemain

Signature du parent: _____

© CEMIS Mille-Îles 1991, Muriel Brousseau-Deschamps.

NOTE AUX PARENTS

Groupe de: _____   Date: _____

Chers parents,

Je trouve qu'il est important de vous signaler que je suis insatisfaite

de _____ sur le ou les point(s) suivants:

Travaux de classe (ateliers) non remis à temps

Mathématiques	
Français	
Texte	
Lecture	
Sciences	
Recherche	
Atelier APO	
Autres	

Travail à faire ❑

Travail à compléter ❑

Travail à reprendre ❑

À remettre le lendemain

Signature du parent: _____

© CEMIS Mille-Îles 1991, Muriel Brousseau-Deschamps.

| Chapitre 4 | **Comment actualiser la philosophie et le contenu des programmes?** |

Le défi actuel de l'école est non seulement d'instruire, mais aussi de charmer et de toucher. Instruire est une nécessité, charmer, un agrément et toucher, une victoire.

(Adaptation d'un texte de saint Augustin)

En bref...

- Tout se tient dans la gestion du contenu organisationnel.

- Toute action pédagogique est guidée par une philosophie influençant les démarches, les procédures et les stratégies.

- Cette philosophie est présentée dans les programmes du ministère de l'Éducation.

- Les fondements de cette philosophie sont définis à partir de l'enfant, de ses besoins, de ses modes de croissance et en fonction du monde dans lequel il doit vivre.

- Cette philosophie se retrouve dans des conceptions de l'apprentissage; elle est vécue dans des styles d'enseignement, à travers des démarches d'enseignement. Chaque enseignante peut y trouver sa place.

- *Comment actualiser la philosophie des programmes du ministère de l'Éducation?*
- *Comment développer les compétences mises en évidence dans les programmes?*
- *Quelle est ma conception de l'apprentissage?*
- *Ma conception de l'apprentissage est-elle cohérente avec celle que l'on retrouve dans les programmes d'études?*
- *Mes interventions pédagogiques découlent-elles de ma conception de l'apprentissage?*
- *...*

L'une ou l'autre de ces questions te préoccupe et tu as décidé de relever un défi qui touche le «contenu organisationnel». Je te propose donc de suivre, encore une fois, une démarche en trois temps: avant l'expérimentation, pendant l'expérimentation, après l'expérimentation. La figure ci-dessous permet de replacer le contenu organisationnel dans l'ensemble des éléments qui font partie de la gestion de classe.

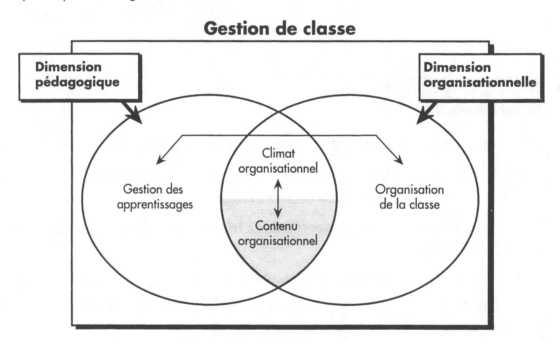

Gestion de classe

AVANT L'EXPÉRIMENTATION

PREMIÈRE ÉTAPE: L'AUTO-ANALYSE

Quand on a un défi à relever, il est tentant de passer à l'action sans plus attendre. Mais, dans un domaine aussi complexe que la pédagogie, il est nécessaire de prendre un temps de réflexion pour observer d'abord son propre comportement: «Quelle est mon attitude actuelle face à cette question? Qu'est-ce que j'ai déjà mis en place? Quels principes internes me guident?» Voilà ce qu'il importe de connaître avant de vouloir changer quoi que ce soit. Les grilles d'analyse qui suivent peuvent t'aider à prendre conscience de ce qui anime ta pratique pédagogique face au contenu organisationnel.

Légende

1. J'en tiens compte/Je le fais.
2. Il faudrait que j'en tienne compte/que je le fasse.
3. Ça ne m'apparaît pas pertinent.

		1	2	3
1.	**Mes attitudes en ce qui concerne la planification de mon enseignement**			
1.1	Je connais les objectifs généraux et terminaux des programmes d'études qui me concernent.	❏	❏	❏
1.2	Dans l'élaboration des activités ou des situations d'apprentissage, je tiens compte des objectifs terminaux des programmes d'études et du niveau d'acquisition que les élèves ont atteint.	❏	❏	❏
1.3	Selon les objectifs d'apprentissage, je prévois des démarches, des procédures, des stratégies d'enseignement.	❏	❏	❏
1.4	Je tiens compte des ressources de l'environnement (événements, personnes-ressources, équipements, lieux...) quand je prépare des situations d'apprentissage.	❏	❏	❏
1.5	Dans la préparation de mes activités, je respecte le style d'apprentissage de mes élèves.	❏	❏	❏
1.6	J'utilise les données des évaluations précédentes pour planifier les activités d'enseignement à venir.	❏	❏	❏
1.7	Dans ma préparation d'activités, je m'assure que tous les élèves, aussi bien ceux qui éprouvent des difficultés que ceux qui réussissent très bien, peuvent travailler selon leurs capacités.	❏	❏	❏
1.8	Les activités d'apprentissage que je propose aux élèves tiennent compte de leurs goûts et de leurs intérêts.	❏	❏	❏
1.9	Mon plan d'enseignement prend en considération les objectifs de développement affectif, social et moteur, visés par les programmes d'études.	❏	❏	❏
1.10	Dans la préparation des activités ou des situations d'apprentissage, je tiens compte des conditions de vie (économiques, culturelles, sociales...) des élèves.	❏	❏	❏

		1	2	3

1.11   Les situations d'apprentissage que je propose aux élèves s'inscrivent dans les orientations éducatives privilégiées par mon école.   ❑ ❑ ❑

1.12   Je m'intéresse à la nouvelle technologie, notamment celle ayant trait à l'usage de l'informatique dans l'enseignement.   ❑ ❑ ❑

1.13   Je m'assure que les apprentissages que je propose aux élèves sont en continuité avec les apprentissages des années scolaires précédentes.   ❑ ❑ ❑

1.14   Dans la préparation de mes activités d'enseignement, je consulte les programmes d'études et les guides pédagogiques du matériel didactique que j'utilise.   ❑ ❑ ❑

Mes constatations:

_____

_____

_____

2.   Mes attitudes à l'égard du perfectionnement

		1	2	3

2.1   J'essaie d'intégrer les résultats des recherches récentes à ma façon d'enseigner.   ❑ ❑ ❑

2.2   Je me tiens à jour en ce qui a trait aux différentes théories d'apprentissage.   ❑ ❑ ❑

2.3   Ma réflexion sur les différents courants pédagogiques me permet d'améliorer ma pratique.   ❑ ❑ ❑

2.4   Je me préoccupe de maintenir ou d'améliorer mes compétences professionnelles en suivant des cours universitaires ou d'autres sessions de perfectionnement.   ❑ ❑ ❑

2.5   Je tiens à jour mon information concernant les orientations pédagogiques des divers programmes d'études.   ❑ ❑ ❑

2.6   Je me tiens à jour en ce qui a trait au nouveau matériel didactique.   ❑ ❑ ❑

2.7   Je prends connaissance des diverses politiques ou législations du domaine de l'éducation.   ❑ ❑ ❑

		1	2	3
2.8	Je me procure la documentation concernant les innovations dans le domaine pédagogique.	❏	❏	❏
2.9	En dehors du cadre de l'école, je participe à des colloques, à des sessions d'études ou à des conférences, appropriés à ma fonction.	❏	❏	❏
2.10	Je m'intéresse aux publications pédagogiques de diverses associations professionnelles et syndicales relatives à l'enseignement.	❏	❏	❏

Mes constatations:

_____

_____

_____

Source: D'après *Auto-appréciation sur les pratiques pédagogiques*, Questionnaire aux enseignantes ou enseignants, Gouvernement du Québec, Ministère de l'Éducation, Direction générale du développement pédagogique, p. 6 et 18.

Deuxième grille d'analyse

Légende:

1. Je ne le fais pas et ce n'est pas une priorité pour moi.
2. Je le fais très peu, mais je voudrais travailler ce point.
3. Je le fais avec quelque difficulté, mais je ne désire pas travailler ce point pour le moment.
4. Je le fais, mais j'aurais besoin d'améliorer encore ce point.
5. Je le fais et je suis bien dans ce comportement.

1.1 Je manifeste de la cohérence dans ma pédagogie.

	1	2	3	4	5
– Je suis capable de définir clairement mes orientations philosophiques et mes politiques d'intervention.	❏	❏	❏	❏	❏
– Je suis consciente du type de valeurs que je transmets.	❏	❏	❏	❏	❏
– Je rattache mon enseignement aux politiques générales de l'école et je participe à leur élaboration.	❏	❏	❏	❏	❏
– Je garde toujours à l'esprit une vision claire de mes orientations.	❏	❏	❏	❏	❏
– Je sais ce que je veux faire et mes comportements sont cohérents.	❏	❏	❏	❏	❏

Comment actualiser la philosophie et le contenu des programmes?

	1	2	3	4	5

– Je choisis mes croyances après mûre réflexion et elles
s'appuient sur mon vécu et sur une information adéquate. ❑ ❑ ❑ ❑ ❑

– Je réfléchis à mon action en y mettant du temps
et en utilisant les ressources à ma disposition: collègues,
spécialistes, écriture, objectivation de ma pratique, etc. ❑ ❑ ❑ ❑ ❑

1.2 Je suis capable de décrire et d'analyser ce que je fais.

– J'ai la capacité de décrire finement ce que je fais. ❑ ❑ ❑ ❑ ❑

– Je formule ma pratique en termes clairs
et compréhensibles. ❑ ❑ ❑ ❑ ❑

– Je suis capable d'établir des relations, de voir
les composantes de mon action et de saisir le sens
de ce qui se passe. ❑ ❑ ❑ ❑ ❑

– Je sais me rattacher à divers courants pédagogiques. ❑ ❑ ❑ ❑ ❑

– Au-delà des incidents quotidiens, je suis toujours
capable de revenir à la globalité du processus dans
lequel je suis engagée. ❑ ❑ ❑ ❑ ❑

– Je suis capable de synthèse et de continuité. ❑ ❑ ❑ ❑ ❑

1.3 Je suis capable de conceptualiser, d'établir des rapports entre ma pratique et la théorie.

– Je suis capable de comprendre ce qu'il y a derrière
une situation, d'en dégager le sens,
de relier les événements et les théories existantes. ❑ ❑ ❑ ❑ ❑

– Je sais utiliser des données théoriques pour éclairer
mon action et la transformer. ❑ ❑ ❑ ❑ ❑

– Je sais me référer à des ouvrages pertinents. ❑ ❑ ❑ ❑ ❑

1.4 Je suis capable de décrire ce que je fais et d'expliquer pourquoi je le fais.

– J'ai une vision globale de ma classe, je sais où je vais
et comment je m'y prends. ❑ ❑ ❑ ❑ ❑

– Je connais mes stratégies et je peux les relier
à mes intentions. ❑ ❑ ❑ ❑ ❑

	1	2	3	4	5

– Je sais planifier à long terme et à court terme. ❑ ❑ ❑ ❑ ❑

– Je maîtrise une technique de planification que
je garde souple. ❑ ❑ ❑ ❑ ❑

1.5 Je suis capable de définir des objectifs clairs et précis.

– Je sais formuler des objectifs en termes clairs et précis. ❑ ❑ ❑ ❑ ❑

– Mes objectifs touchent le contenu scolaire, mais aussi
les différents aspects du développement des enfants
et du groupe. ❑ ❑ ❑ ❑ ❑

– Je suis capable de traduire mes objectifs en situations
d'apprentissage. ❑ ❑ ❑ ❑ ❑

– Tout en ayant mes objectifs en tête, je demeure
flexible au niveau des moyens d'enseignement. ❑ ❑ ❑ ❑ ❑

1.6 Je suis capable d'amener les enfants
à se fixer des objectifs.

– Je suis capable d'expliquer mes objectifs aux enfants,
de faire participer les enfants à leur définition et de les
aider à ce que mes objectifs deviennent aussi les leurs. ❑ ❑ ❑ ❑ ❑

– Je les aide à définir leurs propres objectifs et à diriger
leur développement dans un sens qui leur convient. ❑ ❑ ❑ ❑ ❑

– J'amène les enfants à faire des choix. ❑ ❑ ❑ ❑ ❑

– J'invite les enfants à se donner des projets personnels
ou d'équipe. ❑ ❑ ❑ ❑ ❑

Source: D'après *Inventaire des habiletés nécessaires dans l'enseignement au primaire,* de André Paré et Thérèse Laferrière, Sainte-Foy,
Centre d'intégration de la personne de Québec inc., 1985, p. 59-61 et 63-65.

DEUXIÈME ÉTAPE: LA RÉFLEXION

Les grilles d'analyse précédentes font voir que le champ «contenu organisationnel» de la gestion de classe est un vaste domaine. Il prend en compte des éléments aussi divers que la philosophie des programmes et la méthodologie du travail intellectuel. Il oblige à clarifier des conceptions de l'apprentissage, il amène à s'interroger sur les démarches, les procédures ou les stratégies d'enseignement. En apparence, c'est le champ le plus abstrait de la gestion de classe mais, dans les faits, la réflexion philosophique est toujours confrontée à l'action.

Afin de faciliter cette réflexion et de resituer les composantes du contenu organisationnel au regard de la gestion de classe participative, nous nous arrêterons à cinq volets du contenu organisationnel:

1. La philosophie et les objectifs des programmes du ministère de l'Éducation.
2. La conception de l'apprentissage.
3. Les orientations pédagogiques et les styles d'enseignement.
4. Les démarches, les procédures et les stratégies d'enseignement.
5. La méthodologie du travail intellectuel.

La philosophie et les objectifs des programmes du ministère de l'Éducation du Québec

Un constat

Les visites de classe, les sessions, les rencontres d'enseignantes mettent en lumière un certain malaise dans l'application de ce que l'on appelle encore «les nouveaux programmes». Les enseignantes

– se sentent captives d'une liste d'objectifs;
– sont écartelées entre des objectifs à atteindre, des connaissances à faire acquérir, des habiletés et des attitudes à développer;
– ne savent plus très bien quoi évaluer, comment le faire et elles se retrouvent à enseigner pour évaluer;
– se sentent déphasées avec leurs méthodes d'enseignement qui convenaient pour faire acquérir des connaissances mais ne sont pas adéquates pour développer des habiletés;
– avouent qu'elles n'ont pas toujours lu les premières pages des programmes et se sont lancées dans l'aventure de leur application sans saisir la philosophie qui les sous-tend ou sans parvenir à l'actualiser dans le quotidien.

Bref, après des années de mise en application, les enseignantes le reconnaissent, les programmes de 1979-1983 sont restés des «nouveaux programmes». Malgré les efforts de multiples intervenants et conseillers, ces programmes ne sont pas réellement intégrés, ils ne sont pas passés dans les mœurs scolaires. Pourquoi?

Que choisir: des compétences ou des connaissances?

Beaucoup d'enseignantes se préoccupent tellement d'enseigner les contenus qu'elles en oublient de s'interroger sur ce que sont réellement l'éducation, l'apprentissage et l'enseignement. Veux-tu savoir où tu situes tes interventions pédagogiques par rapport aux finalités de l'éducation et de l'enseignement? Réponds à ces quelques questions.

PISTES D'INTERROGATION PAR RAPPORT AU «QUOI?»

1. Est-ce que j'enseigne aux élèves ce dont ils auront besoin pour s'adapter à l'an 2000? _____ _____

2. Est-ce que j'enseigne aux élèves qu'ils peuvent réussir dans la vie et être créateurs dans ce qu'ils désirent? _____ _____

3. Est-ce que j'enseigne la motivation? _____ _____

4. Est-ce que j'enseigne le goût d'apprendre, la curiosité intellectuelle et l'ouverture sur le monde? _____ _____

5. Est-ce que j'enseigne aux élèves le sens de l'effort et la rigueur intellectuelle? _____ _____

6. Est-ce que j'enseigne aux élèves le respect des différences? _____ _____

PISTES D'INTERROGATION PAR RAPPORT AU «COMMENT?»

7. Est-ce que j'enseigne à la personne dans sa globalité? _____ _____

8. Est-ce que j'enseigne aux élèves comment apprendre? _____ _____

9. Est-ce que j'enseigne aux élèves comment se connaître, connaître les autres et connaître leur environnement? _____ _____

10. Est-ce que j'enseigne aussi les processus, les démarches et les stratégies? _____ _____

11. Est-ce que j'enseigne aux élèves à faire des choix et à être critiques par rapport à ce que l'on offre? _____ _____

12. Est-ce que j'enseigne aux élèves comment résoudre leurs problèmes personnels et interpersonnels? _____ _____

Selon tes réponses, tu peux voir si tu es centrée sur le développement des compétences ou l'acquisition des connaissances. _____ _____

Une nouvelle philosophie

Il suffit de lire les premières pages de présentation des programmes pour saisir leurs accents particuliers. Ainsi, le *Programme d'études en sciences humaines* au primaire présente les perspectives de développement poursuivies par son objectif global.

> La poursuite de cet objectif global s'inscrit donc dans une triple perspective de développement de l'élève, soit l'acquisition de connaissances, le développement d'habiletés et le développement d'attitudes[1].

Le nouveau programme de français est un programme centré sur les compétences.

> Le programme s'articule autour de compétences à développer. Cette option est conforme à l'évolution actuelle des pratiques pédagogiques qui incitent à viser avant tout le développement des compétences, intégrant à la fois des connaissances, des attitudes et des habiletés. Elle s'inspire également des recherches menées au cours des quinze dernières années en didactique de la langue, en psycholinguistique et en psychologie de l'apprentissage[2].

De même, dans la présentation de son approche pédagogique, le *Programme de formation personnelle et sociale* affirme:

- Les questions et l'expérience des enfants jouent un rôle majeur dans les interventions de l'éducateur.
- Chaque individu a non seulement un rythme propre d'apprentissage, mais aussi un style propre pour apprendre.
- Les erreurs des élèves font partie intégrante de l'apprentissage et sont pour eux une source d'information pour un apprentissage ultérieur. Pour apprendre, il faut avoir l'occasion d'examiner des situations et des idées nouvelles, sans risquer d'être pénalisé à la suite d'erreurs.
- La valorisation personnelle dépend plus d'une satisfaction profonde inhérente à l'apprentissage que d'une approbation extérieure[3].

Ces quelques extraits font voir une nette évolution dans la conception de l'apprentissage. Apprendre, ce n'est plus simplement posséder un bagage de connaissances intellectuelles, c'est aussi devenir capable de…, c'est aussi développer son être. Dans ce contexte, l'enseignement magistral ne suffit plus, l'expérience de l'élève et les situations d'apprentissage prennent une place primordiale. Elles sont à la base de tout le processus puisqu'elles donnent du pouvoir à l'élève sur ses apprentissages.

La figure «La construction des connaissances» (*voir la page 83*), inspirée des travaux de Conrad Huard, de Rosée Morissette et de Gérard Artaud, fait apparaître les liens qui existent entre les différents savoirs. Ces savoirs sont en constante interrelation, et ils s'appuient tous sur la signifiance et sur la participation de l'apprenant. Autrement dit, il ne peut y avoir de développement des compétences si l'on ne part pas du savoir d'expérience, «savoir» qui est toujours en lien réel avec la vie. Il est également inportant de remarquer la participation de l'enseignante à l'intérieur de ce projet d'apprentissage.

---

1. MINISTÈRE DE L'ÉDUCATION, *Programme d'études en sciences humaines*, Québec, Direction des programmes, Service du primaire, Octobre 1981, p.14.
2. MINISTÈRE DE L'ÉDUCATION, *Programme d'études du français au primaire*, Québec, Direction des programmes, Service du primaire, 1993.
3. MINISTÈRE DE L'ÉDUCATION, *Programme de formation personnelle et sociale*, Québec, Direction générale du développement pédagogique, Division de la formation générale, 1984, p. 17-18.

La construction des connaissances

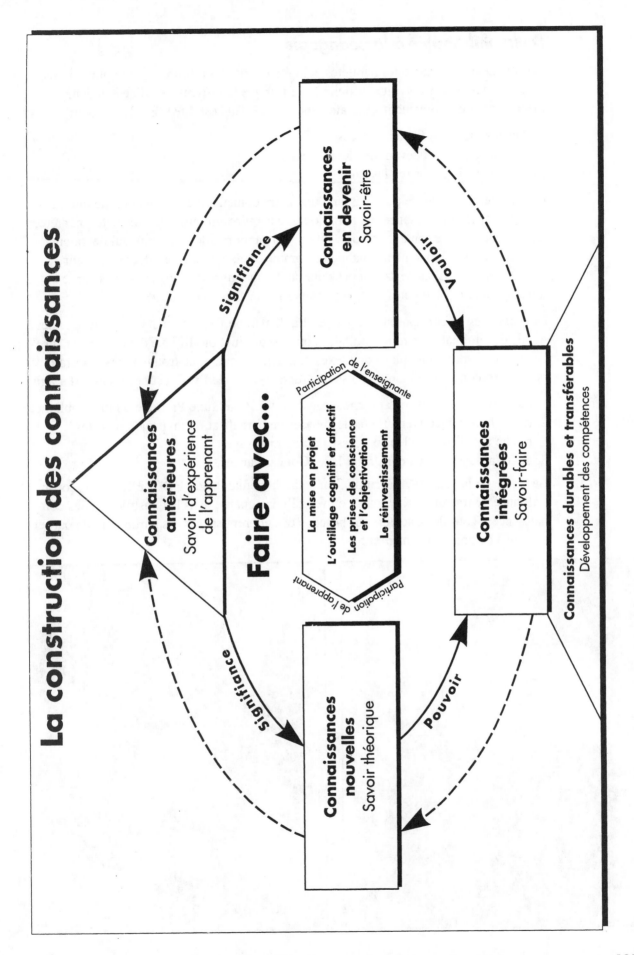

Faire avec...

Connaissances en devenir
Savoir-être

Connaissances antérieures
Savoir d'expérience de l'apprenant

Connaissances nouvelles
Savoir théorique

Connaissances intégrées
Savoir-faire

Connaissances durables et transférables
Développement des compétences

Signifiance

Signifiance

Vouloir

Pouvoir

Participation de l'enseignante

La mise en projet
L'outillage cognitif et affectif
Les prises de conscience et l'objectivation
Le réinvestissement

Participation de l'apprenant

De la philosophie à la pédagogie

C'est le développement des habiletés et la formation des attitudes que la plupart des enseignantes trouvent le plus difficile à réaliser. Cette difficulté est liée à la démarche mécanique d'enseignement généralement utilisée. Elle est dite **CEC** et se déroule ainsi:

1. On enseigne des **C**onnaissances.
2. On place l'enfant devant des **E**xercices.
3. On **C**ontrôle et corrige les exercices…

Et le cycle recommence pour passer à une autre connaissance… quand il ne faut pas réexpliquer la connaissance qui aurait dû être acquise. En procédant de cette manière, les enseignantes se sentent en porte-à-faux par rapport à des objectifs qui devraient conduire au développement d'habiletés comme choisir, identifier, décrire… Leur malaise est réel. Elles ne savent pas comment poursuivre des objectifs axés sur le développement d'habiletés tout en conservant leur façon de procéder.

Le pari est en effet impossible à gagner. La démarche **CEC** permet de développer des habiletés minimales comme l'imitation ou la reproduction. Elle ne débouche pas sur des habiletés beaucoup plus complexes qui, dans ce cadre, ne trouvent pas le terrain pour s'exercer. Une démarche plus constructive, appelée **POC,** est nécessaire. Il s'agit

1. de placer les enfants en apprentissage dans un **P**rojet, une **P**ratique ou un **P**roblème;
2. de les faire **O**bjectiver à toutes les phases de la réalisation du projet, pour les rendre conscients de leur processus d'apprentissage,
3. de les amener ainsi à construire leurs **C**onnaissances.

La figure de la page 197 décrit plus en détail la démarche du **POC**. Elle fait ressortir l'alliance de travail établie entre l'élève et l'enseignante dans la construction des connaissances. Tous deux acteurs sur la scène des apprentissages, ils participent de part et d'autre à ce processus interactif.

Le processus d'apprentissage

P: Pratique

La classe s'amorce à partir d'une pratique.

Le processus d'apprentissage commence quand on place l'élève dans une situation réelle, la plus concrète possible. Ces situations sont à la fois le point de départ et le point d'arrivée de l'ensemble des activités. Ce processus est commun à l'ensemble des programmes d'études parus depuis 1979.

O: Objectivation

Par l'objectivation d'une pratique, l'élève est amené à observer, à expliquer et à évaluer ses activités.

Au cours de cette étape, l'élève prend conscience de ses points forts et de ses points faibles ou de ses faiblesses. Cette prise de conscience lui permet de mieux voir la nécessité, l'importance et la justification de l'acquisition de connaissances et de techniques.

Il est essentiel que l'enseignement et l'apprentissage se rendent jusqu'à l'objectivation et qu'elle soit vraiment accomplie.

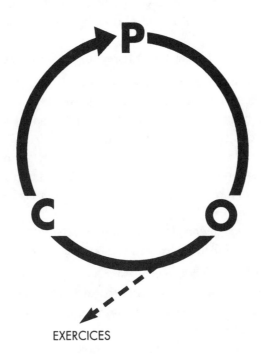

EXERCICES

C: Connaissances

On ne peut développer une habileté sans une acquisition de connaissances et de techniques. Ce n'est pas parce que nous sommes dans un processus de pédagogie active qu'il faudrait négliger les activités reliées à cette composante. Les exercices ont leur place à condition que l'élève ait été amené à en voir la nécessité et l'importance lors des autres étapes du processus et que l'on fasse en sorte qu'il puisse toujours effectuer le transfert dans une situation concrète.

Il faut accepter aussi que l'acquisition et la maîtrise de connaissances et de techniques exigent des activités spécifiques répétées, de même que des retours fréquents pour consolider les apprentissages. L'enseignante doit donc prévoir tout au long de l'apprentissage des situations de *réinvestissement*.

Source: Rosée Morissette, consultante en éducation.

Ce parcours amène à une connaissance réelle, mais, surtout, le processus d'acquisition de la connaissance permet en même temps le développement d'habiletés diversifiées. L'enseignante qui utilise cette démarche ne se trouve plus écartelée entre des objectifs et des connaissances. Elle sait par quel chemin elle permet à l'enfant de constituer son «savoir», son «savoir-faire» et son «savoir-être».

À QUI RESSEMBLES-TU?

Voici trois portraits d'enseignantes. Dans lequel de ces portraits te reconnais-tu?

1. Madame «Le-savoir-avant-tout»

Elle considère les connaissances acquises comme ce qu'il y a de plus valable.

Elle définit que le rôle premier de toute enseignante est de transmettre le plus de connaissances nouvelles à ses élèves.

Elle travaille donc sans répit pour faire apprendre toutes sortes de choses à ses élèves: formules de mathématiques, règles de grammaire, mots nouveaux, noms d'animaux, villes et pays du monde, dates et grands hommes de l'histoire…

Son but: meubler l'esprit de ses élèves avec le plus de connaissances nouvelles possible.

Elle manque toujours de temps pour faire tout ce qu'elle voudrait faire…

2. Madame «Il-faut-avoir-les-moyens»

Ce qu'elle redoute le plus est le «bourrage de crâne».

Elle est convaincue que l'enfant ne peut apprendre, en quelques années, ce qui devrait être le résultat de l'expérience de toute une vie.

Elle considère son enseignement comme une base seulement.

Son rôle est de fournir les outils avec lesquels l'élève pourra continuer à apprendre.

Elle tente donc de développer des techniques, de fournir des moyens, d'éveiller la curiosité de l'enfant.

Son but: que l'enfant prenne l'habitude de la recherche et du travail.

C'est ainsi qu'elle croit le mieux préparer l'avenir de ses élèves.

3. Madame «Vivre-selon-ses-valeurs»

Dans l'école, elle passe pour une enseignante pas très orthodoxe.

Elle ne croit pas que son rôle consiste surtout à transmettre des connaissances ou à développer des talents pour plus tard.

Son but, dans l'enseignement, dépasse l'usage pratique des connaissances acquises.

Elle tente de placer l'enfant dans des situations d'apprentissage qui répondent à ses intérêts et à ses désirs.

Elle veut l'amener à découvrir progressivement les rapports entre les choses qui l'entourent, à s'interroger sur les causes et les effets des événements.

Son but: apprendre à l'enfant à réfléchir, à devenir plus sensible à la vie de son milieu, à apprécier davantage les autres.

Elle veut aider ses élèves à développer un bon sens des valeurs.

C'est de cette façon qu'elle croit les préparer d'une manière efficace à leur vie sociale future, tout en leur donnant la possibilité de vivre un présent intéressant à l'école.

ET MOI, QUI SUIS-JE?

La conception de l'apprentissage

Dans un article de réflexion sur son intervention en milieu scolaire, Conrad Huard exprimait son *credo* au sujet de l'apprentissage:

> Je crois que le processus d'apprentissage c'est quelque chose de naturel et non d'artificiel, que nous apprenons à tout âge, (...) comment un enfant de 1 mois, 1 an, 5 ans fait-il pour réaliser des apprentissages souvent fort complexes? A-t-il suivi un cours? Apprenons-nous seulement à l'école[4]?

La réflexion de Conrad Huard a, entre autres mérites, celui de placer la question sur son véritable terrain. L'apprentissage est *une affaire naturelle, personnelle*. Sait-on, par exemple, qu'un enfant de deux ans fait plus rapidement et plus d'apprentissages qu'à tout autre moment de sa vie? À sa manière, il est un *spécialiste de l'apprentissage*. Pour respecter cette vérité première, nous donnerons d'abord la parole aux enfants. Ils nous diront ce que c'est *apprendre* pour eux.

L'apprentissage vu par les enfants

Pour la préparation d'un projet éducatif dans une école primaire, on a sollicité la participation des enfants. On trouve à la page 200 quelques-unes de leurs réflexions sur la question de l'apprentissage.

---

4. Conrad HUARD, «Un essai d'objectivation d'un intervenant en milieu scolaire», *Instantanés mathématiques*, septembre 1985, p. 5.

«On aime apprendre en manipulant et en jouant.

— Nous aimons apprendre lentement, à notre vitesse. Ainsi on comprend bien et ce n'est pas du «par cœur». On apprend à travailler par nous-mêmes et on peut diversifier nos apprentissages.

— Si des enfants ont de la facilité dans un domaine, ils peuvent en aider d'autres qui ont de la difficulté.

— Nous pensons qu'il vaut mieux en savoir moins, mais le savoir comme il faut.

— On n'apprend pas seulement dans les livres, mais aussi avec des jeux, des ordinateurs, du matériel, des expériences.

— Il faut aussi apprendre des choses utiles qui nous serviront plus tard.

— Il faut que notre professeur et nos parents nous appuient et nous aident.

— Ce n'est pas tous les gestes qui demandent une récompense, car la meilleure récompense, c'est souvent d'être fier de soi et d'être bien dans sa classe.

— Nous travaillons pour être fiers de nous, pour apprendre des choses[5].»

En 1980, des enfants de 11 ans se sont exprimés à partir de leur expérience de la «pédagogie ouverte». En faisant ressortir les avantages de cette pédagogie, ils traçaient le fond de scène de leurs apprentissages:

«Voici ce que nous trouvons d'important dans cette pédagogie:
— On peut s'exprimer plus librement.
— On peut prendre nos responsabilités.
— On peut développer nos talents.
— On peut apprendre des connaissances.
— On peut décider en tenant compte de nos goûts.
— On peut voir le contenu de nos programmes de façon plus détendue et plaisante.
— On peut avoir plus de contacts avec notre entourage.
— On peut améliorer nos comportements.
— On peut résoudre nous-mêmes nos problèmes[6].»

Ces réflexions d'enfants font ressortir pratiquement toutes les composantes de l'acte d'apprendre: le processus, les styles, les rythmes, la motivation, le rôle des pairs, les instruments, etc. Elles suffisent à faire la preuve que l'apprentissage, même s'il est *un jeu d'enfant*, reste une démarche complexe. C'est pour cela, et parce qu'il est aussi une affaire de tous les âges de la vie, qu'il est le terrain privilégié de tant de chercheurs et de scientifiques. Dans un deuxième temps, il est donc nécessaire de donner la parole à ces chercheurs.

L'apprentissage vu par des chercheurs

Dans son *Dictionnaire actuel de l'éducation*, Legendre propose quelques définitions de l'apprentissage:

Acte de perception, d'interaction et d'intégration d'un objet par un sujet. Acquisition de connaissances et développement d'habiletés, d'attitudes et de valeurs qui s'ajoutent à la structure cognitive d'une personne. Processus qui permet l'évolution de la synthèse des savoirs, des habiletés, des attitudes et des valeurs d'une personne.

---

5. Jacqueline CARON, Ernestine LEPAGE, *Vers un apprentissage authentique de la mathématique*, Victoriaville, NHP, collection «Outils pour une pédagogie ouverte», cahier n° 10, 1985, p. 14-15.
6. *Id. ibid.*, p. 15.

Processus d'acquisition ou de changement, dynamique et interne à une personne, laquelle, mue par le désir et la volonté de développement, construit de nouvelles représentations explicatives cohérentes et durables de son réel à partir de la perception de matériaux, de stimulations de son environnement, de l'interaction entre les données internes et externes au sujet et d'une prise de conscience personnelle[7].

Ainsi, sur plusieurs pages, Legendre rassemble les résultats des recherches actuelles en apprentissage. Il propose des définitions du concept et de ses composantes. Il présente les conditions essentielles de l'apprentissage, ses rapports avec la mémoire et la motivation, les éléments déterminants que sont l'élève, l'enseignante et l'environnement. Il décrit aussi le processus et les divers types d'apprentissage. Il fait donc un tour assez complet de la question et on sera bien inspiré de s'y référer.

«La théorie, c'est bien joli, pourra se dire l'enseignante, à la lecture de ces pages, mais en quoi le fait d'avoir une conception de l'apprentissage plutôt qu'une autre influence-t-il ce qui se passe en classe?»

Le tableau ci-dessous pourra donner une réponse concrète à la question. Il propose en parallèle deux conceptions de l'apprentissage et fait le parcours complet de leur mise en application. Ces deux processus ont chacun leurs mérites, mais ils débouchent sur des résultats différents.

APPROCHE 1 selon Gagné	APPROCHE 2 selon Bruner
Objectif général: acquérir des connaissances «en apprenant». Exemple: développer des habiletés intellectuelles s'exerçant particulièrement sur des concepts mathématiques (programme de mathématiques au primaire).	**Objectif général**: acquérir des connaissances «en découvrant».
Objectifs spécifiques: définis par des comportements (capacités). Exemple: émettre des hypothèses et les vérifier (programme de mathématiques au primaire).	**Objectifs spécifiques**: définis par des processus mentaux.
Moyens: a) par les réflexes conditionnés b) par les simples associations ou faits distincts c) par les concepts spécifiques d) par les principes	**Moyens**: a) par la manipulation b) avec des objets c) avec des images mentales d) avec des symboles
Méthode: basée sur l'application de préalables aboutissant à une solution de problème (du simple au complexe).	**Méthode**: basée sur l'enfant ayant tout de suite un problème à résoudre (de tâtonnement, essai et erreur, du complexe au simple).
Résultat: Transfert d'un élément à une situation d'apprentissage restreint. Connaissances immédiates.	**Résultat**: Transfert d'une situation d'apprentissage à une autre. Connaissances durables.

---

7. Renald LEGENDRE, *Dictionnaire actuel de l'éducation*, 2ᵉ édition, Montréal, Guérin; Paris, ESKA, 1993, p. 67-76.

MA CONCEPTION DE L'APPRENTISSAGE

Objectif général: développer des connaissances durables et transférables (compétences) «en participant».

Objectifs spécifiques: définis en termes de «petits pas» qui s'inscrivent à l'intérieur d'un scénario d'apprentissage vécu dans un contexte signifiant et participatif.

Moyens:
a) à partir des connaissances antérieures (savoir d'expérience) et des différences chez les apprenants;

b) dans le cadre d'une mise en projet;

c) avec des situations d'apprentissage qui permettent d'établir des liens entre la théorie et la pratique et de faire des réinvestissements;

d) avec, utilisation de cadres de référence, de points de repère;

e) avec, exploitation de démarches et de stratégies d'apprentissage;

f) avec, insistance sur les prises de conscience, l'objectivation et l'auto-évaluation;

g) avec, utilisation de l'entraide et de l'échange avec les pairs.

Méthode: basée sur le potentiel de l'apprenant avec ses forces à exploiter et ses défis à relever.

Résultat: développement de connaissances durables et transférables dans la vie de tous les jours.
Responsabilisation de l'apprenant.
Respect des différences chez les apprenants.
Équilibre entre les trois savoirs.

ET TOI, QUELLE EST TA CONCEPTION DE L'APPRENTISSAGE?

1. Au regard des situations d'apprentissage que je propose généralement aux élèves, quel est mon processus de découverte habituel?

_____
_____
_____
_____
_____
_____
_____

2. Qu'est-ce que je préfère comme processus de découverte? Pourquoi?

_____
_____
_____
_____
_____
_____
_____

3. Comment pourrais-je formuler ma conception de l'apprentissage authentique?

_____
_____
_____
_____
_____
_____

4. Qu'est-ce que je remarque quand je compare ma conception de l'apprentissage avec celle des enfants ou celle d'autres pédagogues ou chercheurs?

_____
_____
_____
_____
_____
_____

L'apprentissage dans la gestion de classe participative

S'il existe une multitude de conceptions de l'apprentissage, toutes ne conviennent peut-être pas à une gestion de classe participative. Voici donc cinq affirmations qui constituent le *credo* de l'enseignante engagée dans ce processus.

APPRENDRE, C'EST...

1. L'apprentissage est un processus long, personnel, continu. On chemine tantôt d'un concept simple vers un plus complexe, tantôt d'un concept complexe vers un plus simple, sous différentes formes, dans un laps de temps assez grand.

2. Plus l'apprentissage est significatif, plus il est durable et transférable. Ce qui suppose, d'abord, une prise de conscience et, ensuite, une modification de l'agir. Ainsi, on se trouve face à une réalité, on l'intériorise afin de lui donner une signification personnelle, pour la verbaliser, l'utiliser et la transférer.

3. Pour préciser davantage, on intériorise une réalité par la perception d'objets. Des images mentales se forment. Puis naissent des concepts intuitifs qu'on verbalise ensuite. Quand on peut verbaliser, utiliser, transférer cette réalité, on est à l'étape de la généralisation.

4. Voici les étapes de formation d'un concept, selon Woodruff:
   – apports sensoriels ou expériences;
   – perceptions sensorielles ou rappel d'expériences;
   – fabrication d'images ou représentation mentale;
   – formation de concepts intuitifs ou début d'abstraction;
   – formation de concepts verbalisés ou abstraction;
   – formation de concepts généralisés ou généralisation.

5. Certaines conditions sont favorables à l'apprentissage:
   – le climat de la classe,
   – les intérêts et la motivation de l'apprenant,
   – l'engagement de l'apprenant à l'intérieur d'un projet d'apprentissage,
   – l'outillage affectif et cognitif,
   – les prises de conscience et la mise en mots du récit d'apprentissage,
   – les interrelations avec ses pairs,
   – les interventions pertinentes (la modélisation, la médiation, l'objectivation, l'évaluation et le réinvestissement),
   – l'environnement riche, invitant, favorisant et adapté.

On poursuivra la réflexion sur la conception de l'apprentissage dans le chapitre consacré à la gestion des apprentissages.

Les courants pédagogiques et les styles d'enseignement

La réflexion sur l'apprentissage a déjà permis de voir qu'il y avait un lien entre une conception de l'apprentissage et ce qui se passe en classe. Il faut maintenant tenter d'analyser plus finement ce lien et mieux cerner le style d'enseignement qui convient dans une gestion de classe participative.

Voici sous forme schématique quatre façons de concevoir l'enseignement. Je t'invite à les regarder attentivement et à découvrir quel est ton style propre.

Les courants pédagogiques

TYPE 1	TYPE 2
L'élève reçoit les informations et doit les assimiler. Il subit l'autorité de l'enseignante. **L'enseignante** est le modèle qui dirige la classe selon ses normes. **L'apprentissage** se fait par information. **Les objectifs** deviennent des notions à montrer et sont présentés comme une finalité. **La pédagogie** est dite «encyclopédique». Elle relève d'une approche utilitaire.	**L'élève** n'a pas de pouvoir sur les objectifs comportementaux. On le rend capable de… **L'enseignante** devient la technicienne du cahier d'exercices. **L'apprentissage** se fait de préalable en préalable et par assimilation dans un ordre logique. **Les objectifs** doivent être formulés d'une manière univoque avec des critères de performance précis. **La pédagogie** est dite «fermée». Elle relève d'une approche utilitaire.
TYPE 3	TYPE 4
L'élève est seul responsable de son apprentissage. **L'enseignante** n'est qu'une ressource parmi d'autres et ne contribue pas à l'apprentissage. **L'apprentissage** est aléatoire par rapport à l'expérience et à l'aventure individuelle. **Les objectifs** viennent de l'enfant. **La pédagogie** est dite «libre». Elle relève d'une approche humaniste.	**L'élève** est initialement autonome; il possède tous les talents et doit les utiliser. **L'enseignante** permet des démarches et des réalisations diversifiées et offre de nouvelles pistes d'exploitation. **L'apprentissage** est une mosaïque dont le pivot est la relation entre des expériences différentes. **Les objectifs** sont des objectifs de développement. **La pédagogie** est dite «ouverte». Elle relève d'une approche humaniste.

Source: Claude Paquette, *Vers une pratique de la pédagogie ouverte*, Laval, NHP, 1976, p. 21-23, 25-27.

QUELLE EST LA COULEUR DE MA PÉDAGOGIE?

1. Je me reconnais bien dans le type _____(numéro).

Ce qui signifie qu'habituellement, je pratique une pédagogie _____

_____

_____

_____

_____

_____

_____

_____

_____

2. Mais j'ai aussi des tendances pour une pédagogie _____

_____

_____

_____

_____

_____

_____

_____

J'en conclus _____

_____

_____

_____

_____

_____

_____

_____

_____

Les styles d'enseignement

Dans son *Dictionnaire actuel de l'éducation*, Legendre définit le style comme «l'ensemble des caractéristiques personnelles ayant trait à l'enseignement et étant représentées par des attitudes et des actions spécifiques à chaque situation pédagogique (sujet, agent, objet et milieu)». Il précise, en s'inspirant de Provencher, que «le style d'un enseignant n'a rien à voir avec les méthodes d'enseignement qu'il pratique (…) le style se rapporte plutôt à la manière d'approcher les élèves, manière qui demeure la même quelle que soit la méthode d'enseignement utilisée». Enfin, il fait remarquer que «chaque style d'enseignement ne constitue pas un type pur, il reflète un mode d'enseignement dominant[8].»

Plusieurs chercheurs ont tenté de répertorier les différents styles d'enseignement que l'on peut retrouver. Ils en proposent les uns trois, les autres jusqu'à onze. S'inspirant des travaux du psychanalyste Hanson, Silver et Strong (1980) soutiennent que les styles d'enseignement se définissent par des comportements observables. Ils en proposent quatre:

1. Le style d'enseignement orienté vers les résultats.
2. Le style d'enseignement orienté vers la personne.
3. Le style d'enseignement orienté vers le développement intellectuel.
4. Le style d'enseignement orienté vers la créativité.

Le style d'enseignement orienté vers les résultats

Les enseignantes sont principalement orientées vers les résultats (apprentissages acquis, projets complétés). Elles maintiennent une classe très structurée et très organisée. Tout est planifié; une discipline, stricte mais juste, règne. L'enseignante est la source principale d'information et donne des instructions détaillées afin que l'élève puisse apprendre.

Le style d'enseignement orienté vers la personne

Les enseignantes sont empathiques et attachent beaucoup d'importance aux élèves. L'accent est mis sur le sentiment de bien-être de l'élève et sur son estime personnelle. L'enseignante partage ses sentiments et ses expériences personnelles avec les élèves. Elle essaie également de participer personnellement à l'apprentissage des élèves. L'enseignante croit que l'école devrait être amusante et présenter beaucoup d'apprentissages, par des jeux, des activités, où l'élève se sent concerné, tant physiquement que mentalement. La planification est fréquemment modifiée pour s'adapter à l'humeur de la classe.

Le style d'enseignement orienté vers le développement intellectuel

Les enseignantes mettent l'accent sur le développement intellectuel des élèves. Elles accordent le temps nécessaire aux défis intellectuels afin d'encourager les élèves à développer des habiletés de pensée critique, de résolution de problèmes, de logique, de recherche technique et d'étude autonome. La planification du programme d'études est développée autour de concepts, et elle est fréquemment centrée sur une série de questions et de thèmes. L'évaluation est souvent basée sur des questions ouvertes, des débats, une dissertation ou une prise de position.

---

8. *Id. ibid.*, p. 1199 à 1204.

Le style d'enseignement orienté vers la créativité

Les enseignantes encouragent les élèves à explorer leurs habiletés créatrices. La perspicacité et les idées innovatrices sont très valorisées. L'enseignante encourage les élèves à développer leur propre style. Elle centre la majeure partie du programme sur la pensée créatrice, le développement moral, les valeurs et les approches réflexives et imaginatives. La curiosité et l'expression artistique sont valorisées.

Hanson, Silver et Strong précisent qu'une enseignante peut posséder plus d'un style, mais dans des proportions différentes. Une enseignante peut axer son style d'enseignement sur la personne et le développement intellectuel, une autre, sur les résultats ou la créativité. Et toi, quel est ton style d'enseignement?

On te propose justement à la page 209 un questionnaire qui t'aidera à découvrir ton style d'enseignement. Voici quelques pistes d'utilisation:

1. Réponds le plus spontanément possible aux questions des pages 209, 210 et 211.

2. Ensuite, compare tes réponses à celles qui sont suggérées dans la grille d'interprétation des pages 212 à 215.

3. Enfin, tu seras peut-être en meusre de décoder ton style d'enseignement.

MON STYLE D'ENSEIGNEMENT

1. Comment perçois-tu ton rôle d'enseignante?

   _____

   _____

   _____

2. Qu'est-ce qui te préoccupe le plus dans ta classe?

   _____

   _____

   _____

3. Quelle est le geste prioritaire que tu poses en début d'année?

   _____

   _____

   _____

4. Avant le début d'une journée ou d'une période, quelles sont tes attentes à l'égard du climat de ta classe?

   _____

   _____

   _____

5. Comment gères-tu les rythmes d'apprentissage de tes élèves?

   _____

   _____

   _____

6. Au début d'une nouvelle situation d'apprentissage, quelle importance accordes-tu aux objectifs d'apprentissage?

   _____

   _____

   _____

7. Quelle façon de travailler en classe utilises-tu le plus?

   _____

   _____

8. Comment réagis-tu quand tes élèves ne posent pas de questions à la suite des explications que tu viens de donner?

_____

_____

9. À quoi attribues-tu l'échec d'un élève?

_____

_____

10. Comment réagis-tu face à un imprévu qui survient dans la classe?

_____

_____

11. Pour toi, qu'est-ce qu'un bon élève?

_____

_____

12. Avec quels élèves es-tu le plus à l'aise?

_____

_____

13. Comment réussis-tu à canaliser un leader négatif?

_____

_____

14. Comment réagis-tu face à un groupe d'élèves qui ne fonctionne pas?

_____

_____

15. Pour quelle raison aimerais-tu que tes élèves t'apprécient?

_____

_____

16. À partir de quel critère évalues-tu la qualité de ton enseignement?

_____

_____

_____

17. Qu'est-ce qui t'apporte le plus de satisfaction en classe?

_____

_____

18. Quel est le reproche de tes élèves qui te toucherait le plus?

_____

_____

19. Sur quoi repose ta discipline?

_____

_____

_____

20. Comment évalues-tu l'impact d'un comportement inacceptable dans ta classe?

_____

_____

21. Comment gères-tu tes exigences de travail avec les élèves?

_____

_____

22. Comment occupes-tu les quelques minutes qui précèdent le début d'une période?

_____

_____

23. Quelle philosophie de l'apprentissage as-tu développée dans ta classe?

_____

_____

24. Comme enseignante, qu'est-ce qui te guide le plus dans la perception de tes réussites en classe?

_____

_____

25. Quels moyens utilises-tu pour structurer des activités de formation en classe?

_____

_____

GRILLE D'INTERPRÉTATION

	a) énoncé centré sur l'enseignante et son contenu	b) énoncé centré sur l'apprenant et sa participation
1. Je perçois mon rôle		
a) comme une dispensatrice d'information;	_____	_____
b) comme un guide, une personne-ressource qui motive et fait participer les élèves.	_____	_____
2. Ce qui me préoccupe d'abord dans ma classe,		
a) c'est mon programme;	_____	_____
b) ce sont mes élèves.	_____	_____
3. Au début de chaque année scolaire, je prends le temps		
a) d'explorer mon matériel pédagogique;	_____	_____
b) d'accueillir et de connaître mes élèves.	_____	_____
4. Avant d'enseigner, j'attends que le climat soit		
a) propice au travail;	_____	_____
b) détendu et agréable.	_____	_____
5. Dans ma classe,		
a) tous les apprenants doivent aller à la même vitesse;	_____	_____
b) chaque apprenant peut progresser selon son propre rythme d'apprentissage.	_____	_____
6. Quand je place les élèves en situation d'apprentissage,		
a) je ne juge pas nécessaire d'énoncer les objectifs en termes précis et observables;	_____	_____
b) je présente l'objectif d'apprentissage et je vérifie le savoir d'expérience de mes élèves en regard de cet objectif.	_____	_____

	a) énoncé centré sur l'enseignante et son contenu	b) énoncé centré sur l'apprenant et sa participation

7. Je préfère travailler avec mes élèves

   a) individuellement;

   b) en situation d'entraide et d'apprentissage coopératif.

8. Quand mes élèves ne posent pas de questions, j'en déduis

   a) que mes informations ont été claires;

   b) que mes élèves ont compris ce que je leur ai dit.

9. Quand un élève ne réussit pas, je pense

   a) qu'il n'a pas assez travaillé;

   b) que la tâche n'était pas adaptée à sa compréhension.

10. Si un imprévu survient dans la classe, pour moi, il s'agit

    a) d'une perturbation;

    b) d'une occasion à exploiter pour faire un nouvel apprentissage.

11. Pour moi, un bon élève

    a) fait ce qu'il doit faire;

    b) s'engage dans la classe et participe à ses apprentissages.

12. Je suis plus à l'aise avec des élèves qui

    a) maîtrisent facilement mon contenu;

    b) demandent à être accompagnés dans leur apprentissage.

13. Quand un leader négatif émerge, je cherche à

    a) le contrôler pour que mon contenu passe;

    b) entrer en relation avec lui pour comprendre ce qui se passe.

	a) énoncé centré sur l'enseignante et son contenu	b) énoncé centré sur l'apprenant et sa participation

14. Quand un groupe d'élèves ne fonctionne pas, je cherche

    a) des solutions à cette situation indésirable;

    b) les causes de ce malaise relationnel.

15. Je souhaite que mes élèves m'apprécient pour

    a) mes qualités professionnelles avant tout;

    b) mes qualités humaines d'abord.

16. J'évalue la qualité de mon enseignement à partir

    a) des résultats scolaires de mes élèves;

    b) du comportement de mes élèves et de leurs opinions.

17. Ce qui m'apporte le plus de satisfaction en classe, c'est

    a) la joie de donner une bonne leçon;

    b) l'intérêt et la participation de mes élèves.

18. Le reproche qui me toucherait le plus serait:

    a) «Tu n'as pas enseigné tous les objectifs du programme»;

    b) «Tu ne t'es pas souciée de ce que je vivais».

19. Ma discipline repose sur

    a) le respect des règles;

    b) le respect des personnes.

20. Pour évaluer un comportement inacceptable, je tiens compte

    a) de l'effet sur mon enseignement;

    b) des états d'âme et de la situation de vie de l'élève.

	a) énoncé centré sur l'enseignante et son contenu	b) énoncé centré sur l'apprenant et sa participation

21. Mes exigences de travail

    a) sont dites dès le début de l'année et varient peu;

    b) se précisent en chemin et se modifient au besoin, selon le contexte.

22. Pendant les minutes qui précèdent mon cours,

    a) je prépare tout mon matériel pour être capable de commencer ma leçon à l'heure prévue;

    b) je prends le temps d'accueillir mes élèves et d'écouter leurs attentes.

23. Dans ma classe, j'ai développé la philosophie de l'apprentissage suivante:

    a) Je m'attends à ce qu'un tiers des apprenants soit bon, qu'un autre tiers soit assez bon et que le dernier tiers des apprenants échoue;

    b) Si je propose une tâche d'apprentissage adaptée, je m'attends à ce que tous mes élèves parviennent à réussir.

24. J'évalue la réussite de mon enseignement

    a) de façon subjective, à partir de ce que je perçois;

    b) de façon participative, à partir des commentaires et des perceptions de mes élèves.

25. Pour articuler les situations de formation en classe

    a) j'utilise surtout les cours magistraux et le matériel audiovisuel, au besoin;

    b) j'utilise une variété de moyens adaptés aux différences entre les apprenants et au contexte d'apprentissage.

Existe-t-il un style d'enseignement idéal?

Il serait tentant de répondre oui. Ne pourrait-on pas dire qu'une bonne enseignante est celle qui est toujours orientée vers la personne? Ou toujours orientée vers le développement de la créativité? Chaque enseignante a un style dominant, mais on peut dire, en accord avec plusieurs chercheurs, que l'enseignante efficace demeure celle qui a la «capacité de varier son style et ses stratégies d'enseignement[9]...» Ainsi, dans une gestion de classe participative, l'enseignante mettra l'accent tantôt sur le développement intellectuel et tantôt sur l'action créatrice. Sa flexibilité sera la preuve qu'elle sait prendre le pouls de la classe, intégrer l'élève au processus d'apprentissage et s'adapter à toutes les situations. L'essentiel est qu'elle soit guidée par les mêmes valeurs et toujours soucieuse de cohérence entre sa parole et son action.

Démarches, procédures et stratégies d'enseignement

Le dictionnaire de Legendre permet de préciser ces trois notions:

Démarche: *Manière particulière de percevoir, de penser, de raisonner, d'agir, d'intervenir, de procéder, de progresser, de se développer. La démarche d'apprentissage spécifique à une personne. La démarche pédagogique personnelle d'un enseignant...* (p. 319-320)

Procédure: *Séquence systématique d'étapes à suivre pour parvenir efficacement à un résultat satisfaisant dans la réalisation d'une tâche particulière; description de la marche à suivre pour atteindre un but particulier.* (p. 1022)

Stratégie: *Manière de procéder pour atteindre un but spécifique.*

Et si on veut parler de «stratégie d'enseignement»: *Ensemble d'opérations et de ressources pédagogiques, planifié par l'éducateur pour un sujet autre que lui-même.* (p. 1185)

On peut le constater, les trois termes ont des sens équivalents. Leur mise en parallèle fait cependant ressortir trois éléments indispensables:

– une manière de faire,
– pour atteindre un but,
– selon une séquence d'étapes.

Voici donc un terrain sur lequel l'enseignante est reine et maîtresse. Elle connaît le but ou les objectifs, elle décide de la manière d'atteindre ce but et elle découpe ce cheminement en étapes. Au bout du compte, c'est elle encore qui évalue le chemin parcouru et le degré d'atteinte du but. Mais c'est aussi le terrain le plus miné. Est-ce que la manière d'atteindre le but décidé par l'enseignante conviendra à l'élève? Ont-ils tous deux le même style d'apprentissage? Est-ce qu'il n'y a qu'une seule manière d'atteindre le

---

9. *Id. Ibid.*, p. 1199.

but? une seule manière d'exprimer sa compétence? Toutes ces questions montrent que, parallèlement à la question de la démarche-procédure-stratégie, se pose toujours la question de la motivation. Il n'existe pas de stratégie parfaite pour l'acquisition d'une connaissance ou le développement d'une habileté. Les stratégies les meilleures sont celles qui amènent l'apprenant à s'engager (quoi?), lui donnent de la signifiance (pourquoi et quand?) et lui donnent du pouvoir par rapport à la tâche d'apprentissage (comment?). Toutes ces stratégies déclenchent la motivation intrinsèque de l'enfant.

Des facteurs de démotivation et de motivation

Des études récentes, faites autant dans le milieu du travail que dans le milieu scolaire, ont permis de mettre en évidence les causes qui conduisent à un désengagement de la personne face à sa tâche et son milieu:

1. Le manque d'orientations, de buts et d'objectifs ou la méconnaissance de ces orientations, buts et objectifs.
2. Le manque d'outils, de ressources financières, matérielles, humaines, intellectuelles.
3. Le non-engagement dans une organisation, une école ou une classe.
4. Le manque de rétroaction positive.
5. Le climat de travail malsain.
6. La mauvaise qualité des relations de travail.
7. Les échecs répétés.
8. La non-réussite.
9. Le non-respect du rythme de travail ou d'apprentissage.
10. Le manque de défis.
11. Le sentiment du manque de confiance.
12. L'isolement, l'absence de travail en équipe.
13. La routine, le manque d'innovation, de créativité.
14. Un environnement physique non stimulant et non fonctionnel.

Cette énumération pourrait facilement se reformuler autour de six facteurs prédominants:

1. L'engagement de l'adulte ou de l'élève dans son organisation.
2. Le climat et la qualité des relations de travail.
3. Le respect du rythme de travail.
4. La rétroaction positive.
5. La coopération et l'entraide.
6. La qualité des outils de travail et de l'environnement physique.

Après avoir exploré le concept de «motivation» dans son ensemble, il est de bon aloi de se centrer davantage sur la motivation scolaire. Ici, on ne peut dissocier la gestion de classe participative et la motivation. Les figures des pages suivantes montrent bien tout ce qui est en jeu dans la construction de la motivation scolaire.

Gestion de classe participative et motivation

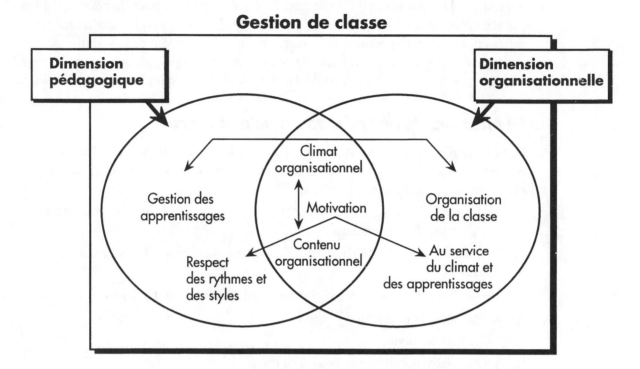

Gestion de classe

Dimension pédagogique

Dimension organisationnelle

Climat organisationnel

Motivation

Gestion des apprentissages

Organisation de la classe

Contenu organisationnel

Respect des rythmes et des styles

Au service du climat et des apprentissages

Construire la motivation de l'élève par la gestion de classe participative axée sur

- une relation interpersonnelle à travers les modes d'interactions et de communication dans le vécu quotidien pour développer des habiletés sociales et construire la motivation existentielle;
- une relation pédagogique à travers les apprentissages pour construire la motivation scolaire.

Motivation

Engagement — Participation — Persistance	
Existentielle • Ses buts dans la vie • Son identité personnelle: son image, ses forces, ses capacités • Ses projets, ses défis • Le pouvoir sur sa vie • Des outils de développement	**Scolaire** • Les buts de l'école (ses buts à l'école) • Ses perceptions de l'apprentissage • Ses expériences scolaires: son image • Ses projets à l'école, ses défis • Le pouvoir sur ses apprentissages • Des outils pour apprendre
Estime de soi	

Source: Lucille Robitaille.

Construire la motivation existentielle, préalable à la motivation scolaire, par le développement de l'estime de soi

a) À travers les modes d'interactions et de communication dans le vécu quotidien à l'école

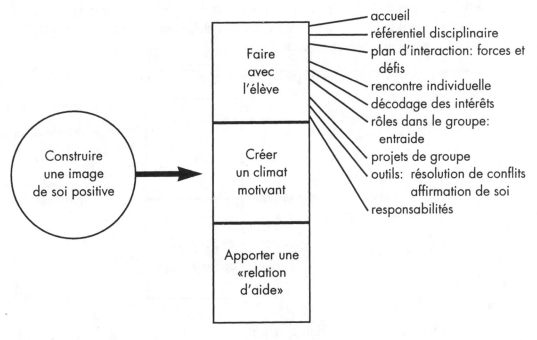

accueil
référentiel disciplinaire
plan d'interaction: forces et défis
rencontre individuelle
décodage des intérêts
rôles dans le groupe: entraide
projets de groupe
outils: résolution de conflits affirmation de soi
responsabilités

b) À travers les buts personnels que l'école peut lui offrir

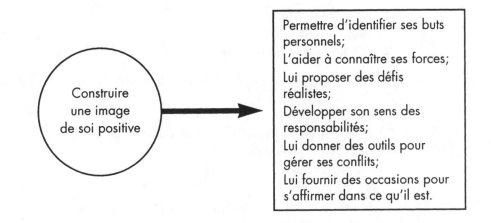

Permettre d'identifier ses buts personnels;
L'aider à connaître ses forces;
Lui proposer des défis réalistes;
Développer son sens des responsabilités;
Lui donner des outils pour gérer ses conflits;
Lui fournir des occasions pour s'affirmer dans ce qu'il est.

c) À travers les attitudes essentielles de son enseignante

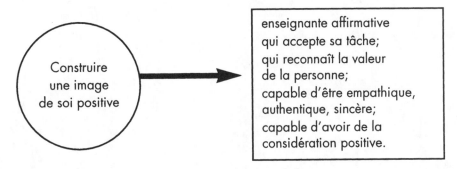

enseignante affirmative
qui accepte sa tâche;
qui reconnaît la valeur de la personne;
capable d'être empathique, authentique, sincère;
capable d'avoir de la considération positive.

Source: Lucille Robitaille.

Construire la motivation scolaire par la gestion des différences

a) À travers la perception que l'élève aura de l'école
- si l'école est centrée sur les apprentissages;
- si l'élève conçoit l'intelligence comme évolutive: le savoir se construit;
- s'il croit qu'il peut réussir (respect des rythmes et styles);
- s'il croit qu'il a du contrôle sur la tâche (procédures, stratégies);
- s'il anticipe un résultat positif.

b) À travers la relation pédagogique que l'élève vivra avec son enseignante

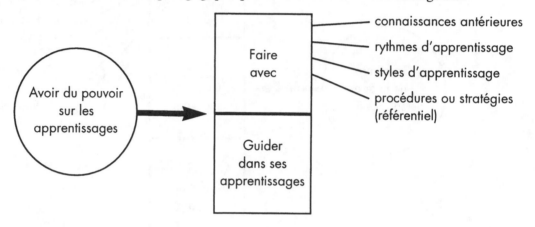

Liens avec la motivation scolaire
- conception des buts de l'apprentissage;
- perception:
  de la valeur de la tâche,
  des exigences de la tâche,
  de la contrôlabilité de la tâche.

La motivation scolaire résulte des expériences scolaires vécues et de leur impact sur l'estime de soi.

c) À travers les attitudes essentielles chez l'enseignante
- qui est capable de s'adapter,
- qui accepte l'erreur,
- qui reconnaît l'effort,
- qui donne de la rétroaction régulièrement,
- qui croit en l'évaluation formative.

d) À travers l'utilisation des outils organisationnels essentiels à la gestion des différences

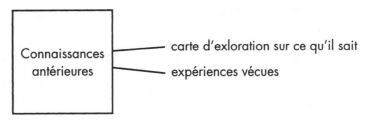

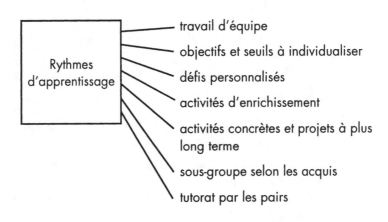

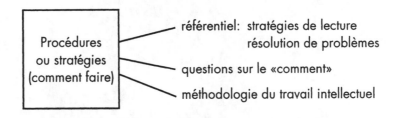

Ces figures mettent bien en évidence deux composantes de la motivation de l'élève: la motivation est le résultat d'un engagement du cœur (composante affective) et de la tête (composante cognitive). Elles peuvent servir de grilles de lecture pour interpréter la motivation ou la non-motivation.

Est-ce la composante affective qui est en jeu? L'élève se dira

– face à lui-même (estime de soi): «Je ne suis pas capable.» Ou: «Je suis capable.»
– face à sa famille (valeurs et modèles): «Mon père n'est pas instruit, il ne travaille pas.» Ou: «Mes parents sont respectés, les voisins les consultent.»
– face à l'école: «On est toujours en évaluation.» Ou: «J'apprends et je connais des réussites à l'école.»
– face à ses pairs: «Personne ne veut travailler avec moi.» Ou: «En équipe, on fait des choses formidables.»
– face à l'enseignante: «Elle ne s'occupe pas de moi.» Ou: «C'est quelqu'un en qui j'ai confiance.»
– face à la matière: «Je déteste les maths.» Ou: «Moi, le dessin, c'est ma force.»

Est-ce la composante cognitive qui est en jeu? L'élève se dira

– face à la tâche: «Je ne sais pas quoi faire, ni pourquoi, ni comment.» Ou: «Je sais où je vais et comment m'y prendre.»
– face à la signifiance de la tâche: «Je ne sais pas pourquoi on fait ça.» Ou: «Quand je fais ça, ça me fait penser à la vraie vie.»
– face aux acquis antérieurs: «Je n'ai jamais fait ça.» Ou: «Ça me rappelle ce que j'ai fait dans telle situation.»

Quand la tête et le cœur sont engagés positivement, la motivation de l'élève est à son meilleur niveau.

Stratégies pour amener l'élève à s'engager dans ses apprentissages ou pour susciter sa motivation

Dans le chapitre 3, «Comment créer un climat motivant dans ma classe?», à la page 91, on abordait déjà la question de la motivation. On y trouvait les distinctions entre motivation intrinsèque et extrinsèque et des éléments de réflexion sur l'estime de soi et la valorisation. La grille de Paul Hersey et son plan d'intervention général, à la page 106, pouvaient donner des pistes pour susciter la motivation selon le profil de l'élève. Toujours dans cette perspective, voici quelques stratégies qui peuvent être utiles à une enseignante qui se demande comment amener ses élèves à s'engager davantage dans la classe.

Pour amener l'élève à s'engager dans ses comportements:

1. l'amener à s'engager dans l'élaboration d'un référentiel disciplinaire de la classe: règles de vie, conséquences agréables et désagréables;
2. l'amener à auto-évaluer ses comportements;
3. l'amener à découvrir une de ses forces et un défi à relever pour une période donnée;
4. lui fournir des occasions de voir comment ses pairs le perçoivent (co-évaluation);
5. avoir avec lui au moins quatre rencontres-entrevues (remise de bulletin et identification des forces et des défis).

Pour amener l'élève à s'engager dans ses apprentissages:

1. lui faire connaître les objectifs d'apprentissage;
2. l'aider à objectiver ses apprentissages en lui donnant des pistes pertinentes;
3. donner des consignes tantôt verbales, tantôt écrites;
4. planifier avec les élèves l'échéancier des tâches (travaux à échéance plus longue);
5. introduire dans la classe l'autocorrection;
6. utiliser le plan de travail collectif ou personnel;
7. offrir aux élèves la possibilité de gérer le temps en classe par le biais d'un tableau de programmation, d'ateliers ou d'enrichissement;
8. animer l'agenda de façon à développer une meilleure gestion de cet outil;
9. développer avec les élèves des démarches d'apprentissage et des banques de stratégies;
10. élaborer avec les élèves un cahier de méthodologie du travail intellectuel;
11. informer les élèves sur leur porte d'entrée pour apprendre et sur les étapes qu'ils traversent lorsqu'ils apprennent.

Pour amener l'élève à s'engager dans l'évaluation de ses apprentissages:

1. faire connaître les objets d'évaluation;
2. formuler clairement les critères d'évaluation;
3. préciser les seuils de réussite;
4. donner des outils d'auto-évaluation;
5. utiliser la co-évaluation;
6. l'amener à découvrir un objet de réinvestissement, une force et un défi (journée, semaine, étape).

Méthodologie du travail intellectuel

La méthodologie du travail intellectuel est le produit d'une réflexion sur un agir, d'une objectivation. L'enseignante et l'élève regardent ensemble comment l'élève a fait l'acquisition d'une connaissance ou développé une habileté. Ils en déduisent un cheminement valable pour l'acquisition de nouvelles connaissances, le développement de nouvelles habiletés. Ils bâtissent ensemble une méthode à suivre qui peut être transférée dans toutes sortes de circonstances.

Cette initiation à la méthodologie du travail intellectuel est actuellement donnée dans certaines classes, avec des résultats variables. Trop souvent, en effet

- elle est faite de façon verbale et ne laisse aucune trace écrite. Il est difficile pour l'enfant de retrouver seul son cheminement par la suite;
- elle se fait de façon non concertée. Chaque enseignante d'une même école possède sa propre façon de faire et l'enseigne. L'enfant doit s'adapter et changer chaque année. Il serait pourtant facile de développer une concertation à l'intérieur d'une équipe pédagogique pour que certaines stratégies restent les mêmes d'une classe à l'autre;
- elle est faite intuitivement, spontanément. Il serait pourtant souhaitable que cette formation au travail intellectuel soit faite de façon structurée et consciente. Elle devrait être prévue au moment de la planification à court terme et s'inscrire dans une progression, comme toute autre formation;
- elle est faite mécaniquement, souvent décontextualisée donc sans liens avec le savoir d'expérience de l'apprenant, et aussi sans liens avec des matières précises. En réalité, la méthodologie du travail intellectuel est une responsabilité de chaque enseignante. S'il y a entente et concertation, chacune peut la mettre en application dans son propre domaine;
- elle est souvent vécue de façon directive, amenée par l'adulte, donc sans engagement de la part de l'apprenant. Autrement dit, l'élève reçoit la démarche, la stratégie sans y participer réellement. Comme ces outils ne lui appartiennent pas vraiment, les transferts sont rares et pénibles. On est alors en présence d'un contexte de méthode de travail intellectuel enseignée de façon mécanique ou fermée.

Trois mots clés de la méthodologie du travail intellectuel

La méthodologie du travail intellectuel repose en fait sur trois interrogations:

- Quoi développer?
- Comment développer?
- Par quels moyens?

À la première question, il faut répondre: des compétences. La méthodologie du travail intellectuel vise à développer une «qualité qui rend apte à réussir une entreprise avec un minimum de ressources et d'efforts», comme le dit Legendre (p. 681). Elle ne suppose donc pas seulement une connaissance, mais une habileté potentielle avec une mise en pratique et une objectivation. C'est à cette condition qu'elle sera réutilisable et deviendra donc une véritable méthodologie.

Poser la question du «comment développer?», c'est poser la question de la démarche d'apprentissage. Cette démarche est faite d'étapes successives à travers lesquelles l'élève doit passer pour acquérir l'habileté souhaitée. Elle est donc structurée: elle s'appuie sur les acquis, elle s'oriente en fonction d'objectifs précis, elle se précise en fonction d'un contexte, elle est ordonnée selon certains moyens, certains outils, elle débouche sur des résultats qu'il s'agit d'analyser pour en tirer l'enseignement nécessaire et les réinvestir. Les actions ont donc un lien entre elles et ne peuvent être faites dans n'importe quel ordre.

La démarche elle-même est faite de stratégies. C'est l'ensemble des opérations, des ressources et des moyens pédagogiques qui permettent de vivre la démarche. Les stratégies sont plus souples, plus personnelles et donc plus appropriées à la personne qui vit la démarche. Elles s'expriment souvent en termes d'outils concrets.

Les traces de la méthodologie du travail intellectuel

Si la méthodologie du travail intellectuel est le résultat d'une concertation entre l'enseignante et l'élève, elle devrait déboucher sur la mise en place d'une trousse de travail ou d'un coffre d'outils constamment à la portée de l'élève. Ce coffre d'outils peut prendre la forme d'un cahier ou d'un classeur que l'on étoffe tout au long de l'année. L'enseignante peut le conserver à la fin de l'année scolaire pour le remettre à l'enseignante qui recevra l'élève en septembre. Avec l'élève, on pourra élaguer ce coffre d'outils, le mettre à jour et continuer, par la suite, son élaboration. Voici un exemple de ce qu'il pourrait contenir à la fin du primaire.

MON COFFRE D'OUTILS

Outils d'ordre général:

1. Comment présenter un travail dans mon cahier?

2. Comment aider mon ami à apprendre?

3. Comment travailler en équipe?

4. Comment résoudre des conflits?

5. Quelle est ma porte d'entrée pour apprendre?

6. Comment faire une recherche?

7. Comment me préparer à un examen?

8. Comment travailler mes devoirs et mes leçons?

9. Comment gérer mon agenda?

10. Comment planifier mes échéanciers?

11. Comment démarrer un projet personnel?

12. Comment prendre des notes?

13. Comment développer mon attention et ma concentration?

14. Comment travailler ma calligraphie?

15. Comment objectiver mes apprentissages?

16. Quelles sont les étapes que je vis quand j'apprends?

17. Quelles sont les stratégies dont je dispose pour mieux réussir mes apprentissages?

(Suite)

Outils utiles en français:

1. Quelles sont les stratégies de lecture qui peuvent m'aider à lire et à mieux comprendre un texte?

2. Comment écrire des textes qui vont me permettre
   - de raconter?
   - d'informer?
   - d'exprimer des sentiments et des points de vue?
   - de passer à l'action?
   - de jouer avec les mots?

3. Comment élaborer le plan d'un texte?

4. Comment corriger l'orthographe d'un texte?

5. Comment chercher dans le dictionnaire?

6. Comment copier sans faire de fautes?

7. Comment mémoriser des mots d'orthographe?

8. Comment préparer un compte rendu oral?

9. Comment rédiger une lettre?

Outils utiles en mathématiques:

1. Comment résoudre un problème? (démarche)

2. Quelles sont les stratégies qui peuvent m'aider à vivre chacune des étapes de la démarche?

Outils utiles en sciences:

1. Comment vivre la démarche scientifique?

Conclusion

L'ensemble de la réflexion qui précède permet de voir que tout se tient dans la gestion du contenu organisationnel. À la base de l'action pédagogique en œuvre dans des démarches, procédures ou stratégies, il y a une philosophie. Cette philosophie est clairement énoncée dans des programmes dont les fondements sont «essentiellement définis à partir de l'enfant, de ses besoins, de ses modes de croissance[10]...» et en fonction du monde dans lequel il doit vivre. Cette philosophie engendre des conceptions de l'apprentissage; elle est vécue dans des styles d'enseignement, à travers des démarches différentes. Toute enseignante peut donc y trouver sa place. Il lui suffit de respecter deux principes fondamentaux, la cohérence et la signifiance. Son «savoir» deviendra un «savoir-faire» et un «savoir-être». On parlera alors de compétences possédées par l'apprenant.

---

10. MINISTÈRE DE L'ÉDUCATION, *Programme d'études en formation personnelle et sociale au primaire*, Québec, Direction générale du développement pédagogique, Division de la formation générale, 1984, p. 15.

PENDANT L'EXPÉRIMENTATION

Tu trouveras dans le chapitre 1, aux pages 21, 22, 26 et 27, les éléments de réflexion et l'instrument nécessaires pour vivre les trois étapes:

– l'expérimentation,
– l'objectivation,
– le réajustement.

APRÈS L'EXPÉRIMENTATION

Pour t'aider à faire le point sur le défi que tu viens de relever, concernant le contenu organisationnel, retourne au chapitre 1, aux pages 22, 23, 28 et 29. Tu y trouveras les éléments de réflexion nécessaires pour faire:

– l'évaluation,
– le réinvestissement.

Des instruments te permettront d'accomplir ces dernières étapes.

4.1 MA PHILOSOPHIE DE L'ÉDUCATION ET DE L'ENSEIGNEMENT
(Outils de planification)

Contexte et utilité

Le projet éducatif de l'école est une réalité très répandue dans les milieux scolaires. Toutefois, on entend moins parler de projets éducatifs de classe. Même si l'on vit de façon informelle un projet éducatif dans la classe, pourquoi ne pas l'articuler en début d'année et le communiquer par la suite à la direction de l'école, aux parents et aux élèves?

Dans cette optique, prendre le temps, en début d'année, de réfléchir sur son acte éducatif et pédagogique permettrait aux pédagogues de transformer des gestes intuitifs en une prise de conscience plus grande. N'est-ce pas là une piste intéressante pour vivre un projet collectif?

Pistes d'utilisation

1. Cerne les valeurs, les croyances qui animent quotidiennement tes gestes pédagogiques et éducatifs posés en classe. (*Voir page 230.*)

2. Formule les objectifs que tu désires atteindre au cours de l'année. (*Voir page 231.*)

3. N'oublie pas de vivre la phase du décodage des attentes (*voir page 232*):
   • élèves → enseignante;
   • enseignante → élèves;
   • parents → enseignante;
   • enseignante → parents.

4. Décode avec les élèves les activités, les projets qu'ils désirent vivre pour apprendre et pour se développer. (*Voir page 233.*)

5. Élabore ton plan d'action par la suite. (*Voir page 234.*)

6. Communique à la direction de l'école ce plan d'action et verbalise les besoins qui en découlent.

MON PROJET ÉDUCATIF DE CLASSE

Quand on œuvre dans un système d'éducation, il m'est essentiel en début d'année d'identifier les *valeurs,* les *croyances* qui motivent son agir.

Puis, dans un second temps, il m'est aussi essentiel de déterminer *ses objectifs,* de décoder *ses attentes,* de préciser *ses projets* et aussi *son plan d'action.*

Nom: _____

Date: _____

Les valeurs que j'aimerais véhiculer au sein de ma classe sont:

_____

_____

_____

_____

_____

_____

_____

_____

_____

_____

_____

_____

Les croyances qui m'animent sur le plan éducationnel et pédagogique sont:

_____

_____

_____

_____

_____

_____

_____

_____

_____

_____

_____

_____

_____

_____

Les objectifs que je désire atteindre avec mes élèves cette année sont:

Objectifs reliés à ceux de la commission scolaire ou de l'école:

_____

_____

_____

_____

_____

_____

_____

Objectifs reliés à l'activité professionnelle de l'enseignante (à la tâche):

_____

_____

_____

_____

_____

_____

_____

_____

Objectifs reliés au développement, à la croissance personnelle de chaque enseignante:

_____

_____

_____

_____

_____

_____

_____

_____

_____

Les attentes que je veux décoder sont:

Décodage des attentes des élèves à l'égard de l'enseignante:

_____

_____

_____

_____

_____

_____

_____

_____

_____

_____

_____

Décodage des attentes de l'enseignante à l'égard des élèves:

_____

_____

_____

_____

_____

_____

_____

_____

_____

_____

_____

_____

_____

Décodage des attentes des parents à l'égard de l'enseignante:

_____
_____
_____
_____
_____
_____
_____
_____
_____
_____
_____
_____

Décodage des attentes de l'enseignante à l'égard des parents:

_____
_____
_____
_____
_____
_____
_____
_____
_____
_____
_____
_____
_____
_____

Les projets et les activités que je désire vivre avec mes élèves sont:

Les projets   Les activités

_____   _____
_____   _____
_____   _____
_____   _____
_____   _____
_____   _____
_____   _____
_____   _____
_____   _____
_____   _____

Pour atteindre les objectifs que je me suis fixés, je demande que ma direction d'école m'aide de la façon suivante:

_____
_____
_____
_____
_____
_____
_____
_____
_____
_____
_____
_____

MON PLAN D'ACTION

Je détermine les démarches, les stratégies et les procédures que je vais mettre en place pour atteindre les objectifs définis précédemment:

Objectifs poursuivis	Démarches, stratégies et procédures utilisées	Échéancier	Ressources nécessaires	Objectivation et évaluation à prévoir

4.2 UN COFFRE D'OUTILS POUR APPRENDRE

(Un atout à se donner)

Contexte et utilité

La méthodologie du travail intellectuel prend de plus en plus d'importance auprès des intervenantes et des intervenants en éducation. On s'aperçoit que, pour apprendre, les élèves ont besoin d'outils: démarches, procédures et stratégies.

Présentement, il se vit une certaine forme de méthode de travail dans les classes. Regardons de plus près ce qui se vit et voyons comment on pourrait améliorer cette méthode et la raffiner.

Modèle actuel	Modèle en devenir
• verbale	• écrite, visuelle
• intuitive	• planifiée
• individuelle	• concertée au niveau d'une école
• dirigée par l'adulte	• participative, avec les élèves
• éparpillée	• progressive, en lien avec le vécu
• artificielle, mécanique	• signifiante, greffée sur le savoir d'expérience de l'élève

Toutefois, cette méthode de travail intellectuel doit être vécue et articulée avec la participation des élèves. Sans eux, elle risque d'être transmise de façon fermée et mécanique.

Les divers outils élaborés pourraient être conservés dans un coffre d'outils propre à chaque élève. Voyons de plus près comment pourrait prendre naissance ce petit cahier maison de méthodologie du travail intellectuel.

Pistes d'utilisation

1. Fais acheter par les élèves en début d'année un cahier, dans le genre d'une reliure à anneaux, que l'on pourrait baptiser «Mon coffre d'outils». On pourrait trouver dans ce cahier des outils d'ordre général ainsi que des outils propres au français, aux mathématiques et aux sciences.

2. Fais un bilan des outils actuels que les élèves de la classe possèdent déjà ou que tu leur as déjà donnés. Consolide ce qui est déjà existant. Introduis des outils nouveaux en regard des lacunes cernées.

3. Introduis toujours l'outil au groupe-classe. Travaille d'abord avec les élèves le référentiel visuel collectif sur une pancarte. Par la suite, transforme ce référentiel collectif en un référent personnel.

4. Profite d'un moment d'objectivation pour introduire un outil. Rattache ce dernier à une situation d'apprentissage, dans un contexte d'utilité, plutôt que l'enseigner de façon artificielle, sans liens signifiants avec le vécu actuel.

5. Fais un consensus à l'échelle de l'école afin d'établir des priorités d'intervention pour chacun des niveaux.

6. À la fin de l'année, ce cahier peut être conservé à l'école. L'année suivante, l'enseignante le remet aux élèves pour le mettre à jour et le processus redémarre.

COMMENT PARTICIPER
AU MAXIMUM EN CLASSE?
(MODÈLE SIMPLE)

1. L'attention, la concentration

J'entends et j'écoute, j'y mets toute mon attention, ma concentration.

Comment puis-je faire pour y arriver?

❏ En sortant dès le début de la leçon tout ce dont j'ai besoin.

❏ En me tenant bien.

❏ En lisant et en écoutant bien la consigne avant de faire mon travail.

❏ En prenant le temps de comprendre le travail à faire avant de me lancer dans la tâche.

❏ En posant des questions lorsque je ne comprends pas.

❏ En adaptant le volume de ma voix et mon comportement au travail demandé.

❏ En prenant le temps de réviser à la fin de mon travail.

UN PETIT CONSEIL
Installe-toi convenablement pour travailler.
Tu éviteras ainsi de te fatiguer rapidement et ton travail sera de meilleure qualité.

Source: École Paul VI, Sainte-Dorothée, commission scolaire Chomedey-Laval.

COMMENT SUIVRE
EFFICACEMENT UN COURS?
(MODÈLE PLUS COMPLEXE)

1. J'arrive à temps, je prévois mon matériel et l'apporte régulièrement en classe.

2. Je reste calme, c'est un bon moyen d'augmenter ma concentration.

3. Je fais une chose à la fois.

4. J'écoute attentivement toutes les explications.

5. J'essaie de comprendre les explications.

6. Je classe et note, dans mon cahier, les idées principales et les idées secondaires.

7. J'établis des liens entre les diverses connaissances.

8. Je cherche les causes et les conséquences de ce que j'entends.

9. Je questionne mon enseignante si les choses ne sont pas assez claires… MAIS je prépare ma question.

10. Je réalise tous les travaux demandés pendant une période et termine à la maison si nécessaire.

11. Je garde et révise régulièrement mes notes de cours.

12. Je classe soigneusement chez moi les notes de cours de chaque étape: elles me seront utiles lors des examens de fin d'année.

13. Je jette tout ce qui est inutile; je prends l'habitude de faire le ménage de mon cartable tous les mois.

14. Je note dans mon agenda ce que j'ai à faire, je me fais un plan hebdomadaire… La planification, c'est la clé du succès.

Source: Extrait d'un agenda utilisé par une élève du secondaire.

COMMENT TRAVAILLER
INDIVIDUELLEMENT DE FAÇON EFFICACE?

1. Je comprends ce que j'ai à faire (la tâche, le mandat). Quoi faire?

2. Je m'assure que j'ai bien tous les outils nécessaires pour démarrer mon travail.

3. Je décide comment m'y prendre (la démarche, la procédure et les stratégies). Comment faire?

4. Je planifie ce que j'ai à faire et j'essaie de respecter l'échéancier. Quand?

5. J'accomplis la tâche demandée.

6. Au besoin, je consulte d'abord mon coffre d'outils, puis ma conseillère ou mon conseiller et, finalement, mon enseignante.

7. Je vérifie mon travail au fur et à mesure que j'avance.

8. Je jette un dernier coup d'œil sur le résultat final dès que j'ai terminé mon mandat.

9. Je m'auto-corrige, s'il y a lieu, ou je remets mon travail à mon enseignante.

10. Je m'auto-évalue chaque fois qu'on me le suggère.

COMMENT RÉALISER
UNE COPIE PARFAITE?

1. Je me concentre.

2. Je lis tout le texte en entier.

3. Je relis la première phrase.

4. Je ferme les yeux. Je la vois dans ma tête ou je l'entends.

5. Je relis le mot à copier.

6. Je compte les lettres dans le mot à copier.

7. Je copie le mot.

8. Je vérifie le mot copié.

9. Je copie ainsi tout le texte.

10. Quand j'ai terminé la copie, je relis le texte du début à la fin.
Je peux même faire l'inverse.

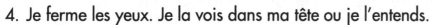

Source: D'après Monique Bilodeau-Boilard, de la commission scolaire Jean-Rivard, Plessisville.

COMMENT SOIGNER LA PRÉSENTATION
DE MON TRAVAIL?

J'écris à double interligne et de ma plus belle écriture.

Je tiens ma feuille d'une main quand j'écris.

Je prends le temps de former toutes mes lettres et si j'ai des difficultés, je vérifie les modèles de lettres insérés dans mon guide.

Pour effacer sans froisser ma feuille, je prends ma gomme à effacer dans une main et je retiens ma feuille près de l'endroit à effacer de l'autre main.

Je me sers de ma règle pour souligner un mot, une phrase, ou tracer une ligne.

Une feuille de cahier à anneaux a un sens. Je m'assure que la marge et les trous sont à gauche.

> ## UN PETIT CONSEIL
> Assure-toi d'avoir les mains propres.
> Si ton travail est bien présenté,
> il sera plus facile à lire.
> Tu augmentes ainsi tes chances de succès.

MA FORCE: **MON DÉFI:**

_____   _____

Source: École Paul VI, Sainte-Dorothée, commission scolaire Chomedey-Laval.

PRÉSENTATION DES TRAVAUX
DANS MES CAHIERS

Dans mes cahiers, je présente mes travaux en français, en mathématiques ou en sciences de la même façon. Je me sers de ma règle pour tracer une ligne droite à la fin de mon travail ou de ma journée.

1re année

	Le mercredi 14 septembre 1994
Page et numéro	**M**atière
	Début du travail

2e année

	Le mercredi 14 septembre 1994
Page et numéro	**M**atière
	Début du travail

Écris toujours près de la marge et continue jusqu'à la fin de la ligne.
Dans tes travaux d'écriture, écris toujours à double interligne.

Source: École Paul VI, Sainte-Dorothée, commission scolaire Chomedey-Laval.

LA PRÉSENTATION DES TRAVAUX

• J'écris dans les trottoirs.

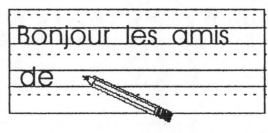

• Je fais le bon tracé.

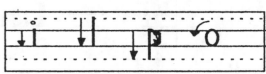

• Je pose la main sur la feuille
pour qu'elle ne bouge pas
et j'écris avec l'autre main.

• Je remets un travail propre.

• J'efface comme me l'a montré
mon enseignante.

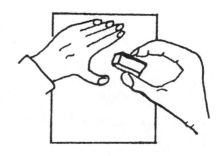

Source: École Paul VI, Sainte-Dorothée, commission scolaire Chomedey-Laval.

COMMENT PRÉSENTER UN TRAVAIL
SUR UNE FEUILLE?

Je présente mes travaux sur des feuilles en respectant la démarche proposée.

Luc Ouimet   *n° 20*

Le mardi 14 septembre 1993

Mathématiques

Je commence mon travail sur cette ligne.

Je saute une ligne en tout temps.

Je saute deux lignes entre chaque paragraphe.

Chaque paragraphe commence par un alinéa de 2 cm.

Partout ailleurs, je commence à écrire près de la marge.

Source: École Paul VI, Sainte-Dorothée, commission scolaire Chomedey-Laval.

COMMENT FAIRE SES DEVOIRS
AVEC FACILITÉ?

Voici des petites idées pour t'aider à faire tes devoirs.

Le coin travail → Choisis un endroit calme, sans bruit, bien aéré.

Essaie de toujours faire tes devoirs à cet endroit.

Les bons outils → Comme le menuisier dans son travail, assure-toi d'avoir tout ce qu'il te faut avant de commencer tes devoirs.

À l'école, mets dans ton sac tous les cahiers, livres et feuilles nécessaires pour tes devoirs.

La méthode → Certains élèves préfèrent commencer par ce qu'ils aiment le plus.

D'autres préfèrent finir par ce qu'ils aiment le plus.

C'est à toi de décider ce qui est le plus agréable pour toi.

Des stratégies → Je te propose des trucs pour tes devoirs et tes leçons.

Essaie de varier les façons de faire.

- Dans ta tête, essaie de revoir ou de réentendre l'enseignante donner les explications des devoirs.

- Pense à un travail que tu as déjà fait et qui ressemble à ton devoir: comment l'avais-tu fait?

- Invente-toi des trucs pour mémoriser.
  Exemple: le mot «toujours» prends toujours un «S».

- Joue au prof avec tes parents. Explique dans tes mots les explications que tu as reçues en classe.

- Fais-toi des résumés.

- Répète à voix haute les renseignements à mémoriser, réécris-les.

- Souligne les éléments importants, utilise des marqueurs.

- Écris-toi des petites notes, trouve des aide-mémoire.

Source: École Paul-VI, Sainte-Dorothée, commission scolaire Chomedey-Laval.

COMMENT ÉTUDIER EFFICACEMENT?
(MODÈLE PLUS COMPLEXE)

1. Je commence par me mettre en forme, une petite sortie à l'extérieur me détend et me repose.

2. J'organise soigneusement mon environnement: coin tranquille bien aéré, table débarrassée de tout ce qui pourrait me distraire, musique, télé.

3. Je prends le temps de bien m'installer… avec tout mon matériel.

4. J'évalue ce que j'ai à faire et je planifie mon travail.

5. Je commence par le plus difficile.

6. Je commence par mes leçons, ensuite mes devoirs. Je peux m'ajuster selon les besoins.

7. Je lis attentivement le texte.

8. Je garde mon esprit bien éveillé.

9. J'essaie de bien comprendre chaque mot, de comprendre les liens, de voir les détails.

10. J'essaie toujours de comprendre avant de mémoriser.

11. Je fais des tableaux, des synthèses personnelles.

12. J'interprète les documents figurés et écrits qui sont dans mon manuel. Bien les comprendre aide à mémoriser.

13. Je répète à haute voix, si nécessaire, afin de mieux mémoriser.

14. Après l'étude, je tente de me souvenir: si c'est confus ou difficile à faire, je recommence.

COMMENT RÉUSSIR À UN EXAMEN?

Le succès lors d'un examen est rarement assuré par un effort fait à la dernière minute ou la veille d'un test. Il découle de l'acquisition d'une solide méthode de travail qui se développe chaque jour.

Ainsi, je dois:

❏ être attentive, attentif aux cours;

❏ réviser régulièrement la matière, à la demande de l'enseignante;

❏ être à jour dans mes travaux.

La veille de l'examen, je me couche tôt. Le matin, je prends un bon déjeuner.

Quand l'enseignante distribue les copies:

❏ je me tais;

❏ je me concentre;

❏ je respire profondément et je gère mon stress;

❏ je lis attentivement le questionnaire;

❏ je contrôle mon impulsivité;

❏ je me parle positivement;

❏ je fais ce que je sais en premier;

❏ je passe ensuite au plus difficile;

❏ je réponds à toutes les questions.

À la fin de l'examen, je relis mes consignes et mon travail.

COMMENT PRÉSENTER
UN ARTICLE DE JOURNAL?

1. Titre de l'article:_____

2. Nom du journal: _____

3. Date de parution de l'article:_____

4. Catégorie:

   ❑ actualité   ❑ domaine artistique

   ❑ politique   ❑ animaux

   ❑ sport   ❑ domaine de la santé

   ❑ monde scolaire   ❑ jeux

   ❑ mode   ❑ domaine scientifique

5. Classification:

   ❑ local   ❑ provincial

   ❑ scolaire   ❑ national

   ❑ régional   ❑ international

6. Résumé en quelques mots ou en quelques lignes:

   _____

   _____

   _____

   _____

   _____

   _____

   _____

COMMENT FAIRE UNE RECHERCHE?
(MODÈLE SIMPLE)

Cadre de référence pour l'élève

> **MON SUJET DE RECHERCHE EST:**

> CE QUE J'EN SAIS

> CE QUE JE VEUX SAVOIR

> CE QUE JE TROUVE

> CE QUE J'AI APPRIS

> CE QUE JE CONSIGNE

> CE QUE JE COMMUNIQUE AUX AUTRES

251

COMMENT FAIRE UNE RECHERCHE?
(MODÈLE INTERMÉDIAIRE)

Pour réaliser une recherche, tu utilises la démarche suivante:

1. Tu choisis un sujet de recherche qui t'intéresse.

2. Tu écris tout ce que tu sais sur ce sujet.

3. Tu écris entre cinq et dix questions que tu te poses sur le sujet. Pour alimenter ton questionnement, tu peux même demander à d'autres élèves ce qu'ils voudraient connaître du sujet.

4. Tu cherches de l'information sur le sujet, soit:
   – dans les livres;
   – dans les revues;
   – dans les journaux;
   – auprès des personnes, en les questionnant.

5. Tu réponds aux questions en résumant dans tes mots les renseignements trouvés. Tu fais des phrases complètes et que tu comprends.

6. Tu trouves des illustrations complétant les renseignements.

7. Tu copies ta recherche au propre. Si tu en as la possibilité, tu peux utiliser le traitement de texte.

8. Tu fais attention à la présentation sur papier:
   – mise en pages;
   – calligraphie;
   – propreté;
   – disposition.

9. Tu fais la page couverture, la table des matières et la bibliographie.

10. Tu présentes ta recherche par différents moyens d'expression.

COMMENT FAIRE UNE RECHERCHE?
(MODÈLE COMPLEXE)

1. Phase d'exploration
   - Je choisis mon sujet de recherche.
   - Je formule les questions de ma recherche.

2. Phase de collecte de données
   - Je précise au besoin chaque question.
   - Je détermine les sources de renseignements disponibles
     (livres, revues, encyclopédies, dictionnaires que je peux consulter).
   - Je précise comment je vais présenter les informations,
     les données recueillies.
   - Je fais la collecte de données:
     - Je consulte les livres, les revues et les journaux;
     - Je consulte la table des matières et l'index;
     - Je cherche et je relève les informations pertinentes en regard
       des questions.

3. Phase de traitement des données
   - J'analyse les données.
     - Je trie les informations recueillies.
     - Je supprime celles que je ne veux pas.
     - Je classe et je regroupe les informations pertinentes, selon les questions.
     - Je compare les informations recueillies; je peux regarder dans plusieurs
       livres.
     - Je vérifie la pertinence des informations recueillies.

4. Phase de synthèse
   - Je fais la synthèse des résultats. Je fais le développement.
   - Je fais ma conclusion.

5. Production au propre
   - Je fais la production de ma recherche au propre, soit à la main,
     soit à l'ordinateur (traitement de texte, base de données).
   - J'accompagne ma production de dessins et d'illustrations.
   - Je fais la table des matières.
   - Je fais la page-couverture.
   - Je fais la bibliographie.

6. Présentation de ma recherche
   - Je présente ma recherche devant la classe.

Source: Commission scolaire de la Jeune-Lorette.

COMMENT TROUVER LES LIVRES NÉCESSAIRES À MA RECHERCHE?

1. Consulter la liste par sujet à la bibliothèque.
    - Consulter d'abord la colonne de gauche: «Vedettes-matières»;
      exemple: Animaux

    - Pour chaque livre de la catégorie trouvée dans la colonne de gauche,
      aller à la colonne de droite pour y chercher plus de détails;
      exemple: Nos amis ailés.

2. Noter les titres et les cotes des livres qui semblent utiles à ma recherche;
    exemple: *Les oiseaux du Québec* 598.5 Par.1;
    Les mammifères 599.

3. Trouver les livres sur les rayons à l'aide de leur cote.

4. Consulter la table des matières de chaque livre. Éliminer les livres qui ne
    semblent pas utiles à ma recherche.

5. Lire les chapitres qui me semblent utiles pour y chercher les réponses
    à mes questions.

6. Noter les réponses sur des fiches de travail individuelles et noter les
    références: auteur, année de publication, titre, cote;
    exemple: DELAGE, T. (1980), *Les mammifères de nos régions*, 599.026.

COMMENT METTRE EN PAGES UNE RECHERCHE?

1. Présentation du sujet.

2. Articulation du contenu:

    ❑ page couverture

    ❑ table des matières

    ❑ introduction
    (Je présente le sujet.)

    ❑ développement
    (Je parle du sujet et je fais
    les chapitres selon les thèmes.)

    ❑ conclusion

    ❑ illustrations à prévoir

    ❑ bibliographie
    (au moins deux livres)

Source: Pierrette Gaudreau, Le savoir-apprendre: 1ᵉʳ cycle du primaire — 2ᵉ cycle du primaire, Aylmer,
Commission scolaire d'Aylmer, 1992.

4.3 DES OUTILS POUR CÔTOYER LES MATIÈRES

(Des points de repère)

Contexte et utilité

Dans son livre *L'enseignement stratégique*, Jacques Tardif nous parle de l'importance d'accompagner l'élève dans son processus d'apprentissage. Il nous dit: «Pour que l'apprentissage soit signifiant, durable et transférable, n'oublions pas d'intervenir au niveau des connaissances déclaratives (quoi?), procédurales (comment?) et conditionnelles (pourquoi? et quand?).»

Pour l'articulation de cet outil, retenons la dimension du comment: démarches, procédures et stratégies. Encore là, il faut établir des nuances entre les divers concepts qui gravitent autour de la méthode de travail intellectuel:

QUOI DÉVELOPPER?	COMMENT?	COMMENT?	COMMENT?
Habileté	Démarches	Procédures	Stratégies
capacité à..., savoir-faire, compétence	il y a des étapes, un ordre à respecter, mode d'emploi ou d'utilisation, la démarche est plus générale que la stratégie	technique démarche recette rituel routine	outil, truc, moyen plus spécifique, plus personnel à chaque individu Les stratégies aident à actualiser la démarche.

Pour amener l'élève à jouer avec les démarches et les stratégies, encore faut-il que l'intervenante les ait d'abord apprivoisées au préalable. Afin de visualiser les contenus possibles de ces différents outils, explorons-en un certain nombre.

Pistes d'utilisation

1. Donne-toi un guide d'animation en méthodologie du travail intellectuel. Ce document structuré à l'avance s'adresserait plus à toi qu'aux élèves. Il servirait à te sécuriser dans ton animation.

2. Commence par faire un bilan à l'échelle de l'école en regard de la méthodologie de travail intellectuel. Dresse l'inventaire de tous les outils développés et remis aux élèves tout au long d'une année, et ce peu importe le niveau d'âge concerné.

3. Élabore une liste de tous les outils pertinents que les élèves devraient posséder lors de leur passage au primaire, au secondaire ou au collégial. En d'autres mots, établis le profil de passage des élèves par rapport à la méthodologie du travail intellectuel.

4. Évalue l'écart entre la situation actuelle et la situation souhaitée. Ce sont des points de repère pour un développement éventuel dans ce domaine.

5. Répartis les outils par cycle ou par ordre d'enseignement afin d'éviter des répétitions ennuyeuses et des oublis néfastes. Ce classement ne t'empêche pas d'explorer un outil au besoin, mais n'en fais pas pour l'instant un objectif terminal.

COMMENT COMPRENDRE UN TEXTE?

Rappelle-toi la démarche à suivre pour lire!

1  Je dis dans mes mots:
- la question qu'on me pose;
- l'activité qu'on me demande de faire.

2 Je lis le titre et les sous-titres.

3  Je regarde les illustrations.

4  Je pense à ce que je connais.

5 Je lis le texte
pour vérifier si j'ai bien deviné.

J'utilise les cinq clés:

 mot connu   mot deviné   tous les mots

 mot déguisé   partie de mot

6 Je réponds à la question
ou je fais l'activité.

Source: Denise Gaouette, En tête — Livre de lecture A, *Saint-Laurent, E.R.P.I., page IV.*

COMMENT RÉDIGER UN PLAN?

1. Détermine ton OBJECTIF.
   - Je m'adresse à… (INTERLOCUTEUR)
   - Je parle de… (SUJET)
   - Mon but est… (INTENTION D'ÉCRITURE)

2. Détermine, à partir de ton INTENTION D'ÉCRITURE, ce que ton écrit doit forcément contenir.
   - Y donneras-tu tes goûts, tes opinions, tes sentiments?
     Oui, si c'est un TEXTE EXPRESSIF.
   - Y donneras-tu des consignes, des directives, des arguments?
     Oui, si c'est un TEXTE INCITATIF.
   - Y donneras-tu des renseignements, des explications?
     Oui, si c'est un TEXTE INFORMATIF.
   - Y mettras-tu des jeux de mots, de la magie, du beau, du merveilleux, de l'invraisemblable? Oui, si c'est un TEXTE LUDIQUE ou POÉTIQUE.

3. Sélectionne tes RENSEIGNEMENTS, CONSIGNES, OPINIONS et IDÉES.
   - Ai-je suffisamment de renseignements, d'opinions?
   - Mes données, mes arguments sont-ils précis et pertinents?
   - Ai-je donné des directives, des renseignements inutiles, superflus?

4. Ordonne tes PARAGRAPHES pour que ton texte soit cohérent, logique:
   - ordre logique;
   - ordre chronologique;
   - paragraphes: INTRODUCTION, DÉVELOPPEMENT, CONCLUSION;
   - mots-liens;
   - indices de temps et de lieu.

5. Respecte les CONVENTIONS établies pour chaque type d'écrit:
   - lettre;
   - carte postale;
   - bandes dessinées;
   - etc.

Source: Lise Bernard, Systèmes-écriture, Boucherville, Graficor, p. 60.

COMMENT RÉUSSIR
UNE COMMUNICATION ÉCRITE?

Pour bien écrire un texte, j'ai besoin de jouer quatre personnages:

Un inventeur

Un menuisier

Un architecte

Un juge

QUAND JE SUIS...

1

L'INVENTEUR,

j'utilise la tempête d'idées, la carte d'exploration (technique de créativité).

J'invente, j'invente, j'invente…
J'ai des idées, j'ai des idées,
j'ai des idées…
J'écris, j'écris, j'écris…
Je fais un brouillon.

Qu'est-ce que ça veut dire, «faire un brouillon»?

Faire un brouillon, c'est écrire les phrases qui nous passent par la tête **le mieux possible mais sans s'arrêter** pour ne pas perdre son idée.

Faire un brouillon,

c'est écrire **assez vite pour ne pas perdre son idée mais pas trop vite, car on ne pourrait plus se relire**.

Quand je suis inventeur, moi, je fais un brouillon, des fois deux!

QUAND JE DEVIENS...

2 ....

L'ARCHITECTE,

je fais mon plan.

Je relis mon brouillon et je pense.

Je **choisis** les meilleures idées et je les **mets en ordre**.

1. Je pense à ceux qui vont lire mon texte et je choisis les meilleures idées:
   - pour leur faire part de mes sentiments;
   - pour les amuser ou les divertir;
   - pour leur donner des informations utiles ou intéressantes;
   - pour leur faire faire quelque chose;
   - pour les convaincre ou les persuader.

   Souvent, je dois barrer des lignes de mon texte ou changer des idées.

2. Je pense et je mets mes idées en ordre.

   Il faut être sûr que les idées ne sont pas toutes mêlées.

   Un texte où les idées sont mêlées, c'est comme une maison qui n'est pas assez solide.

3. Souvent aussi, je dois regrouper mes idées ensemble pour faire des paragraphes.

QUAND JE DEVIENS...

 ....

LE MENUISIER,

je rédige ma production écrite.

Je **relis** et je **vérifie** chacune de **mes phrases**.

1. J'utilise des phrases bien faites.
   (Il faut de bonnes planches, pas trop longues.)
   (Il ne faut pas que les planches dépassent.)
2. Je vérifie si mes phrases vont bien l'une à la suite de l'autre.
   (Il faut des planches bien clouées.)
3. J'utilise les bons mots-outils, les bons signes de ponctuation et les majuscules.
   (Il faut utiliser les bons clous.)

QUAND JE DEVIENS...

4 ....

LE JUGE,

je travaille sur mon texte et j'en fais la mise au propre.

J'examine tous **les mots** de mon texte et je **corrige** mes erreurs.

1. Je corrige toute seule, tout seul les mots que j'ai appris cette année. Si je doute, je consulte mon cahier ou mon fichier.
2. Je me pose des questions sur certains mots plus compliqués, je consulte des listes de mots, des tableaux ou le dictionnaire.
3. Je me pose des questions sur les dernières lettres de certains mots, par exemple: S ou pas, ES ou pas, NT ou pas, ER ou É, etc.
   Je consulte les affiches ou ma trousse d'écriture.
   Si vraiment je ne trouve pas la réponse, je consulte une experte ou un expert dans la classe.
4. Je me pose des questions sur les mots qui se prononcent de la même façon: À/A, MAIS/MES, etc.
5. Je transcris proprement, avec application.

Source: Adapté de Victor Guérette, «Savoir écrire, c'est savoir jouer quatre personnages», Québec français, mai 1985, pages 50 à 53.

Feuille reproductible. © 1994 Les Éditions de la Chenelière inc.

COMMENT COMPOSER
UN TEXTE INCITATIF?

- Utilise des ARGUMENTS CONVAINCANTS.

- Réfléchis au NOMBRE D'ARGUMENTS NÉCESSAIRES pour arriver à convaincre.

- Évalue la PERTINENCE DE TES ARGUMENTS.

- Assure-toi de l'EXACTITUDE DE TES ARGUMENTS.

- Utilise judicieusement tes arguments selon leur DEGRÉ DE PERSUASION, du moins convaincant au plus convaincant. (Tout comme lorsque tu joues aux cartes: tu gardes tes meilleurs atouts pour la fin.)

- Fais preuve de TACT. (On ne prend pas les mouches avec du vinaigre...)

- Respecte l'ORDRE CHRONOLOGIQUE quand tu donnes des consignes et des directives.

- Utilise l'IMPÉRATIF PRÉSENT, DEUXIÈME PERSONNE DU SINGULIER OU DU PLURIEL, pour donner des directives.

Tu veux persuader, convaincre.

N'oublie pas de toujours tenir compte de ton interlocuteur.

Source: Lise Bernard, Systèmes-écriture, *Boucherville, Graficor, p. 30.*

COMMENT RÉUSSIR
MA COMMUNICATION ORALE?

1. Je dois être fidèle au plan qui m'est proposé:

    - j'annonce le sujet;

    - j'informe les élèves de la classe au sujet de...;

    - je conclus par un commentaire personnel.

2. Ce que je dis doit être facile à suivre et à comprendre:

    - je mets de l'ordre dans mes idées;

    - je ne me répète pas inutilement.

3. Je choisis des mots précis et variés pour bien informer mes interlocuteurs.

4. Pour rendre ma communication plus vivante et pour garder l'intérêt de l'auditoire:

    - je regarde les personnes à qui je m'adresse;

    - j'adapte le ton de ma voix à ce que je dis;

    - si nécessaire, je fais des gestes et des mimiques qui accompagnent ce que je dis;

    - je peux même utiliser des supports visuels: objet, dessin, déguisement, etc.

COMMENT RÉALISER
LA MISE EN PAGE D'UNE LETTRE?

1. J'identifie le ou la destinataire.

   J'écris cette lettre à _____

2. J'indique pourquoi j'écris à cette personne:

   • pour féliciter _____

   • pour remercier _____

   • pour demander quelque chose _____

   • pour m'informer _____

   • pour offrir des souhaits _____

   • pour donner des nouvelles _____

   • pour offrir mes services _____

   • autre raison _____

3. Je fais le brouillon et je n'oublie pas:

   • la ville ou le village _____

   • la date _____

   • la salutation du début _____

   • ce que j'ai décidé d'écrire _____
     (le corps de la lettre, son pourquoi)

   • un mot gentil pour finir _____

   • ma signature _____

   • mon adresse, si je veux une réponse _____

4. Je mets ma lettre au propre.

5. Je plie ma lettre.

6. J'adresse mon enveloppe.

Source: Demers et Tremblay, Fiches en communication écrite, *Éditions L'Artichaut, 1990, page 51.*

COMMENT RÉDIGER
UNE FICHE BIOGRAPHIQUE?

1. Je fais ma fiche pour: _____

2. Fiche d'identification:

   • mon prénom _____

   • mon nom _____

   • mon adresse _____

   • mon numéro de téléphone _____

   • ma date de naissance _____

   • mon niveau scolaire_____

3. Ma description physique:

   • ma taille_____

   • mon poids _____

   • la couleur de mes yeux _____

   • la couleur de mes cheveux _____

4. Ma personnalité:

   • mes qualités_____

   • mes défauts _____

   • mes talents_____

   • mes réussites _____

   • mes goûts en:

     – musique _____

     – lecture_____

     – sports _____

     – jeux _____

     – loisirs _____

     – activités _____

Source: Demers et Tremblay, Fiches en communication écrite, *Éditions L'Artichaut, 1990, p. 35.*

COMMENT APPRENDRE
L'ORTHOGRAPHE D'UN MOT?

POUR APPRENDRE L'ORTHOGRAPHE D'UN MOT

Je fais

ceci ⟵ ou les deux ⟶ ou cela

Je regarde le mot pour le photographier dans ma tête.	Je lis le mot pour le redire et l'épeler dans ma tête.
Je revois le mot dans ma tête.	Je redis et j'épelle le mot dans ma tête.
J'écris le mot sur une feuille comme je le vois dans ma tête.	J'écris le mot sur une feuille comme je l'épelle dans ma tête.
Je compare ce que j'ai écrit avec le modèle.	Je compare ce que j'ai écrit avec le modèle.

SI CE N'EST PAS BIEN

Je revois   **Je redis et j'épelle**

le mot dans ma tête et je ferai cela chaque fois
que j'aurai à écrire ce mot.

Source: Antoine de la Garanderie, Gestion mentale.

COMMENT MÉMORISER
L'ORTHOGRAPHE DES MOTS?

1. Je regarde le mot.

2. Je copie le mot.

3. J'épelle le mot dans ma tête.

4. J'épelle le mot à voix haute.

5. Je photographie le mot en imaginant que je le place sur un écran d'ordinateur.

6. Je ferme les yeux et je dis les lettres du mot que je vois sur mon écran.

7. J'écris le mot dans l'espace à partir de l'image que j'ai dans ma tête.

8. Je fais des liens avec un mot référent.

9. J'associe le mot avec un mot de la même famille ou ayant une graphie semblable.

10. J'observe les particularités du mot.

11. Je sépare le mot en syllabes.

12. Je nomme les lettres du mot en l'écrivant.

13. Je trouve la difficulté que présente ce mot.

14. Je me donne un truc pour ne pas faire d'erreur.

15. J'écris le mot sur une feuille et je vérifie si je l'ai écrit correctement.

16. Je recommence si j'ai fait une erreur.

Source: D'après Solange Comtois, de la commission scolaire Jean-Rivard, Plessisville.

COMMENT COMPRENDRE UN PROBLÈME?
(MODÈLE SIMPLE)

1. Je lis mon problème deux fois.

2. Je lis mon problème à voix haute.

3. Je me fais lire mon problème par une autre personne.

4. Je redis le problème dans mes mots.

5. J'encercle les mots importants.

6. Je raye les mots inutiles.

7. Je regarde les exemples ou les images de la mise en situation.

8. Je dessine mon problème.

9. Je manipule mon problème avec du matériel.

10. Je mime mon problème, je le joue.

11. Je mets des quantités plus petites.

12. J'encercle le ? et je trouve la tâche à exécuter.

13. Je démêle ce que je connais et ce que je ne connais pas.

14. Je fais un plan.

15. Je compare mon problème avec d'autres déjà faits.

16. Je trouve des liens existants entre les éléments du problème.

17. Je me fais une représentation mentale du problème.

18. J'élabore différentes hypothèses de solution.

19. Je réfléchis aux conséquences de mes choix.

20. Je planifie les étapes pour résoudre le problème.

Note: Choisis les stratégies qui te conviennent parmi toutes celles qui sont mentionnées ci-dessus. Lorsque tu comprends bien les stratégies, tu t'en sers chaque fois que c'est nécessaire.

COMMENT COMPRENDRE UN PROBLÈME?
(MODÈLE COMPLEXE)

Comprendre

1. Qu'est-ce qui m'est demandé?
   Est-ce que je comprends tous les termes?

Organiser mes données

2. Qu'est-ce que j'ai pour trouver la réponse?
   Est-ce que je peux faire un tableau, des dessins de la situation?

Formuler une possibilité (hypothèse)

3. Comment je m'y prends?
   Puis-je simplifier le problème?
   Faut-il procéder par étapes?

Regarder ma solution

4. Trouver une réponse.
   Résoudre les équations.

Faire la preuve

5. Cette solution répond-elle à la bonne question?
   A-t-elle du sens? Puis-je faire la preuve?
   (Sinon, reprendre 1.)

Réinvestir

6. Est-ce que je pourrais reconnaître des problèmes semblables?

Bravo!

Mais rappelle-toi qu'il est toujours bon d'ESSAYER: même une erreur peut nous mettre sur la piste d'une bonne solution.

COMMENT CONSIGNER MA DÉMARCHE
EN RÉSOLUTION DE PROBLÈMES?

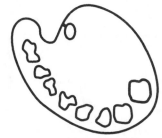

1. Je rends clairs les dessins et les diagrammes.

2. J'écris tous les calculs:
   - ceux utilisés par écrit;
   - ceux utilisés mentalement.

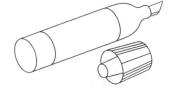

3. J'écris la réponse clairement, je la mets en évidence.

4. Je numérote les étapes de résolution.

5. Si nécessaire, j'écris un court texte.

Source: Joane Allard, Sylvie Grégoire, Doris Tremblay, «Des traces sans tracas», Instantanés mathématiques, mai-juin-juillet 1994, pages 24 à 26.

COMMENT VIVRE
LA DÉMARCHE SCIENTIFIQUE?

**1. Je réfléchis
et je planifie
(avant).**

> J'observe le problème.
>
> Je définis le problème.
>
> Je me questionne.
>
> Je détermine des pistes de recherche.
>
> J'anticipe les résultats.
>
> Je fais des hypothèses.

**2. Je réalise
(pendant).**

> Je recueille des données.
>
> J'expérimente.
>
> J'observe.
>
> Je vérifie mes hypothèses.

**3. Je communique
(après).**

> Je tire des conclusions.
>
> J'interprète mes résultats.
>
> Je diffuse les résultats.
>
> Je peux reformuler une hypothèse.

Source: Ministère de l'Éducation du Québec, Répertoire d'activités en sciences de la nature au préscolaire, *1992.*

Chapitre 5

Comment gérer les apprentissages avec l'élève?

Ce qui compte pour un élève, ce n'est pas tout ce que l'adulte fait pour lui, à sa place, mais plutôt ce qu'il fait lui-même. Il est le véritable responsable de ses apprentissages. L'élève doit faire son bout de chemin.

(Auteur inconnu)

En bref...

- La gestion des apprentissages avec l'élève exige, chez l'enseignante, le développement et l'harmonisation d'un grand nombre d'habiletés. La réussite de l'enfant dans son processus d'apprentissage en dépend.

- Agir en enseignante responsable, c'est tout mettre en œuvre pour
  - planifier l'enseignement,
  - animer des situations d'apprentissage,
  - faire objectiver le vécu des apprentissages,
  - évaluer les apprentissages,
  - favoriser le réinvestissement et les transferts.

- *Comment gérer les différents rythmes d'apprentissage dans ma classe?*
- *Comment tenir compte des différents styles d'apprentissage dans mes interventions?*
- *Comment habiliter les élèves à s'auto-évaluer?*
- *Comment gérer l'évaluation formative dans le quotidien?*
- *Comment faire objectiver plus souvent mes élèves?*
- *Comment amener les élèves à réinvestir par eux-mêmes?*

Comme tu t'interroges souvent sur l'un ou l'autre de ces aspects de ton intervention pédagogique et que tu as décidé de relever un défi sur la «gestion des apprentissages», compte sur moi pour te soutenir dans ta démarche. Je te propose de suivre trois étapes: avant l'expérimentation, pendant l'expérimentation, après l'expérimentation. Voici de nouveau la figure des ensembles de la gestion de classe et la place qu'y tient la gestion des apprentissages.

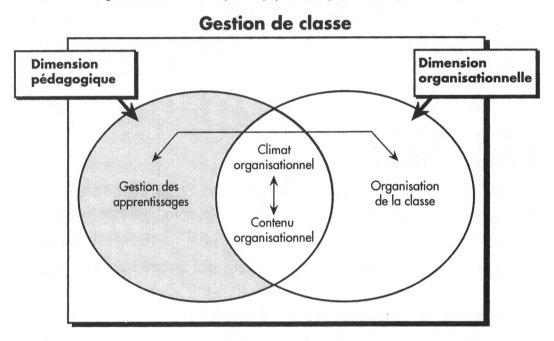

AVANT L'EXPÉRIMENTATION

PREMIÈRE ÉTAPE: L'AUTO-ANALYSE

Pour intervenir de façon efficace et changer réellement ton mode de gestion des apprentissages, tu dois d'abord regarder attentivement ce que tu fais, maintenant. Voici deux grilles d'analyse qui te permettront de mieux connaître ton style d'intervention dans l'apprentissage de tes élèves.

Légende

1. J'en tiens compte/Je le fais.
2. Il faudrait que j'en tienne compte/que je le fasse.
3. Ça ne m'apparaît pas pertinent.

		1	2	3
1.	**Mes attitudes durant la réalisation des activités en classe**			
1.1	Tout en utilisant différents manuels scolaires, je m'attache surtout à proposer aux élèves des situations d'apprentissage dans lesquelles ils peuvent être actifs et créatifs.	❏	❏	❏
1.2	Il m'arrive de présenter aux élèves, sous forme d'exposés, les notions qu'ils devront acquérir; je m'assure alors de leur attention et je prends le temps de vérifier s'ils ont compris les explications données.	❏	❏	❏
1.3	Pour réaliser les activités d'apprentissage, les élèves ont la possibilité de travailler seul ou en équipe.	❏	❏	❏
1.4	Dans mon choix d'activités proposées aux élèves, je tiens compte de ceux qui sont en difficulté et de ceux dont le rythme d'apprentissage est plus rapide.	❏	❏	❏
1.5	Je tiens compte des conditions de vie des élèves quand il s'agit de leur donner des travaux à faire en dehors des heures de classe ou de cours.	❏	❏	❏
1.6	Je discute avec les élèves des objectifs d'apprentissage poursuivis et des activités proposées.	❏	❏	❏
1.7	Les situations d'apprentissage que je propose aux élèves leur permettent de développer des méthodes de travail personnelles.	❏	❏	❏
1.8	Au cours des activités en classe, je cherche à ajuster mes interventions au style d'apprentissage de chacun des élèves.	❏	❏	❏
1.9	Je donne la possibilité à des élèves ou à des groupes d'élèves de faire des travaux de recherche et de les présenter aux autres élèves.	❏	❏	❏

| | | | **1** | **2** | **3** |

1.10   Je porte attention aux difficultés d'adaptation et d'apprentissage que peuvent rencontrer certains élèves. ❑ ❑ ❑

1.11   Régulièrement, je vérifie auprès des élèves l'intérêt qu'ils ont à l'égard des activités d'apprentissage. ❑ ❑ ❑

1.12   Au moment d'entreprendre une activité, je m'assure que les consignes données ont été comprises par l'ensemble des élèves. ❑ ❑ ❑

1.13   Lorsqu'un élève rencontre des difficultés d'adaptation et d'apprentissage, je prends les moyens pour l'amener à surmonter ces difficultés; au besoin, je consulte un spécialiste. ❑ ❑ ❑

Mes constatations:

_____

_____

_____

2.   Mes attitudes face à l'évaluation des apprentissages des élèves

| | | | **1** | **2** | **3** |

2.1   J'adapte les instruments d'évaluation dont je dispose en fonction des apprentissages des élèves; au besoin, j'élabore personnellement certains instruments d'évaluation. ❑ ❑ ❑

2.2   Je conserve dans mes dossiers des informations relatives au cheminement scolaire de chacun de mes élèves. ❑ ❑ ❑

2.3   J'informe régulièrement les élèves des moyens d'évaluation que je veux utiliser avec eux et du contenu sur lequel porte l'évaluation. ❑ ❑ ❑

2.4   J'informe régulièrement les élèves sur leur rendement scolaire, individuellement ou en groupe; j'en discute avec eux et, au besoin, j'accepte de réviser cette évaluation. ❑ ❑ ❑

2.5   Lorsqu'un élève présente des résultats qui dénotent une faiblesse marquée, je cherche avec l'élève à préciser la nature de ses difficultés et à trouver des moyens de lui venir en aide. ❑ ❑ ❑

2.6   Je m'assure que les élèves, tout au long de leur activité d'apprentissage, peuvent s'auto-évaluer. ❑ ❑ ❑

		1	2	3

2.7 Je prends le temps d'observer le fonctionnement et les caractéristiques de chacun des élèves; au besoin, j'utilise des instruments d'observation et d'évaluation. ❏ ❏ ❏

2.8 Je prends en considération les suggestions des élèves au sujet de l'évaluation de leurs apprentissages.

2.9 Dans mon évaluation du rendement d'un élève, je tiens compte de sa situation personnelle (problèmes familiaux, maladie, etc.). ❏ ❏ ❏

2.10 Mon évaluation des apprentissages des élèves tient compte des travaux qu'ils ont à faire et pas seulement des examens. ❏ ❏ ❏

2.11 Je prends le temps d'analyser les résultats de l'évaluation pour être en mesure d'ajuster les situations d'apprentissage à ces résultats. ❏ ❏ ❏

2.12 J'utilise parfois des instruments valides d'évaluation pour mieux situer le rendement global des élèves. ❏ ❏ ❏

Mes constatations:

_____

_____

_____

_____

_____

Source: D'après *Auto-appréciation sur les pratiques pédagogiques*, Questionnaire aux enseignantes ou enseignants, Québec, Ministère de l'Éducation, Direction générale du développement pédagogique, p. 8-11.

Légende

1. Je ne le fais pas et ce n'est pas une priorité pour moi.
2. Je le fais très peu, mais je voudrais travailler ce point.
3. Je le fais avec quelque difficulté, mais je ne désire pas travailler ce point pour le moment.
4. Je le fais, mais j'aurais besoin d'améliorer encore ce point.
5. Je le fais et je suis bien dans ce comportement.

---

1. MA FAÇON DE GÉRER LES APPRENTISSAGES

1.1 Je suis capable d'adapter mon enseignement.

	1	2	3	4	5

– Je suis capable de choisir du matériel et de construire des situations d'apprentissage correspondant au développement de chaque enfant ou des groupes d'enfants de ma classe.

❏ ❏ ❏ ❏ ❏

– Je suis capable de faire travailler des enfants de différents niveaux en même temps.

❏ ❏ ❏ ❏ ❏

– Je permets un certain nombre d'activités simultanées en classe.

❏ ❏ ❏ ❏ ❏

– Je suis capable de doser le rythme du travail en fonction des capacités des enfants.

❏ ❏ ❏ ❏ ❏

– J'organise mon enseignement en offrant des choix dans les activités et en prévoyant plusieurs voies d'accès à une même connaissance.

❏ ❏ ❏ ❏ ❏

1.2 Je suis capable d'enrichir les situations d'apprentissage.

– Compte tenu des niveaux différents des enfants, je sais prévoir des situations, des applications qui permettent aux enfants plus rapides ou plus avancés d'aller plus loin et d'approfondir leur apprentissage, pendant que j'aide les enfants en difficulté.

❏ ❏ ❏ ❏ ❏

– J'évite de chercher à faire fonctionner tous les enfants de la même façon et à la même vitesse.

❏ ❏ ❏ ❏ ❏

– Je respecte le rythme de chacun et je pousse ceux qui peuvent aller plus loin.

❏ ❏ ❏ ❏ ❏

1.3 **Je suis capable de planifier des situations d'apprentissage pertinentes.**

	1	2	3	4	5
– Je suis capable, à partir d'objectifs formulés, d'élaborer de multiples activités.	❏	❏	❏	❏	❏
– Je sais utiliser plusieurs activités pour rejoindre un même objectif.	❏	❏	❏	❏	❏
– Je sais amener les enfants à participer à l'élaboration de ces activités.	❏	❏	❏	❏	❏
– Je suis capable de produire ou de trouver le matériel nécessaire à la réalisation des activités.	❏	❏	❏	❏	❏
– Je sais définir des procédures simples, claires et adaptées qui rendent possible le déroulement de ce que j'ai prévu.	❏	❏	❏	❏	❏

1.4 **Je suis capable de décloisonner mon enseignement.**

	1	2	3	4	5
– Je sais profiter de toutes les situations pour atteindre mes objectifs.	❏	❏	❏	❏	❏
– J'évite de cloisonner chaque matière autour des manuels et des cahiers d'exercices.	❏	❏	❏	❏	❏
– Je sais tirer parti de la vie quotidienne, des événements pour rejoindre les intérêts des enfants et leur permettre d'apprendre.	❏	❏	❏	❏	❏
– Je suis capable de construire sur place une activité à partir de ce qui se produit, sans l'avoir préparée à l'avance.	❏	❏	❏	❏	❏
– Je sais utiliser mon environnement.	❏	❏	❏	❏	❏

1.5 **Je sais créer des situations qui ont des liens avec le réel.**

	1	2	3	4	5
– Je sais partir de la vie des enfants pour construire des situations d'apprentissage pertinentes. Les jeux des enfants peuvent me servir de prétextes pour aller plus loin.	❏	❏	❏	❏	❏
– Je sais poser des problèmes qui trouvent des assises dans la vie des enfants.	❏	❏	❏	❏	❏
– Je sais traduire mes propositions d'enseignement dans des situations concrètes, conduisant à l'exploration, à l'expérimentation, à l'action.	❏	❏	❏	❏	❏

	1	2	3	4	5

– Je suis capable d'établir un rapport constant entre ce que j'enseigne et la réalité. Ce que j'enseigne est toujours traduit en pratique. ❑ ❑ ❑ ❑ ❑

1.6 Je suis capable de proposer aux enfants des situations d'apprentissage variées.

– Je stimule les enfants en leur proposant de nombreuses activités et en les renouvelant fréquemment. ❑ ❑ ❑ ❑ ❑

– J'évite de laisser les enfants s'enliser dans la routine. ❑ ❑ ❑ ❑ ❑

– Je permets que des activités se déroulent en même temps. ❑ ❑ ❑ ❑ ❑

– Je sais agencer les activités de façon à permettre une certaine harmonie dans leur déroulement. Je sais allier tension, détente, concentration, effort. ❑ ❑ ❑ ❑ ❑

– Je rends possible autant le travail individuel que le travail d'équipe ou collectif. ❑ ❑ ❑ ❑ ❑

– Je sais prendre ma place et animer chacune de ces façons de travailler. ❑ ❑ ❑ ❑ ❑

2. MON ATTITUDE FACE À L'ÉVALUATION

2.1 Je sais évaluer l'apprentissage des enfants.	1	2	3	4	5

– Je suis capable d'utiliser des moyens variés pour évaluer l'atteinte de mes objectifs et le développement des enfants. ❑ ❑ ❑ ❑ ❑

– Je conçois l'évaluation comme un processus continu et intégré à l'apprentissage. ❑ ❑ ❑ ❑ ❑

– Je suis capable de tenir à jour un dossier cumulatif pour chaque enfant. ❑ ❑ ❑ ❑ ❑

– Je suis capable d'analyser et d'évaluer les productions des enfants, productions que je recueille régulièrement. ❑ ❑ ❑ ❑ ❑

2.2 J'amène les enfants à faire leur propre évaluation. 1 2 3 4 5

- J'encourage les enfants à s'auto-évaluer, je leur donne du temps pour le faire et je leur fournis de l'aide. ❑ ❑ ❑ ❑ ❑

- Je considère l'évaluation comme une habileté mentale et j'aide les enfants à perfectionner cette habileté. ❑ ❑ ❑ ❑ ❑

- Je permets aux élèves de participer à l'évaluation du fonctionnement de la classe. ❑ ❑ ❑ ❑ ❑

2.3 J'évite les écueils liés à l'évaluation.

- Je fais en sorte que l'évaluation ne conduise pas l'enfant à se dévaluer et à perdre sa confiance en soi. ❑ ❑ ❑ ❑ ❑

- Je cherche à ajuster mes exigences à chacun et à toujours laisser voir une porte de sortie ou une avenue de solution. Mes évaluations s'accompagnent de suggestions, de moyens pour améliorer la situation. ❑ ❑ ❑ ❑ ❑

- Je sais faire des rétroactions à un élève. ❑ ❑ ❑ ❑ ❑

- Je sais situer mes évaluations dans le temps et faire du temps mon allié. ❑ ❑ ❑ ❑ ❑

2.4 Je suis capable de transmettre aux parents les résultats de mon évaluation.

- Je suis capable de m'exprimer en termes de connaissances, d'habiletés, d'attitudes acquises par les enfants. ❑ ❑ ❑ ❑ ❑

- J'échange avec les parents à partir de mes objectifs et des résultats obtenus par leur enfant. ❑ ❑ ❑ ❑ ❑

- Je suis claire dans mes communications avec les parents. Je sais leur poser des questions appropriées. Je leur demande d'agir dans la même direction que moi. ❑ ❑ ❑ ❑ ❑

- Je tiens compte des parents dans mes propres orientations. ❑ ❑ ❑ ❑ ❑

2.5 Je suis capable de faire ma propre évaluation comme enseignante.

	1	2	3	4	5

– Je me pose sans cesse des questions sur mon propre enseignement. J'en évalue l'efficacité et la qualité. J'effectue les modifications nécessaires. ❏ ❏ ❏ ❏ ❏

– Les remarques des autres me servent à me remettre en question. ❏ ❏ ❏ ❏ ❏

– Je cherche de l'aide et je discute avec mes collègues. ❏ ❏ ❏ ❏ ❏

– Je lis, je participe à des sessions et je cherche à mettre en pratique ce que j'apprends. ❏ ❏ ❏ ❏ ❏

Source: D'après *Inventaire des habiletés nécessaires dans l'enseignement au primaire*, de André Paré et Thérèse Laferrière, Sainte-Foy, Centre d'intégration de la personne de Québec inc., 1985, p. 44-49 et 66-70.

DEUXIÈME ÉTAPE: LA RÉFLEXION

Les grilles d'analyse précédentes font bien ressortir les exigences de la gestion des apprentissages dans une classe. L'enseignante doit manipuler de façon harmonieuse:

1. La planification des scénarios d'apprentissage;
2. L'animation des situations d'apprentissage;
3. La médiation entre l'enfant et les situations d'apprentissage;
4. Le soutien à l'objectivation du vécu des apprentissages des élèves et l'objectivation de son enseignement;
5. L'évaluation des apprentissages;
6. La gestion du réinvestissement et du transfert des apprentissages.

Toutes ces opérations, qui se font parfois un peu mécaniquement, doivent être analysées pour que leur signification et leur portée soient bien saisies. Impossible de faire une véritable gestion de classe participative sans prendre en compte tous ces aspects de la gestion des apprentissages.

La planification de l'enseignement

La planification

Il s'agit pour l'enseignante

– de répartir à la fois le contenu et les objectifs d'apprentissage;
– d'imaginer et d'organiser les différents éléments qui composent la situation d'apprentissage;
– de prendre des dispositions pour évaluer les élèves:
  • en cours d'apprentissage,
  • à la fin d'un programme donné.

Cette planification pourra être soutenue par une perspective d'intégration des matières ou d'intégration des apprentissages, selon le cheminement de l'enseignante.

Les niveaux de planification

La planification faite par l'enseignante ne se limite pas au seul contexte de sa classe. Elle doit parfois s'exercer sur quatre niveaux.

Premier niveau: planification des programmes du ministère de l'Éducation du Québec

La première planification se fait au niveau des programmes. Certaines remarques s'imposent:

- Trop souvent, l'enseignante ne fait pas de différence entre les manuels scolaires et les programmes. Elle se sent esclave des manuels qui ne sont pourtant qu'un moyen, parmi d'autres, de répondre aux exigences des programmes. En réalité, ce sont les objectifs des programmes qui font obligation pour les enseignantes et il faut toujours garder un esprit critique face aux manuels quels qu'ils soient.
- Les enseignantes qui croient gagner du temps dans la lecture des programmes en sautant les pages qui en expliquent la philosophie tombent dans un piège. Elles se retrouvent devant des listes d'objectifs dépouillés de sens et de cohérence, incompatibles avec leurs habitudes d'enseignement.
- Il est important de montrer les programmes aux enfants pour les dépouiller de leur caractère mythique. Quand ils entendent le mot «programme», certains se réfèrent à la seule expérience qu'ils ont, celle des émissions de télévision. D'autres les sentent planer sur la classe comme une menace constante. Le fait que les élèves puissent les voir, les toucher, les feuilleter redonne donc aux programmes leur vraie place dans la classe, ni moins importante ni plus importante qu'elle ne doit l'être en réalité.
- Il est essentiel de ne jamais perdre de vue que si les objectifs généraux et terminaux des programmes sont non négociables, les moyens utilisés pour les atteindre sont, eux, négociables. L'enseignante a donc, sur ce terrain, toute liberté.

Deuxième niveau: planification des commissions scolaires

Certaines commissions scolaires se sont dotées d'une planification intermédiaire. Elles ont réparti les objectifs sur les trois années d'un cycle, par exemple. Parfois, elles sont même allées plus loin en répartissant les objectifs d'une année sur chacune des étapes. Mais la politique varie ici d'une commission scolaire à une autre et toutes les enseignantes ne sont pas dans la même situation.

Troisième niveau: planification au sein de l'école

Quand deux ou trois enseignantes d'un même niveau ou d'une même matière se retrouvent dans une école, elles font parfois une planification à long terme, communément appelée planification d'étape. Elles répartissent les objectifs du programme sur chacune des étapes. Une enseignante, si elle est seule, fera aussi cette répartition, surtout si rien n'existe au niveau de la commission scolaire.

Quatrième niveau: planification au sein de la classe

C'est la planification à court terme. Elle a des conséquences directes sur l'apprentissage, la qualité de l'apprentissage de l'enfant en dépend. Compte tenu de l'expérience acquise et de l'assurance face au contenu des programmes, certaines enseignantes sont tentées de limiter leur planification à certains actes:

1. Elles déterminent les numéros ou les pages à faire;
2. Elles polycopient les feuilles;
3. Elles sortent le matériel nécessaire et concluent qu'elles sont prêtes pour le lendemain, car elles maîtrisent bien le contenu.

On sait aujourd'hui que le niveau de planification à court terme doit être raffiné jusqu'à la prise en compte réelle des différences dans la classe. Avant de se présenter en classe, l'enseignante a tout intérêt à réfléchir aux trois interventions suivantes:

1. Comment animer les trois temps de la situation d'apprentissage: avant, pendant, après?
2. Comment respecter les différents modes d'apprentissage des élèves: information, démonstration, expérience?
3. Comment respecter les différents rythmes d'apprentissage des élèves: rapides, moyens, lents?

Tant qu'elle n'a pas prévu ces trois aspects de la situation d'apprentissage, elle n'est pas réellement prête à accompagner pédagogiquement ses élèves et à gérer les différences de chacun.

Planification à court terme

Dans sa planification à court terme, l'enseignante doit s'assurer d'avoir le contrôle sur deux éléments particuliers: les situations d'apprentissage et les scénarios d'apprentissage. La figure de la page 283 aide à visualiser les nuances qui s'imposent entre les concepts «objectif», «activité», «situation» et «scénario».

Les situations d'apprentissage

C'est le cadre dans lequel on place l'élève pour faire ses apprentissages. Les situations d'apprentissage doivent donc contenir tous les éléments nécessaires à l'élève dans son processus de changement. Chacune se déroule en trois temps:

Premier temps: une phase de préparation appelée aussi «mise en situation». L'enseignante fait référence aux situations d'apprentissage précédentes, présente les nouveaux objectifs à poursuivre, propose des situations d'apprentissage stimulantes de façon à susciter l'intérêt et la motivation de l'élève, formule des consignes et suggère différents modes de fonctionnement.

L'élève, de son côté, se rappelle les situations d'apprentissage précédentes, définit et précise pour lui-même les objectifs à atteindre, constate que ses habiletés ou ses connaissances ne suffisent peut-être pas pour atteindre les nouveaux objectifs, organise individuellement ou avec ses pairs des stratégies pour atteindre ces objectifs, à partir des consignes reçues de l'enseignante.

Modèles de planification à court terme

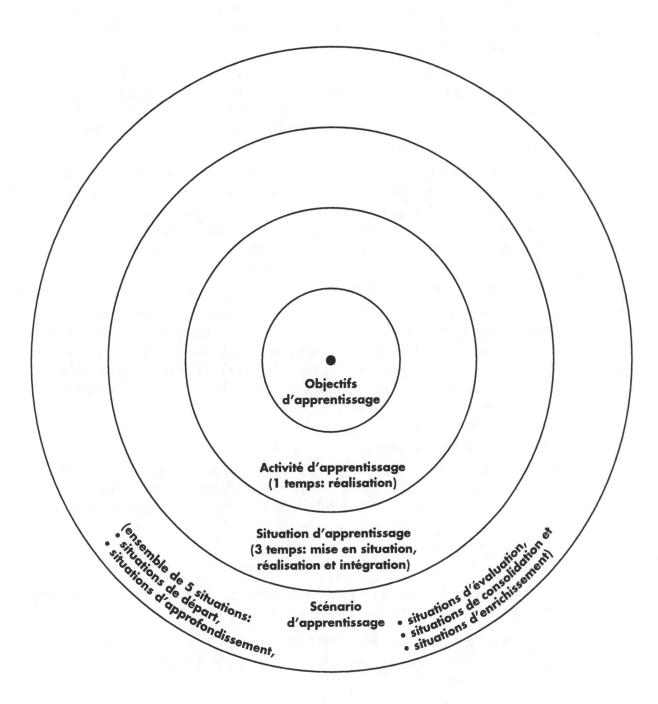

Deuxième temps: une phase de réalisation. C'est l'appropriation de l'objet d'apprentissage. L'enseignante guide, propose, questionne. Elle permet à l'enfant d'objectiver son action. Elle fait des suggestions, donne les informations jugées hors d'atteinte pour l'élève seul. Elle l'incite à poursuivre ou à reprendre certaines tâches. Elle observe et soutient l'enfant qui éprouve des difficultés. En un mot, elle facilite le traitement du contenu d'apprentissage.

De son côté, l'enfant réalise la tâche avec les moyens à sa disposition. Il recherche et tire l'information nécessaire, l'organise, l'évalue et se fait une idée des actions à accomplir. Pour ce faire, il exploite les ressources de son environnement. Il peut aussi devenir lui-même ressource pour d'autres enfants dans la même situation. Bref, il traite à sa façon le contenu d'apprentissage.

Troisième temps: la phase d'intégration. C'est la phase de prise de conscience des apprentissages. L'enseignante suscite chez l'enfant un retour sur la situation d'apprentissage. Elle favorise de cette manière l'objectivation, étape essentielle pour que l'enfant prenne conscience du degré de développement de ses connaissances, de ses habiletés ou de ses attitudes. Elle oriente la réflexion de l'enfant sur la signification de la situation d'apprentissage, son fonctionnement, son degré de satisfaction et les améliorations qui peuvent être apportées.

L'enfant prend conscience du développement de sa panoplie de connaissances, d'habiletés ou d'attitudes et découvre son besoin de posséder certaines connaissances ou de développer certaines habiletés ou attitudes pour la réalisation de tâches semblables. Il apprécie son habileté à accomplir certaines actions. Plus globalement, il peut se prononcer sur son vécu dans la situation d'apprentissage. Il communique son degré de satisfaction, sans crainte de représailles.

Les scénarios d'apprentissage

C'est le regroupement d'un ensemble de situations d'apprentissage dans le but d'atteindre un ou plusieurs objectifs. Différents types de situations sont orchestrés pour favoriser l'apprentissage de l'élève. Elles le font passer de situations de départ à

– des situations d'approfondissement,
– des situations d'évaluation,
– des situations de consolidation ou d'enrichissement.

Les situations de départ sont celles qui vont permettre à l'élève d'avoir un premier contact avec l'objet d'apprentissage. Elles déclenchent la motivation.

Les situations d'approfondissement permettent à l'élève de s'approprier réellement l'objet d'apprentissage. Il en explore les diverses composantes tout en réutilisant des acquis antérieurs.

Les situations d'évaluation permettent à l'enseignante et à l'élève de mesurer son apprentissage. A-t-il oui ou non atteint l'objectif imposé? Ces situations sont une étape nécessaire du processus d'apprentissage.

Les situations de consolidation existent pour permettre à l'enfant qui n'a pas atteint l'objectif, après les situations d'approfondissement nécessaires, de revenir sur ses apprentissages pour les renforcer. Elles sont donc conçues pour les élèves en difficulté.

Les situations d'enrichissement sont en fait des situations de dépassement ou de réinvestissement. Elles permettent aux enfants qui ont atteint les objectifs prescrits d'aller plus loin. Elles s'adressent donc à ceux qui veulent en savoir plus ou qui veulent raffiner leur habileté. Elles sont souples et peuvent être remplacées par un nouveau scénario d'apprentissage.

La planification à court terme doit encore prendre en compte un autre élément, «les activités d'apprentissage». Celles-ci ne comportent qu'un temps, la réalisation. Mais, il faut bien le dire, ces activités n'ont pas de valeur pédagogique en soi, à moins de faire partie d'une «situation d'apprentissage». En dehors de ce contexte, elles risquent de donner lieu à une pédagogie de l'activisme, centrée sur l'occupation des élèves plutôt que sur la poursuite d'objectifs précis.

Planification à long terme

La planification à long terme peut paraître complexe au départ. Elle est plus souvent pratiquée par des enseignantes qui ont une certaine expérience. Elle est passionnante si toutes les ficelles en sont bien maîtrisées. Elle peut prendre trois formes.

L'approche thématique

Ici, la motivation des élèves est toute centrée sur un thème. Le thème est choisi en fonction des goûts, des intérêts ou des préoccupations des élèves et il est exploité pendant une période donnée. Les différentes matières font référence à un même fil conducteur, sans pour autant que l'on cherche à intégrer les matières ou les apprentissages.

Le centre d'intérêt

Le centre d'intérêt est une technique pédagogique qui fait converger, vers une connaissance ou un domaine de l'activité humaine, toutes les activités de l'élève. Il suppose, lui aussi, une démarche de résolution de problèmes réalistes ou fantaisistes. Il facilite aussi le décloisonnement des matières et donc l'intradisciplinarité ou l'interdisciplinarité.

Le projet

Le projet peut être individuel, en équipe ou collectif. Il découle des intérêts de l'élève ou de son vécu environnemental. Il s'inscrit surtout dans le cadre d'une éducation centrée sur le milieu de l'enfant. Il suppose une démarche de résolution de problèmes réels et il débouche sur l'intégration des matières. Ce modèle facilite le développement des apprentissages, tout en suscitant l'intradisciplinarité, l'interdisciplinarité ou la transdisciplinarité.

Pour démarrer un projet, l'enseignante doit s'assurer de pouvoir répondre aux cinq questions suivantes:

– Que veut-on faire? (la tâche)
– Pourquoi veut-on le faire? (les objectifs)
– Comment va-t-on le faire? (la démarche)
– Selon quel calendrier? (l'échéancier)
– Comment va-t-on l'évaluer? (les modalités de l'évaluation)

Modèles de planification à long terme

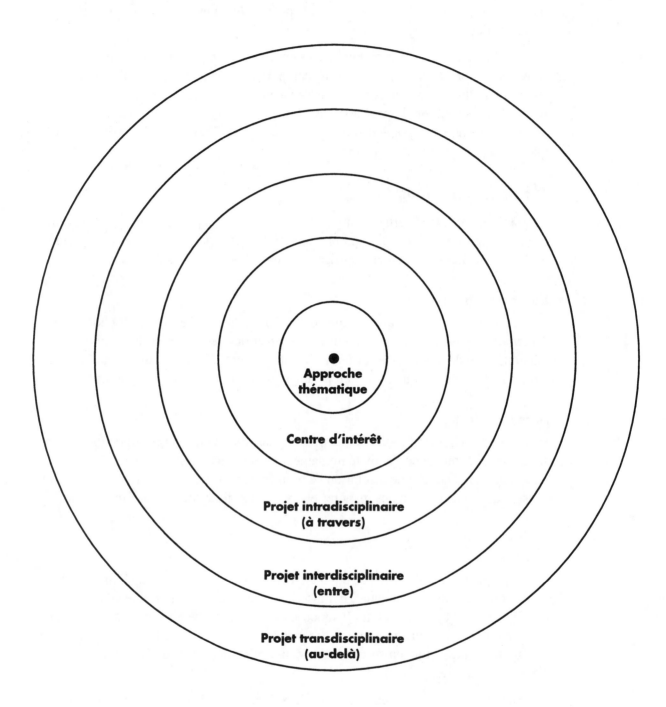

Approche thématique

Centre d'intérêt

**Projet intradisciplinaire
(à travers)**

**Projet interdisciplinaire
(entre)**

**Projet transdisciplinaire
(au-delà)**

Planification et évaluation

Pour l'enseignante qui s'efforce d'être cohérente dans sa démarche pédagogique, il est impossible de faire sa planification sans regarder en même temps l'autre bout de la chaîne: l'évaluation. Elle s'assure ainsi de bien atteindre ses objectifs et de mesurer les bons éléments. Le tableau suivant peut servir de guide dans cette activité de planification-évaluation:

Planification

de l'enseignement/ apprentissage	de l'évaluation
Qu'est-ce que je vise? – objectifs { attitudes, habiletés, connaissances } { affectives, intellectuelles, techniques, psychomotrices } – étendue des objectifs: d'où partir? jusqu'où aller?	**Qu'est-ce que je veux savoir?** – l'évolution de certains concepts chez l'élève, – ses connaissances sur un point précis, – le développement de certaines de ses compétences, – l'efficacité de certains moyens didactiques, – etc.
De quoi je tiens compte? – mes possibilités, mes goûts, mes limites… – la motivation et les intérêts des élèves, – les différents styles d'apprentissage, – les différents rythmes, – le processus d'apprentissage, – l'environnement, – les budgets, etc.	**À quel moment se fera l'évaluation?** – AVANT l'apprentissage: vérification des acquis, – PENDANT l'apprentissage: vérification des réussites et des difficultés, – APRÈS l'apprentissage: vérification de l'atteinte d'un ou de plusieurs objectifs.

De quelle façon je pense intervenir?
– selon les trois temps de la démarche d'apprentissage;
– selon les stratégies d'enseignement/apprentissage:
  • les activités d'apprentissage,
  • le soutien didactique pour corriger les lacunes ou renforcer les acquis, s'il y a lieu.
	Pour qui se fera l'évaluation?
	Un ou plusieurs élèves.
	Par quels moyens?
	– grille d'observation ou d'analyse,
	– questionnaire écrit ou oral,
	– entrevue,
	– fiche d'auto-évaluation,
	– etc.
	Pourquoi?
	– pour vérifier le degré d'atteinte de l'objectif,
	– pour informer l'élève, l'enseignante, les parents,
	– pour améliorer l'apprentissage.

Source: D'après *Guide d'évaluation en classe (Introduction générale)*, Ministère de l'Éducation du Québec, 1985, p. 24-25.

1. Est-ce qu'il m'arrive de prévoir l'évaluation en même temps que je fais la planification de mon enseignement?

_____

_____

_____

_____

2. Dans le tableau qui précède, est-ce que je peux repérer les points que je prends en compte?

_____

_____

_____

_____

Ceux que j'oublie?

_____

_____

_____

_____

3. Chaque fois que je l'ai fait, quels sont les bénéfices que j'ai retirés?

_____

_____

_____

_____

4. Qu'est-ce qui s'est passé quand je ne l'ai pas fait?

_____

_____

_____

_____

5. Qu'est-ce que j'en conclus pour ma pratique pédagogique?

_____

_____

_____

_____

Approche communicative ——— *Non verbale*
———— *Verbale*

Démarche d'animation et d'accompagnement pédagogique pour donner du pouvoir à l'élève sur ses apprentissages	**Avant** Préparation à l'apprentissage **L'enseignante est catalyseur**	**Pendant** Présentation du contenu **L'enseignante est facilitatrice**	**Après** Application et transfert des connaissances **L'enseignante est intégratrice**
Rôle de l'enseignante Émetteur — Récepteur	• Présente la tâche et les objectifs de la tâche d'apprentissage • Survole le matériel • Dirige l'attention et l'intérêt • Pique la curiosité • Pose des questions provocatrices • Fait un rappel du vécu par rapport à la situation d'apprentissage précédente (activation des connaissances antérieures)	• Pose des questions précises • Apporte des suggestions • Encourage, félicite • Aide les élèves à reconnaître leurs difficultés • Propose des éléments d'information et en facilite le traitement • Facilite et permet les interactions • Stimule certains élèves • Vérifie la compréhension • Aide l'élève à utiliser ses connaissances (intégration et assimilation des connaissances)	• Guide l'élève dans son objectivation • Organise les connaissances en schémas (synthèse) • Aide l'élève à dégager des conclusions • Évalue les apprentissages de façon formative • Donne des rétroactions à l'élève: force et défi • Facilite le transfert et l'extension des connaissances (proposition de pistes de réinvestissement)
Rôle de l'élève	• Anticipe • Réagit • Communique ses hésitations • Formule ses propres questions sur la situation d'apprentissage • Détermine le matériel dont il a besoin • Se donne une démarche	• Observe et interroge l'environnement • Analyse • Décrit, imagine • Formule des hypothèses • Anticipe des solutions • Réalise la tâche d'apprentissage • Utilise des stratégies dans la réalisation de sa tâche	• Décode ce qu'il a appris • Décrit ce qu'il a vécu • Précise les points sur lesquels il désire recevoir des commentaires • Se donne des défis pour un nouvel apprentissage

Source: D'après Jacques Tardif.

Comment gérer les apprentissages avec l'élève?

L'animation de situations d'apprentissage

L'approche communicative

L'animation pédagogique peut être définie, à la suite de Legendre, comme une «intervention au sein d'un groupe afin de susciter et de maintenir la participation optimale de chacun des membres à leurs apprentissages» (p. 57). Cette animation suppose donc une communication entre deux personnes, l'enseignante et l'élève. Tous les programmes privilégient cette approche communicative. Et l'on peut penser que, dans cette approche, le non-verbal prend autant d'importance que le verbal.

Dans le processus de communication, chacun des intervenants a son rôle propre. Mais pour qu'il y ait vraiment communication entre les personnes, il faut que le processus fonctionne de façon circulaire: chacun est tour à tour émetteur et récepteur. Voilà un principe qui ne devra jamais être oublié dans l'animation des situations d'apprentissage.

L'approche communicative entraîne des actions liées aux différentes étapes de la démarche d'apprentissage. Avant, pendant ou après, l'enseignante et l'élève poseront des gestes particuliers, auront des attitudes privilégiées. Le tableau de la page 289 le montre clairement.

De plus, ce type d'approche vécue en classe permettra à l'enseignante de vivre l'animation pédagogique indispensable pour que la médiation et l'objectivation puissent être accessibles à l'élève. La figure de la page 291 donne déjà un avant-goût des divers concepts reliés à l'approche communicative.

Les facteurs de réussite de la communication

Au-delà des étapes de la démarche d'enseignement/apprentissage, la réussite de la communication dépend d'un certain nombre de facteurs. Pierre Bourgault, grand communicateur québécois et professeur à l'Université du Québec à Montréal, s'est plu à dresser la liste des conditions qui, selon lui, sont indispensables pour maintenir l'attention d'une classe. À l'heure où les enseignantes se sentent dépassées par les outils audiovisuels, les ordinateurs ou les jeux vidéo, cette liste mérite d'être prise en considération.

Pour communiquer par la parole avec une classe[1]

1. Avoir une bonne maîtrise de sa langue. L'aisance et l'efficacité en dépendent.

2. Avoir quelque chose à dire. Au-delà du manuel et du programme se trouve un être humain.

3. Savoir ce qu'est la communication orale. Elle implique des éléments d'authenticité: plaisir, émotion, affection, passion…

4. Aimer ceux et celles à qui on parle. Aimer leur capacité d'évoluer, leurs doutes, leur enthousiasme…

---

1. Propos tenus par Pierre Bourgault lors de sa conférence tenue le 16 février 1989 à l'école Calixa-Lavallée, Montréal.

Des concepts à clarifier...

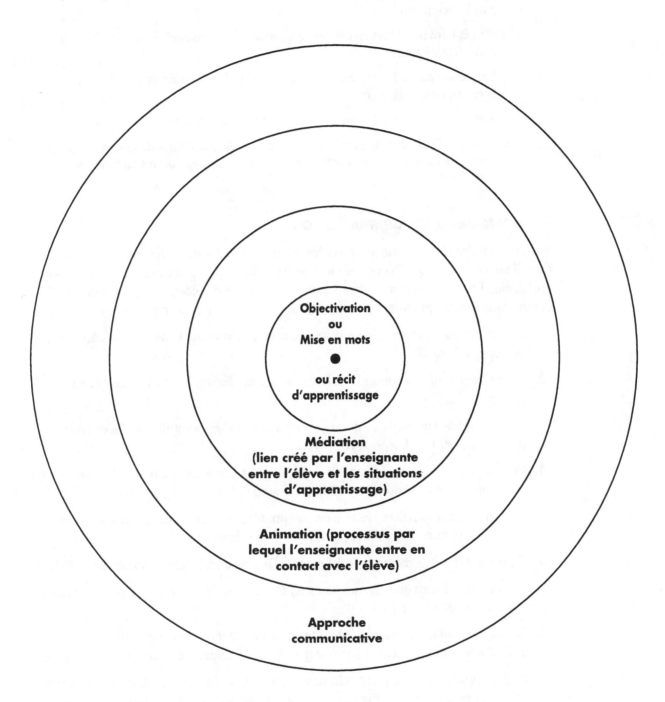

Objectivation
ou
Mise en mots
●
ou récit
d'apprentissage

Médiation
(lien créé par l'enseignante
entre l'élève et les situations
d'apprentissage)

Animation (processus par
lequel l'enseignante entre en
contact avec l'élève)

Approche
communicative

5. Être soi-même. Ne pas tenter de ressembler aux jeunes, de parler comme eux, de penser comme eux...

6. Ne pas avoir peur de «faire sérieux». La rigueur n'est pas facile à acquérir, il faut le reconnaître.

7. Rire et faire rire. C'est un élément important de la communication. On rit d'eux et ils rient de nous.

8. Les laisser parler. La supériorité de la parole sur la télévision et le cinéma, c'est la rétroaction, le dialogue.

9. Travailler debout. La communication, c'est aussi une question de gestuelle.

10. Se donner la liberté de parole. Pas n'importe où, pas n'importe comment, pas n'importe quand, mais tout peut se dire. Avoir le courage de ses opinions et de ses valeurs.

Les obstacles à la communication

Malgré bien des efforts pour respecter les conditions indispensables à la communication, il arrive parfois que la communication ne se fasse pas. Pourquoi? Un thérapeute américain, Thomas Gordon, a identifié douze manières de bloquer le processus de communication. En parodiant Cyrano, on pourrait dire: «Par exemple, tenez...»

1. En donnant des ordres: «Je ne veux pas savoir ce que tu faisais l'année dernière, fais ce que je te dis.»

2. En menaçant: «Si tu continues à faire ça de cette façon, tu vas voir ce qui va arriver.»

3. En donnant des conseils ou des solutions toutes faites: «Oublie ça. Tu devrais plutôt regarder les choses comme ça...»

4. En faisant la morale: «Un bon élève ne perd pas son temps... Il travaille jusqu'à ce qu'il soit arrivé au résultat. Le travail n'a jamais fait mourir personne.»

5. En tentant de persuader: «Essaie de comprendre que ton camarade d'équipe ne peut pas tout faire. Ne vois-tu pas que c'est la réalité...»

6. En portant des jugements, en critiquant: «Tu n'as aucun sens des responsabilités.»

7. En complimentant: «Je sais que tu es un élève capable et motivé, c'est pourquoi je me permets de te dire ça.»

8. En culpabilisant, en faisant honte: «On croirait entendre une petite fille de cinq ans... Ta réponse est la plus farfelue que j'aie entendue, c'est une blague, j'espère.»

9. En interprétant, en analysant: «Je pense que tu n'as pas le goût de faire ça, aujourd'hui, parce que tu es de mauvaise humeur à cause du retard de ton autobus, ce matin.»

10. En rassurant, en consolant: «Tu vas voir, ça va aller mieux après les vacances de Noël...»

11. En jouant au détective: «Qui t'a mis cette idée en tête? Depuis quand tu penses comme ça?»

12. En faisant de l'ironie: «Ah, monsieur sait tout!»

Sur le mode humoristique, cette liste fait bien voir que les obstacles à la communication relèvent de cinq réactions différentes.

1. Chercher à apporter des solutions, qu'on le fasse en ordonnant, en menaçant, en moralisant, en conseillant ou en argumentant.

2. Porter des jugements, soit en blâmant, en ridiculisant ou en posant un diagnostic.

3. Opérer des réductions du message, soit en complimentant, soit en rassurant.

4. Questionner ou se conduire comme un petit enquêteur.

5. Éviter quelque chose de déplaisant ou d'insécurisant dans le message, en faisant dévier la communication.

Tous ces comportements ont pour effet de rompre le processus de communication. Les enfants y sont aussi sensibles, sinon plus que les adultes. Ils réagissent en se taisant, en se détournant, en se butant, en fuyant.

La communication non verbale

L'enseignante n'en est pas toujours consciente, mais la communication non verbale a au moins autant d'importance que la communication verbale, dans son animation. Sa posture, son maintien, ses gestes, l'expression de son visage peuvent avoir autant d'effets qu'une parole positive ou négative. Bien plus, ils ont le pouvoir de démentir une parole. L'enseignante déçue d'une performance pourra chercher à cacher sa déception derrière une plaisanterie, mais son visage l'exprimera et l'élève ne sera pas dupe. L'enseignante retranchée derrière son bureau aura beau jurer qu'elle est ouverte à la communication, personne ne s'y trompera.

L'enseignante a donc tout intérêt à développer l'harmonie entre son corps et sa parole. Elle doit pouvoir jouer de son corps, le mettre au service de son but, comme le fait un athlète ou un acteur. Et surtout, qu'elle ne dise pas qu'elle est la seule en cause. Sa façon de bouger, de se déplacer dans la classe est importante pour les élèves visuels et sensibles à l'environnement. Le ton de sa voix, le dynamisme de son débit sont des facteurs qui entrent en jeu dans l'apprentissage des auditifs en particulier, mais aussi pour l'ensemble du groupe-classe. Divers moyens existent pour améliorer sa «présence» en classe: enregistrer ou filmer une séquence d'animation, demander l'avis de collègues ou de ses élèves, suivre des cours de communication, de théâtre, de pose de voix, de chant, faire de la danse, etc. L'enseignante se donnera ainsi les meilleurs atouts pour accomplir son travail d'animation.

LA COMMUNICATION, C'EST MA FORCE!

	Oui	Non	Pas toujours
1. Je suis en contact avec mes émotions, je sais ce que je vis intérieurement: joie, colère, etc.	___	___	___
2. Je suis capable d'exprimer clairement et avec mesure ce que je suis et ce que je vis.	___	___	___
3. J'accepte assez facilement les opinions des autres, sans me sentir menacée et sans abandonner trop vite les miennes.	___	___	___
4. Je crois en ce que je suis, en ce que je dis et en ce que je fais.	___	___	___
5. Je suis capable d'être spontanée et disponible.	___	___	___
6. Je sais exprimer mes sentiments et recevoir l'expression de sentiments.	___	___	___
7. Je suis capable de communiquer mon enthousiasme et ma passion.	___	___	___
8. Je suis capable de rire de moi-même et d'accepter que l'on se moque de moi, gentiment.	___	___	___
9. J'utilise l'humour pour désamorcer des situations difficiles.	___	___	___
10. J'ai confiance en mes capacités de m'exprimer oralement ou par écrit.	___	___	___
11. Ma voix porte bien, mes intonations sont justes, mon vocabulaire adéquat.	___	___	___
12. J'ai conscience de ce que mon corps manifeste: la peur, la colère, la joie, etc.	___	___	___
13. Je suis capable d'accueillir et d'écouter un enfant, même si je suis fatiguée.	___	___	___
14. Je dis toujours la vérité, sans nécessairement tout dire.	___	___	___
15. Les enfants savent qu'ils peuvent compter sur moi.	___	___	___

Source: Inspiré de *Inventaire des habiletés nécessaires dans l'enseignement au primaire*, de André Paré et Thérèse Laferrière, Sainte-Foy, Centre d'intégration de la personne de Québec inc., 1985.

La médiation

Dans son livre *Pour un enseignement stratégique,* Jacques Tardif présente les différentes facettes du rôle de médiateur[2]. Il décrit la médiation comme le lien créé par
l'enseignante entre l'élève et les situations d'apprentissage. Ce rôle est d'autant plus
important qu'il doit permettre le passage de l'élève de la dépendance à la pratique
guidée, de la pratique guidée à l'interdépendance dans l'apprentissage. J'endosse tout à
fait la vision de Tardif sur la médiation, c'est pourquoi je me permets de la rappeler ici.
Il commence par décrire les différentes étapes de la médiation.

Avant de laisser l'élève se lancer dans une nouvelle tâche, l'enseignante doit d'abord

1. inciter l'élève à interpréter les exigences de la tâche et accorder une attention particulière aux perceptions que l'élève a de sa compétence;

2. discuter avec l'élève de sa perception de ses chances de réussite et des facteurs qui
   peuvent le mener au succès;

3. inciter l'élève à se rappeler les connaissances déjà acquises et qui peuvent être
   mises au service de la tâche;

4. aider l'élève à prévoir les difficultés et à planifier des solutions.

Au moment de la réalisation de la tâche, l'enseignante devra

1. observer les stratégies cognitives et métacognitives utilisées par l'élève et rendre
   explicites leur efficacité et leur caractère économique;

---

2. Jacques Tardif, *Pour un enseignement stratégique. L'apport de la psychologie cognitive*, Montréal, Éditions
   Logiques, 1992.

2. être claire sur les critères d'évaluation;

3. refléter à l'élève ses points forts et ses points faibles;

4. faire les suggestions appropriées pour faciliter les corrections, développer de nouvelles connaissances déclaratives, conditionnelles et procédurales et contribuer au transfert des connaissances.

Tardif précise enfin que le travail de médiation est sans cesse à modeler. Il se précise selon les connaissances antérieures de l'élève, son niveau d'autonomie dans l'apprentissage, sa motivation et les difficultés propres à la tâche elle-même. C'est à l'enseignante de comprendre à quel moment l'enfant a besoin d'une intervention minimale et à quel moment la présence concrète de l'enseignante dans son environnement immédiat est nécessaire.

Enfin, Tardif invite l'enseignante à prendre conscience que d'autres élèves peuvent faire le travail de médiation d'une manière très efficace.

L'objectivation du vécu des apprentissages

Qu'est-ce qu'objectiver?

On ne peut nier que l'objectivation commence à prendre une place de plus en plus grande dans la réflexion des intervenants en éducation. C'est heureux qu'il en soit ainsi. Le monde scolaire semble avoir réellement pris conscience de l'importance de l'objectivation dans le processus d'apprentissage. Pourtant, la chose en elle-même n'est pas nouvelle, c'est l'une des activités courantes de tout être humain. Vous allez chez le médecin, il vous demande ce qui ne va pas, vous commencez à objectiver. Vous com-

mencez à raconter les malaises que vous avez ressentis ces derniers jours, vous réfléchissez sur ce qui s'est passé et vous extrayez de ce vécu les détails significatifs. Vous en faites une chaîne à partir de laquelle le médecin posera un jugement, c'est-à-dire fera une évaluation et proposera un traitement. Ensemble vous réinvestissez un élément nouveau dans votre vécu. Pendant le traitement, vous en observez les effets. Quand vous retournerez chez le médecin, vous ferez à nouveau de l'objectivation en racontant les effets du traitement.

De façon générale, on peut donc définir l'acte d'objectiver comme une façon de raconter son vécu ou le vécu d'autres personnes et de dresser son propre constat. Dans une classe, il s'agira donc de faire un retour sur le vécu de ses apprentissages, afin de se situer par rapport à la démarche suivie et par rapport aux objectifs à atteindre. Legendre définit cet acte plus scientifiquement comme un «processus de rétroaction par lequel le sujet prend conscience du degré de réussite de ses apprentissages, effectue le bilan de ses actifs et passifs, se fixe de nouveaux objectifs et détermine les moyens pour parvenir à ses fins[3]».

Pourquoi objectiver?

Avec des programmes axés sur le développement des compétences, l'enseignante se trouve dans l'obligation, pour atteindre les objectifs:

– de placer l'élève en situation de pratique par rapport à des habiletés à développer;
– de l'aider à réfléchir sur sa pratique, cette réflexion étant aussi importante que la pratique pour l'acquisition de la connaissance ou le développement de l'habileté.

Cette démarche, appelée POC (projet, objectivation, construction de connaissances), s'oppose à la démarche traditionnelle CEC (enseignement de connaissances, application dans des exercices, correction). Elle se base sur la conviction que tant que l'on ne peut refaire le chemin qui a mené à la connaissance et nommer ce que l'on a appris, on n'a pas réellement appris.

Woodruff le met bien en évidence quand il décrit ainsi le processus de la formation d'un concept:

1. Je me trouve devant un problème, un défi, une tâche.

2. Je manipule, j'explore, j'observe.

3. Je me pose des questions et je fais des liens.

4. Je comprends, mais pour moi tout seul.

5. Je comprends assez pour l'expliquer à une autre personne.

6. Je comprends tellement que je m'en sers tout le temps et je le transfère dans les situations que je vis.

Si, comme c'est trop souvent le cas en classe, on ne fait pas objectiver l'élève, le processus s'arrête à l'étape 4. Il manque deux étapes pour que la connaissance ou l'habileté soit durable et transférable.

En conséquence, l'objectivation, faite de façon dirigée et non pas seulement intuitive, est le meilleur moyen, pour l'enseignante, de mesurer la force des acquis. Elle seule peut lui permettre de faire une évaluation formative vraiment interactive.

---

3. Renald Legendre, *Dictionnaire actuel de l'éducation*, 2e édition, Montréal, Guérin; Paris, Eska, 1993, p. 930.

Qui doit objectiver?

La réponse est simple: l'enseignante et les élèves engagés dans le processus d'apprentissage ont un objet d'objectivation. L'enseignante objective son enseignement et sa démarche d'enseignement, l'élève objective sa démarche d'apprentissage et son apprentissage. Mais la tâche de l'enseignante est délicate. Non seulement elle ne doit pas voler l'objectivation de l'élève, mais elle doit la guider et la favoriser, sans présumer des conclusions de l'élève. Il est parfois tentant de faire l'objectivation à la place de l'élève. L'enseignante pense savoir d'avance ce que l'élève va dire, elle gagnera du temps, s'exprimera plus clairement… En réalité, ces «bonnes raisons» peuvent cacher un désir d'entendre «les bonnes réponses» et une insécurité inconsciente. Le vol n'est jamais payant. L'enseignante risque de se trouver face à de mauvaises surprises au moment de l'évaluation ou bien, elle ressentira le besoin d'évaluer à tout moment, parce qu'elle ignore où en est l'enfant dans son apprentissage. L'objectivation est donc une tâche qui appartient à la fois à l'enseignante et aux élèves engagés dans le processus d'apprentissage et chacun doit la faire sur son terrain.

Quand doit-on objectiver?

Ici encore la réponse est claire: à toutes les étapes du processus d'apprentissage.

– AVANT: Il est important pour la personne confrontée à un nouveau problème de prendre du recul pour analyser la situation, pour rechercher dans son bagage d'expériences vécues, pour analyser le vécu d'autres personnes, pour exprimer sa perception du problème.
– PENDANT: Dans le feu de l'action, il est important de prendre de nouveau du recul pour regarder sa démarche, dire ses difficultés, remettre en question ses moyens, observer comment d'autres vivent la même situation, exprimer son vécu dans cette situation.

– APRÈS: Il s'agit maintenant de faire le bilan de l'expérience: raconter sa démarche, découvrir les stratégies efficaces ou non, expliquer ses découvertes, formuler les questions qui persistent et exprimer son vécu.

Que doit-on objectiver?

Puisqu'il existe trois niveaux d'objectifs dans les programmes, l'objectivation doit donc se faire sur

– le savoir: les connaissances, les découvertes;
– le savoir-faire: les habiletés, la démarche, les stratégies, les procédures;
– le savoir-être: les attitudes, les comportements, les sentiments, les opinions, les convictions.

Les connaissances sont plus facilement perceptibles que les habiletés ou les attitudes. Mais sans l'objectivation, il y a fort à parier que les habiletés ou les attitudes n'atteindront pas le niveau de développement auquel l'enfant a droit.

Comment peut-on faire objectiver?

Tous les moyens sont bons pourvu qu'ils soient adaptés à l'âge des apprenants et à l'objet-cible d'objectivation. On peut donc faire objectiver par

– la parole, à travers l'expression orale ou la rencontre;
– l'écriture, à travers un récit ou l'expression libre;
– le dessin ou l'expression plastique;
– le mime ou le jeu de rôles;
– des outils structurés comme les fiches de rétroaction ou les grilles.

On peut encore faire objectiver

– individuellement,
– en dyade,
– en équipe,
– collectivement.

La forme d'objectivation choisie dépend de la nature de l'apprentissage, de la subtilité du processus d'apprentissage, du climat de la classe et des états d'âme des enfants.

Petit guide pour objectiver et faire objectiver

Voici quelques questions[4] qui peuvent favoriser l'objectivation au cours des trois étapes du processus d'apprentissage.

AVANT: Que penses-tu savoir de cette réalité?
As-tu déjà entendu parler de ce problème?
As-tu déjà vu des choses qui te font penser à cette question?
Connais-tu des personnes qui ont vécu des expériences semblables?
As-tu déjà été dans une situation semblable?
etc.

PENDANT: Comment ça va dans tes apprentissages?
As-tu besoin d'aide?
Comprends-tu la situation ou le problème?
Es-tu capable de me dire ce que tu comprends?
Qu'est-ce que tu ne comprends pas?
En quoi puis-je t'aider?
etc.

APRÈS: *Sur le plan du savoir*

Dis-moi ce que tu as appris.
Dis-moi ce que signifie tel mot, tel symbole, tel tableau.
Nomme-moi des façons d'utiliser ou d'appliquer tes découvertes.
Dis-moi ce que tu as compris des découvertes des autres.
Dis-moi comment tu pourrais présenter et expliquer tes découvertes à d'autres.

Sur le plan du savoir-faire

Dis-moi ce que tu comprends du problème ou de la situation.
Redis dans tes propres mots ce que je t'ai dit ou que quelqu'un d'autre t'a dit.
Raconte-moi les étapes suivies pour arriver à une solution.
Nomme-moi les difficultés auxquelles tu as été confronté.
Raconte-moi ce qui a facilité ta démarche.
Raconte-moi la façon dont tu as utilisé tel outil, telle information.
Raconte-moi comment tu as su que ton résultat était bon ou que ta réalisation était réussie.
Dis-moi qui t'a aidé, qui tu as consulté.

---

4.   D'aprés «Un essai d'objectivation d'un intervenant en milieu scolaire», de Conrad Huard, publié dans la revue *Instantanés mathématiques*, en septembre 1985.

Raconte-moi comment tu t'es senti en vivant cette démarche.

Dis-moi comment tu t'es senti aidé par les autres.

Raconte-moi comment tu as établi le contact avec les autres.

Parle-moi de ton expérience seul, en équipe, en grand groupe.

Dis-moi pourquoi tu as travaillé seul ou en équipe.

Raconte-moi comment tu t'es senti écouté, compris, accepté, respecté.

Raconte-moi ce qui est arrivé quand tu as posé tel geste ou parlé de telle façon.

Raconte-moi ce que tu as apporté à l'équipe, à la classe.

Raconte-moi comment tu as reçu, assumé, les responsabilités confiées par les autres.

Dis-moi ce qui t'a fait peur, découragé.

Dis-moi ce que tu ressens quand tu communiques quelque chose à quelqu'un.

Dis-moi ce que tu as perçu du comportement des autres.

L'évaluation des apprentissages

Évaluation et objectivation

À partir de ce qui vient d'être dit sur l'objectivation, il peut être utile de mettre en parallèle l'objectivation et l'évaluation. Ce rapprochement fera apparaître les ressemblances tout en clarifiant les différences. On doit le tableau qui suit à Conrad Huard.

Processus d'objectivation	Processus d'évaluation
Au préalable, il y a une question, un problème à résoudre.	Au préalable, il y a une décision à prendre.
1. Nécessité d'un recul. Se raconter ou raconter à un autre: • avant, pendant, après un vécu.	1. Collecte d'informations par observation, par mesure: • avant, pendant, après un apprentissage.
2. Analyse d'un vécu antérieur ou présent: – perception, – description, – comparaison, – classification.	2. Comparaison des informations obtenues en relation avec un référentiel prédéterminé pour porter un jugement face à l'atteinte ou non des objectifs du référentiel.
3. Conclusion, appropriation du vécu débouchant sur une prise de conscience.	3. Prise de décision face à des actions futures.

Ici, la nuance s'impose entre l'objectivation et l'auto-évaluation. Dans l'objectivation, l'élève jette un regard sur ce qu'il vient de vivre. Il regarde d'un œil objectif, il verbalise son vécu, il met en mots son expérience. Il devient conscient de son apprentissage.

Dans l'auto-évaluation, il apprécie cette prise de conscience, il porte un jugement sur lui-même à travers un apprentissage qu'il vient de faire. Cette phase d'auto-évaluation l'amène à réinvestir ses compétences dans une nouvelle expérience. Quoique différentes l'une de l'autre, ces deux phases ont intérêt à être vécues par l'apprenant, car elles sont interreliées et complémentaires. Toutes les deux sont des atouts intéressants à utiliser dans la construction du savoir.

Conrad Huard propose cette définition de l'évaluation:

L'évaluation pédagogique est un processus visant à juger de la situation d'un élève en certains domaines de son développement, en vue de prendre les meilleures décisions possibles relatives à son cheminement ultérieur[5].

On y retrouve les éléments indispensables que sont

- la référence au processus,
- le jugement,
- les domaines d'évaluation,
- l'orientation vers une prise de décision,
- l'intégration de l'évaluation dans un cheminement.

Le tableau de la page 303 fait ressortir les composantes de la démarche d'évaluation en les situant par rapport au processus d'apprentissage. Il nous permet de saisir la globalité de la démarche tout en cernant sa spécificité. Il met en évidence l'intention en évaluation: évaluer pour aider à apprendre et évaluer pour sanctionner les compétences.

Ces deux types d'évaluation jouent des rôles différents parce qu'ils se situent à des étapes différentes du processus enseignement/apprentissage et parce qu'ils débouchent sur des décisions différentes.

L'évaluation formative (pour aider à apprendre)

- Elle est orientée vers une action pédagogique immédiate.
- Elle vise à assurer une progression constante des apprentissages, par le biais d'activités correctrices, de renforcement ou d'enrichissement.
- Elle renseigne l'élève sur ses forces et ses faiblesses.
- Les données permettent d'établir le profil de l'apprentissage de l'élève. Ces données ne peuvent cependant pas être cumulées. L'élève est en période d'apprentissage et il a droit à l'erreur.
- Les appréciations de l'enseignante doivent reposer sur des observations précises et systématiques. Mais on peut inclure dans le processus la co-évaluation et l'auto-évaluation des élèves.
- L'évaluation formative a pour effet d'amener l'enseignante
  • soit à intervenir auprès de l'élève ou du groupe,
  • soit à réviser sa pratique pédagogique.
  Elle est donc interactive et rétroactive.

- C'est l'enseignante qui assume la responsabilité de l'évaluation formative.

---

5. Conrad HUARD, *Instantanés mathématiques,* novembre 1985, p. 9.

La démarche d'évaluation formative

MOMENT	AVANT l'apprentissage	PENDANT le déroulement de l'apprentissage	APRÈS l'apprentissage

Rôle (pourquoi)
 	
Intention
	– Vérifier les acquis préalables
	– S'assurer de la convenance de la planification
	– Faire le portrait de l'élève au niveau d'un objectif du domaine affectif
		– Améliorer l'apprentissage et l'enseignement:
		  • corriger les lacunes
		  • renforcer les acquis
		– S'assurer que les conditions environnantes favorisent l'apprentissage
		– Favoriser l'interaction élève-enseignant
			– Améliorer l'apprentissage et l'enseignement
			– Vérifier le degré de réalisation d'un objectif ou d'un ensemble d'objectifs

Objets d'évaluation (quoi)	Les connaissances, habiletés ou attitudes jugées nécessaires pour aborder une nouvelle séquence d'apprentissage	– Les conditions propices au déroulement de l'apprentissage: • motivation, intérêt, etc. – Le déroulement même de l'apprentissage	Les connaissances, habiletés ou attitudes visées par les objectifs du programme en tenant compte, s'il y a lieu, de la relation entre plusieurs objectifs

Mesure (comment)	– Choix d'instruments de mesure tels que:
	  • grille d'observation
	  • questionnaire oral ou écrit
	  • échelle d'évaluation descriptive
	  • échelle d'attitudes
	  • grille d'auto-évaluation
	– Établissement des critères ou des seuils de réussite
	– Analyse des résultats
		– Choix d'instruments de mesure tels que:
		  • grille d'observation
		  • questionnaire oral
		  • échelle d'évaluation descriptive
		  • échelle d'auto-évaluation
		– Choix de procédés moins formels tels que:
		  • observation non systématique
		  • questionnaire oral fait de manière spontanée
		– Établissement des critères
		– Analyse des résultats
			– Choix d'instruments de mesure tels que:
			  • grille d'observation
			  • questionnaire écrit
			  • questionnaire oral
			  • échelle d'évaluation descriptive
			  • échelles d'attitudes
			  • grille d'auto-évaluation
			– Établissement des critères ou des seuils de réussite
			– Analyse des résultats

Jugement (évaluation)	En tenant compte de diverses considérations, dire si l'on peut aborder une nouvelle séquence d'apprentissage	En tenant compte de diverses considérations, dire si l'apprentissage se déroule comme prévu	En tenant compte de diverses considérations, dire si les objectifs sont atteints
Décision	– Entreprendre une nouvelle séquence d'apprentissage – Conserver ou modifier la planification – Prescrire des tâches spécifiques pour corriger les lacunes s'il y a lieu – Améliorer son comportement (élève)	– Réexpliquer les choses mal comprises – Proposer des solutions pour augmenter la motivation – Demander à un élève qui a bien compris d'en aider un autre qui éprouve des difficultés – Renouveler le matériel didactique	– Poursuivre l'enseignement – Prescrire des tâches spécifiques pour corriger des lacunes ou renforcer les acquis – Revenir sur une partie de l'apprentissage – Modifier ou conserver la planification
Action: Utilisation des résultats	Informer l'élève et l'enseignante sur l'ajustement à apporter	Informer l'élève et l'enseignante sur ce qui se passe PENDANT que l'élève apprend	– Informer l'élève et l'enseignante sur les apprentissages réalisés – Informer les parents sur la progression de leur enfant

Source: Nicole LIRETTE, *Vie pédagogique*, novembre 1983, vol. 27, p. 45.

L'évaluation sommative (pour sanctionner la compétence)

– Elle se situe dans le processus à la fin d'une série d'activités d'apprentissage.

– Elle vise à porter un jugement sur le degré de réalisation des apprentissages d'un programme ou d'une partie terminale de programme, en se basant sur des données pertinentes.

– Elle débouche sur une prise de décision importante: passage dans une classe supérieure, sanction d'un programme d'études, orientation de l'élève, etc.

– Pour porter ce jugement, l'enseignante peut considérer les performances observées au cours de l'apprentissage ou à la fin d'un apprentissage.

– Le jugement doit faire état de la compétence de l'élève au terme de la période d'apprentissage prévue: étape, année scolaire. L'évaluation sommative revêt donc une grande importance pour l'élève. Elle détermine son degré de maîtrise en rapport avec les objectifs du programme. Elle lui ouvre le passage à une classe supérieure.

– La responsabilité de l'évaluation sommative est partagée entre l'école, la commission scolaire et le ministère de l'Éducation.

Les deux organigrammes suivants résument clairement ce qui peut être dit sur l'évaluation formative et l'évaluation sommative:

Synthèse de l'évaluation formative

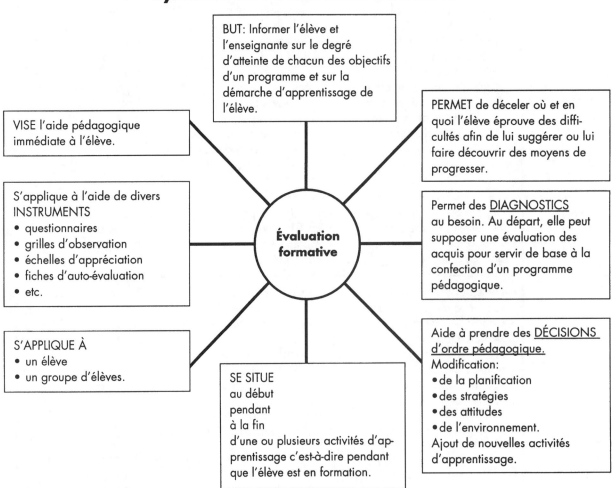

Source: Ateliers d'évaluation pédagogique préparés par la Direction régionale du ministère de l'Éducation à Trois-Rivières, 1983.

Synthèse de l'évaluation sommative

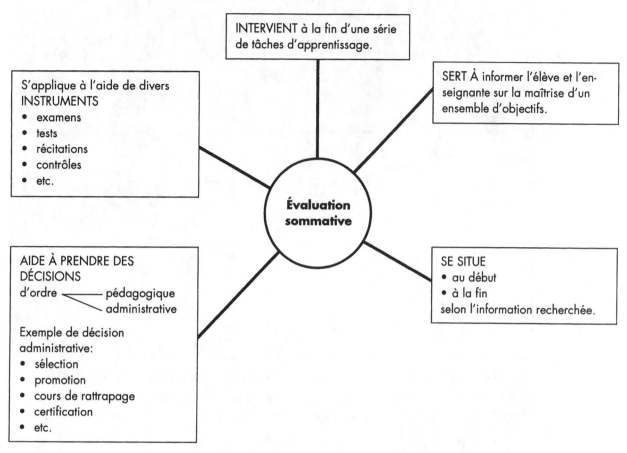

INTERVIENT à la fin d'une série de tâches d'apprentissage.

SERT À informer l'élève et l'enseignante sur la maîtrise d'un ensemble d'objectifs.

S'applique à l'aide de divers INSTRUMENTS
- examens
- tests
- récitations
- contrôles
- etc.

Évaluation sommative

AIDE À PRENDRE DES DÉCISIONS
d'ordre — pédagogique
administrative

Exemple de décision administrative:
- sélection
- promotion
- cours de rattrapage
- certification
- etc.

SE SITUE
- au début
- à la fin
selon l'information recherchée.

Source: Ateliers d'évaluation pédagogique préparés par la Direction régionale du ministère de l'Éducation à Trois-Rivières, 1983.

La collecte des informations pour l'évaluation formative

En évaluation formative, on peut utiliser une panoplie d'instruments pour la collecte des informations. Voici quelques pistes[6]:

1. Observation régulière des élèves au travail (journal de bord).
2. Questions individuelles.
3. Tâche évaluative écrite, verbale ou expérientielle.
4. Auto-appréciation.
5. Participation à une discussion.
6. Analyse d'une production.
7. Rencontre d'un conseiller (co-évaluation).
8. Analyse des questions posées par les élèves.
9. Évaluation en cours de production lors d'un travail à long terme.
10. Participation de l'élève aux étapes suivies pour la résolution de problème (analyse d'une démarche utilisée par l'élève).

---

6. D'après *L'évaluation formative,* fascicule 3, série «Éléments de docimologie», Ministère de l'Éducation.

On ne saurait trop inviter les enseignantes à varier leurs outils de collecte d'informations. Trop souvent, l'évaluation formative se limite à l'utilisation de tâches évaluatives. Cette façon de faire est le reflet d'un manque de confiance des enseignantes:

- elles ont perdu confiance en leur jugement;
- elles sentent le besoin de justifier leur jugement par des batteries de tests et d'examens;
- elles n'utilisent pas d'instruments de consignation régulière comme la feuille de route ou le journal de bord, qui seraient pourtant des outils précieux pour l'évaluation formative.

Quelques règles à respecter dans l'évaluation des apprentissages

Il est peut-être bon de rappeler certaines règles[7] qu'il est nécessaire de respecter dans l'évaluation des apprentissages:

1. Évaluer un apprentissage, c'est vérifier jusqu'à quel point l'élève est capable de faire des transferts, c'est-à-dire d'appliquer ses nouvelles compétences à une situation semblable.

2. Il ne doit pas y avoir de pièges ni de surprises dans une situation d'évaluation.

3. L'élève doit vivre dans l'évaluation les mêmes types de tâches que celles rencontrées dans l'apprentissage.

4. Le degré de difficulté d'une tâche évaluative ne devrait jamais être plus élevé que celui des situations d'apprentissage.

5. L'élève doit connaître le niveau minimal exigé pour que la tâche soit considérée comme réussie.

---

7. D'après *Quelques règles à respecter pour que l'évaluation des apprentissages soit valable*, de Rosée Morissette, consultante en éducation.

6. Toute situation d'évaluation doit aussi être considérée comme une situation d'apprentissage. Dans ce contexte, les erreurs sont informatives; elles contribuent à l'apprentissage.

Peut-être faut-il encore préciser que l'erreur la plus fréquente consiste à confondre «évaluation formative» et «évaluation sommative». Trop souvent, l'enseignante croit faire de l'évaluation formative alors qu'elle se conduit comme dans une évaluation sommative. Ce qui caractérise l'évaluation formative, c'est qu'elle est au cœur même du processus d'apprentissage. Elle débouche sur un réinvestissement au niveau de l'enseignement. À la suite de ce type d'évaluation, l'enseignante doit décider de

– reprendre son enseignement;
ou
– gérer les différences en sous-groupe;
ou
– passer à la consolidation ou à l'enrichissement de l'apprentissage.

Le bulletin

Le bulletin n'est pas l'évaluation en soi. Il est un miroir qui reflète à l'enfant son propre développement et un moyen de transmission d'informations aux parents. L'enfant devrait être le premier destinataire du bulletin. Cette rencontre entre l'enseignante et l'élève est d'une réelle importance pour la prise de conscience de ce qui se passe dans l'apprentissage. C'est l'enfant ensuite qui devrait pouvoir présenter son bulletin à ses parents, avec l'aide de son enseignante.

Le réinvestissement

C'est dans le réinvestissement que se révèlent réellement la stabilité et la profondeur de l'apprentissage. L'élève qui est capable de réutiliser ses compétences dans un nouveau champ, pour qui cette réutilisation est facile, spontanée même, a vraiment complété le processus d'apprentissage.

Or, actuellement, dans les classes, l'étape du réinvestissement n'apparaît pas clairement. Elle se fait le plus souvent collectivement, sous la forme de correction d'examens. Cette lacune est liée au manque d'outils organisationnels. Après l'évaluation, l'enseignante doit gérer des différences. Elle se trouve face à des lacunes à combler qui ne sont pas les mêmes pour tout le monde. Elle se trouve aussi avec des élèves qui ont tout à fait réussi leur apprentissage. Comment gérer ces différences, si elle n'a pas dans sa classe un «tableau d'enrichissement», des «cliniques» de consolidation, si elle ne pratique pas l'enseignement par sous-groupes et si elle n'offre pas des «cliniques» obligatoires ou des ateliers avec inscription?

En réalité, le réinvestissement devrait se développer tout au long du processus d'apprentissage si l'on veut favoriser le transfert des connaissances et le développement de compétences.

Les transferts de connaissances

Un peu de théorie[8]

Comment reconnaître le transfert?

Mais, au fait, est-on si familier avec ce concept de transfert? Vit-on quotidiennement avec lui ou le fuit-on? Le transfert n'est pas un fantasme pédagogique: il existe, mais on se heurte à la difficulté de le vivre soi-même et d'aider quelqu'un d'autre à le vivre. Il est en quelque sorte la pierre philosophale de l'enseignement puisqu'il pourrait se définir comme le réapprentissage de ce que l'on sait déjà dans une situation nouvelle. Bref, c'est ce qu'on est capable de faire avec le savoir à un moment donné.

Le transfert suppose donc un déplacement vers… On transporte son savoir, son histoire, ses racines d'un lieu à un autre. Il est donc porteur de sens et susceptible d'être un outil de formation et de transformation. Cela implique qu'on parte d'un point connu pour se diriger vers une réalité inconnue, de là l'importance de s'appuyer sur le savoir d'expérience de l'élève. Et ceci ne peut se faire sans engagement et sans risques, tant chez l'élève que chez l'enseignante.

Les transferts peuvent toucher différents aspects du développement:

- l'aspect cognitif (processus mentaux);
- l'aspect méthodologique (méthodes de travail);
- l'aspect comportemental (maîtrise de l'impulsivité);
- l'aspect pédagogique (principes pédagogiques appliqués dans une classe).

---

8. Propos recueillis lors du colloque sur le transfert des apprentissages à Lyon, septembre 1994.

Comment vivre avec le transfert?

Le transfert n'est pas quelque chose de spontané. Il serait illusoire de tenir pour acquis qu'il se fait seul. Au contraire, il doit être pris en main, ce qui signifie qu'il doit être enseigné et appris.

Disons tout de suite qu'il y a différentes variables dans les transferts:

- Les sujets: certains individus transfèrent plus facilement que d'autres;
- Les tâches: plus la tâche est immédiate et semblable, plus le transfert est facile à faire;
- Les situations d'apprentissage: quand on varie les contextes, il faut recadrer les connaissances et redéfinir les procédures.

Mais dans chacun des cas, on doit retrouver une logique sur le plan du vécu expérientiel:

- La logique d'accumulation (connaissances acquises, qui sont là);
- La logique d'adaptation (variété de connaissances);
- La logique de signification (existence d'un projet);
- La logique de métacognition (appel aux processus mentaux);
- La logique du récit (liens avec le vécu de la personne, son histoire personnelle).

De la théorie à la pratique

Les données qui précèdent nous amènent à formuler quelques principes pédagogiques pouvant faciliter le transfert des compétences chez l'élève:

1. Partir de son vécu, de son savoir d'expérience;
2. Donner du pouvoir à l'apprenant pour ce qui est de ses apprentissages en le faisant participer;
3. L'amener à s'engager, à courir des risques à l'intérieur d'un projet d'apprentissage;
4. Développer avec lui un outillage cognitif (modélisation);
5. Lui permettre de faire des prises de conscience;
6. Favoriser la mise en mots de ses prises de conscience;
7. Varier les contextes et les tâches d'apprentissage (changement de cadre);
8. Négocier avec l'apprenant une disparition progressive de l'outillage fourni;
9. Lui faire verbaliser son récit d'apprentissage pour qu'il l'intègre dans son histoire personnelle.

Finalement, disons qu'on peut transférer à trois niveaux différents:

- transférer des connaissances acquises dans des situations de formation précises, comportant une même structure de problème (transfert intradisciplinaire);
- transférer des connaissances acquises dans des situations sociales et professionnelles complexes, mobilisant d'autres connaissances, d'autres valeurs, d'autres habitudes (transfert interdisciplinaire);
- transférer des connaissances acquises dans une histoire personnelle qui les articule et leur donne du sens (transfert transdisciplinaire).

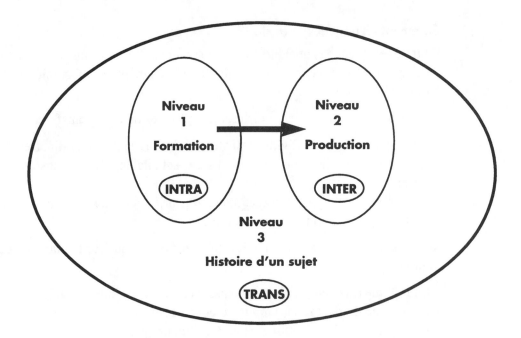

Quelle enseignante n'a pas expliqué de cette manière les résultats médiocres de ses élèves à des examens donnés par une autorité extérieure: «Ils n'étaient pas préparés à ce type d'examen»! C'est un fait, les élèves se retrouvent souvent dans les mêmes situations d'apprentissage. Ils deviennent experts dans ce type de situations. Mais face à d'autres situations, à d'autres problèmes, à d'autres défis ou dans d'autres contextes, ils n'arrivent pas à faire le transfert de leurs acquis.

Pour favoriser les transferts dans le contexte de la gestion de classe participative, il faut donc profiter des activités d'approfondissement ou d'enrichissement et présenter à l'élève des situations nouvelles reliées à des sous-composantes d'un objectif dans un contexte différent de celui auquel il est habitué. L'enfant sera ainsi dans l'obligation de se requestionner et d'élaborer de nouvelles démarches de recherche. Spécialiste d'un instrument, l'élève deviendra «homme-orchestre», capable de jouer le plus d'instruments possibles. Il acquerra une liberté plus grande, des habiletés plus diversifiées.

Cette préoccupation de favoriser le transfert n'est possible que dans le cadre de véritables scénarios ou projets d'apprentissage. Là où l'enseignante ne sait présenter que des séries d'activités sans liens entre elles, l'apprentissage du transfert est impossible. Là où les activités d'apprentissage ne sont pas distinctes des activités d'évaluation, le transfert est impossible. Là où n'existent pas d'activités d'enrichissement pour les élèves forts et d'activités de consolidation pour les élèves faibles, le transfert est impossible. Là où tout est évalué, le transfert est impossible. Pour qu'il y ait possibilité de transfert, il faut de l'ouverture, de la liberté, le courage de courir des risques de part et d'autre, et le plaisir d'essayer de nouvelles compétences dans de nouveaux contextes.

Conclusion

Cette longue réflexion permet de voir que la gestion des apprentissages n'est pas une mince affaire. Elle exige de l'enseignante le développement et l'harmonisation d'un grand nombre d'habiletés. De plus, la dextérité dans le jeu de ces habiletés n'est pas une question de goût ou d'humeur. L'apprentissage de l'enfant en dépend. Agir en enseignante responsable, c'est donc tout mettre en œuvre pour que la planification de l'enseignement, l'animation, la médiation, l'objectivation, l'évaluation, le réinvestissement et le transfert favorisent au mieux son développement. Aussi la formation de l'enseignante en gestion des apprentissages n'est-elle jamais vraiment tout à fait terminée. L'enseignante doit constamment réinvestir ses compétences dans de nouvelles situations pour être sûre d'être elle-même allée au bout de son processus de perfectionnement.

TROISIÈME ÉTAPE: LE CHOIX DES OUTILS

PENDANT L'EXPÉRIMENTATION

Tu trouveras dans le chapitre 1, aux pages 21, 22, 26 et 27, des pistes de réflexion et des instruments pour vivre les trois étapes de ton défi:

– l'expérimentation,
– l'objectivation,
– le réajustement.

APRÉS L'EXPÉRIMENTATION

Pour t'aider à faire le point sur le défi que tu viens de relever en rapport à la gestion des apprentissages, retourne au chapitre 1, aux pages 22, 23, 28 et 29. Tu y trouveras les éléments de réflexion et les instruments nécessaires pour faire:

– l'évaluation,
– le réinvestissement.

5.1 UNE PRÉPARATION DE CLASSE DE L'AN 2000

(Grille de planification)

Contexte et utilité

Depuis les dix dernières années, on a mis beaucoup l'accent sur la planification de l'enseignement à long terme, c'est-à-dire pour chacune des étapes de l'année. Cela a sans doute contribué à une meilleure appropriation des contenus de programme par les intervenantes et les intervenants. De plus, c'était un excellent moyen de sensibiliser les pédagogues à l'importance d'atteindre tous les objectifs, étant donné que ces derniers devaient être répartis à l'intérieur de chacune des étapes.

Toutefois, cette dimension de la planification de l'enseignement n'a pas touché pour autant la préparation de classe immédiate, celle qu'on tient pour acquise et qui pourrait transformer grandement la gestion des apprentissages et, surtout, la gestion des différences que l'on trouve à l'intérieur du vécu de la classe.

La préparation de classe existe encore, même si l'on a acquis de l'expérience en enseignement et de l'assurance quant aux contenus. Elle transcende la répartition des pages, la préparation du matériel ou la photocopie des feuilles. Et si l'on tentait de lui donner un nouveau visage...

Pistes d'utilisation

1. Cible un objectif d'apprentissage qui te paraît plus difficile à manipuler ou plus lourd à saisir pour les élèves.

2. Précise s'il s'agit d'un objectif qui touche une attitude, une habileté, une connaissance, une technique ou un contenu notionnel.

3. Détermine la situation d'apprentissage que tu désires utiliser.

4. Précise de quelle façon sera vécue chacune des étapes de la situation d'apprentissage.

5. Aie en tête que tu peux jouer avec les groupes de travail pour chacune des étapes: collectif, en équipe, en dyade, individuel.

6. Planifie une tâche enrichie pour les élèves rapides et prévois une tâche allégée pour les élèves en difficulté.

7. Trouve des stratégies d'intervention qui te permettront de présenter la réalité par trois portes d'entrée possibles: information, démonstration et expérience.

GRILLE DE PLANIFICATION DE L'ENSEIGNEMENT (À COURT TERME)

	Avant (mise en situation)	Pendant (réalisation)	Après (intégration)
1. Objectif ciblé: Attitude ( ) Habileté ( ) Connaissance ( ) Technique ( ) Contenu notionnel ( )	2. Objectif d'apprentissage:		3. Situation d'apprentissage:
4. Comment vais-je animer les trois temps de la situation?			
5. Comment vais-je respecter les rythmes d'apprentissage des élèves?	Élèves rapides	Élèves moyennes, moyens	Élèves lentes, lents ou en difficulté
6. Comment vais-je respecter les styles d'apprentissage des élèves?	Élèves auditives, auditifs	Élèves visuelles, visuels	Élèves kinesthésiques

5.2 UNE RICHESSE À DÉCOUVRIR: L'AUTO-ÉVALUATION

(Des suggestions de grilles)

Contexte et utilité

L'évaluation a pris beaucoup de place au Québec depuis quelques années, si bien qu'actuellement on enseigne pour évaluer. Les tâches liées à l'évaluation sont nombreuses et fréquentes. Pourtant, les moyens de collecte des données nécessaires pour porter un jugement ne se limitent pas à la tâche d'évaluation. On trouve entre autres l'auto-évaluation de la part de l'apprenante ou de l'apprenant. Si l'évaluation fait partie du processus d'apprentissage, il est normal d'y associer l'apprenante ou l'apprenant jusque dans la phase de l'évaluation et du réinvestissement. Quelle bonne prise de conscience que de prendre du temps pour porter soi-même un jugement sur ce qu'on vient d'apprendre!

Toutefois, l'auto-évaluation doit se vivre dans un cadre structuré permettant à l'apprenante ou à l'apprenant d'évaluer tantôt ses connaissances, tantôt ses habiletés, tantôt ses attitudes. Le présent outil te suggère des grilles d'auto-évaluation adaptables à des élèves de différents niveaux.

Pistes d'utilisation

1. Choisis un niveau d'objectifs pour lequel tu désires engager les élèves dans l'auto-évaluation:
   - comportements, attitudes;
   - habiletés;
   - connaissances.

2. Élabore une grille d'auto-évaluation en regard du niveau d'objectifs retenu. Préoccupe-toi de fournir un cadre de référence précis à l'élève:
   - cible d'évaluation formulée clairement et décrivant un comportement observable et mesurable;
   - échelle d'appréciation simple, à quelques paliers de préférence et facile à interpréter. Il serait pertinent d'utiliser la même échelle d'appréciation pour un certain temps.

3. Donne du temps aux élèves pour qu'ils puissent s'auto-évaluer. N'interviens pas lors de cette étape, même si ton jugement ne correspond pas à celui de l'élève.

4. Permets à l'élève de comparer son jugement avec celui d'une autre personne: enseignante, conseillère ou conseiller de la dyade, autre élève. C'est ainsi qu'elle ou il apprendra à se réajuster, si nécessaire.

5. Conserve les fiches d'auto-évaluation dans un dossier personnel de l'élève et achemine-les aux parents à la fin du mois.

AUTO-ÉVALUATION DES COMPORTEMENTS

Je me nomme: _____

Règles de vie	Sem.	Sem.	Sem.	Sem.	Sem.	Sem.
1. Je circule calmement dans la classe.	○	○	○	○	○	○
2. Je consulte le menu et je prépare mes outils de travail.	○	○	○	○	○	○
3. Je garde le silence pour respecter les amies, les amis qui n'ont pas fini le travail.	○	○	○	○	○	○
4. Je range ma table et ma chaise à la fin d'une activité.	○	○	○	○	○	○
5. Je soigne la qualité de mon écriture.	○	○	○	○	○	○
	Je suis d'accord avec toi. ☐ Je ne suis pas d'accord. ☐	Je suis d'accord avec toi. ☐ Je ne suis pas d'accord. ☐	Je suis d'accord avec toi. ☐ Je ne suis pas d'accord. ☐	Je suis d'accord avec toi. ☐ Je ne suis pas d'accord. ☐	Je suis d'accord avec toi. ☐ Je ne suis pas d'accord. ☐	Je suis d'accord avec toi. ☐ Je ne suis pas d'accord. ☐

Échelle d'appréciation:

○ = J'ai respecté la règle de vie.
◐ = J'ai oublié 1 ou 2 fois.
● = J'ai de la difficulté à respecter la règle de vie.

Source: École Notre-Dame, Duberger, de la commission scolaire des Belles-Rivières.

AUTO-ÉVALUATION DES APPRENTISSAGES

Nom: _____

Matière: _____

Liste des élèves	Objectifs	Auto-évaluation	Date de reprise	Seconde auto-évaluation
1.				
2.				
3.				
4.				
5.				
6.				
7.				
8.				
9.				
10.				
11.				
12.				
13.				
14.				

Échelle d'appréciation:

○ = Je réussis seule, seul.
◐ = J'ai besoin d'aide.
● = J'éprouve des difficultés.

Source: École Notre-Dame, Duberger, de la commission scolaire des Belles-Rivières.

AUTO-ÉVALUATION DES TROIS SAVOIRS

(GRILLE INTÉGRÉE)

Nom de l'élève: _____   Date: _____   Matière: _____

SAVOIR

Objectif: _____

1. **Je sais parfaitement.**
   ☐ Élève
   ☐ Enseignante

2. **Je sais moyennement.**
   ☐ Élève
   ☐ Enseignante

3. **Je sais un peu.**
   ☐ Élève
   ☐ Enseignante

Je veux réinvestir ainsi:
_____
_____
_____

SAVOIR-FAIRE

Objectif: _____

1. **Je suis capable de faire sans difficulté la tâche demandée.**
   ☐ Élève
   ☐ Enseignante

2. **J'ai réussi avec de l'aide.**
   ☐ Élève
   ☐ Enseignante

3. **J'éprouve de la difficulté et j'ai besoin d'aide.**
   ☐ Élève
   ☐ Enseignante

Je veux réinvestir ainsi:
_____
_____
_____

SAVOIR ÊTRE

Objectif: _____

1. **J'ai été réceptive, réceptif et coopérative, coopératif en tout temps, dans cette tâche.**
   ☐ Élève
   ☐ Enseignante

2. **J'ai été réceptive, réceptif et coopérative, coopératif de temps en temps, dans cette tâche.**
   ☐ Élève
   ☐ Enseignante

3. **Je n'ai pas été réceptive, réceptif ni coopératif, coopératif dans cette tâche.**
   ☐ Élève
   ☐ Enseignante

Je veux réinvestir ainsi:
_____
_____
_____

Source: Lucie Côté, Thérèse Saint-Amand et Nelson Michaud, école secondaire, de la commission scolaire de Matane.

GRILLES D'AUTO-ÉVALUATION SUR LES TROIS SAVOIRS
(EN PIÈCES DÉTACHÉES)

On trouve dans les programmes d'études du ministère de l'Éducation du Québec trois niveaux d'objectifs:

connaissances	(savoir)
habiletés	(savoir-faire)
attitudes	(savoir être)

Il serait donc logique d'habiliter progressivement les élèves à s'auto-évaluer au regard de ces divers objectifs.

1. GRILLE D'AUTO-ÉVALUATION SUR LES CONNAISSANCES

Nom de l'élève: _____ Date: _____

Objectif ciblé: _____
....

Légende:

- Je le sais beaucoup.

- Je le sais un peu.

- Je ne le sais pas du tout.

Point de vue de l'enseignante:

❑ Je suis d'accord.　　　　❑ Je ne suis pas d'accord.

2. GRILLE D'AUTO-ÉVALUATION SUR LES HABILETÉS

Nom de l'élève: _____ Date: _____

Objectif ciblé: _____
....

Légende:

- Je suis capable de le faire seule, seul.

- Je suis capable de le faire avec de l'aide.

- J'ai des difficultés et j'ai besoin d'aide.

Point de vue de l'enseignante:

❑ Je suis d'accord.　　　　❑ Je ne suis pas d'accord.

3. GRILLE D'AUTO-ÉVALUATION SUR LES ATTITUDES

Nom de l'élève: _____   Date: _____

Objectif ciblé: _____

....

Légende:

• J'ai essayé.

• J'ai démissionné.

• Je n'ai pas essayé.

Point de vue de l'enseignante:

❏ Je suis d'accord.   ❏ Je ne suis pas d'accord.

Remarque: On peut même photocopier les fiches sur du papier de couleurs différentes afin de faciliter la reconnaissance des objectifs.

Exemple: connaissances (jaune);
          habiletés (vert ou bleu);
          attitudes (rose).

Il est important de discuter avec les élèves dont l'auto-évaluation ne correspond pas à la vôtre. C'est ainsi qu'ils vont devenir plus habiles à s'auto-évaluer. Ces auto-évaluations peuvent être expédiées aux parents à la fin d'un mois ou d'une étape.

Source: Outil élaboré par des enseignantes de Murdochville, de la commission scolaire des Falaises, Gaspé.

AUTO-ÉVALUATION DES APPRENTISSAGES

(POUR LES ÉLÈVES DU SECONDAIRE)

Ma fiche d'auto-évaluation   Module _____

Nom: _____

Groupe: _____

1. Concernant mon apprentissage

OBJECTIFS D'APPRENTISSAGE	SUJETS DES TRAVAUX	TRAVAIL DE CLASSE INDIVIDUEL						TRAVAIL DE CLASSE EN ÉQUIPE						TRAVAIL À LA MAISON (DEVOIR)					
		Fait	T.B.	B.	À améliorer	Pas fini	Pas fait	Fait	T.B.	B.	À améliorer	Pas fini	Pas fait	Fait	T.B.	B.	À améliorer	Pas fini	Pas fait

Point de vue de l'enseignante: Je suis d'accord.

Je ne suis pas d'accord.

Source: École secondaire Hormisdas-Gamelin, commission scolaire Vallée-de-la-Lièvre, Buckingham.

AUTO-ÉVALUATION INTÉGRÉE
AU FONCTIONNEMENT PAR ATELIERS

Prénom: _____   DÉFI: _____

Semaine du _____

CONSTRUCTION	ATELIER DE PEINTURE	MUSIQUE
Je dessine mon plan.	Je peins la campagne de Julienne.	Je compose une histoire sonore.

PÂTE À MODELER	SCIENCES
Je sculpte les chiffres.	J'explore avec les aimants.

LÉGENDE

⟹ *Savoir être*

☺ Cela m'a beaucoup intéressée, intéressé.

😐 J'ai été intéressée, intéressé un peu.

☹ Je n'ai pas aimé du tout.

⟹ *Savoir-faire*

Je suis capable de le faire toute seule, tout seul.

Je suis capable de le faire avec de l'aide.

Je ne suis pas capable de le faire même avec de l'aide.

Source: Ministère de l'Éducation du Québec, Dès le préscolaire… Recueil d'outils de gestion de classe, juin 1992.

5.3 L'OBJECTIVATION AU CŒUR DE NOS APPRENTISSAGES

(Pistes d'objectivation)

Contexte et utilité

L'évaluation est une préoccupation très grande dans les milieux scolaires. On a tendance à enseigner, actuellement, pour évaluer. Par contre, évaluer pour mieux enseigner rendrait service autant à l'intervenante ou à l'intervenant qu'à l'apprenante ou à l'apprenant. L'élément qui pourrait aider à resituer la place de l'évaluation à l'intérieur du processus d'apprentissage est sans contredit l'objectivation. C'est non seulement le cœur de l'apprentissage, mais aussi le fil conducteur qui mène à l'évaluation formative, au réinvestissement et aux transferts.

L'objectivation doit prendre la place qui lui revient. Il faut trouver du temps en classe pour objectiver avec les élèves, et ce de multiples façons. C'est le prix à payer pour rendre les élèves conscients de ce qu'ils vivent. Pourquoi ne pas en faire une priorité de tous les jours?

Pistes d'utilisation

1. Chaque semaine, donne-toi une cible d'objectivation: attitude, habileté ou connaissance.

2. Détermine des façons différentes d'objectiver au sein des groupes de travail: collectif, en équipe, en dyade ou individuel.

3. Répertorie également des outils d'expression disponibles pour objectiver: par l'oral, par l'écrit, par le dessin, par l'expression dramatique ou par un outil structuré.

4. Joue avec les différentes façons d'objectiver afin de rompre la monotonie et de donner goût à cette étape de l'apprentissage.

5. Alterne les cibles d'objectivation en classe: attitude, habileté, connaissance, démarche et stratégie.

6. Fais un lien entre la cible retenue et l'outil utilisé.

7. Propose aux élèves des référentiels visuels pour qu'ils puissent objectiver seuls ou entre eux, sans l'intervention directe de l'enseignante.

RÉFÉRENTIEL À L'INTENTION DES ÉLÈVES
(UTILISATION INDIVIDUELLE)

DES MOTS POUR DIRE...

Quand j'ai terminé mon projet d'apprentissage, ma tâche d'apprentissage ou ma résolution de problèmes...

JE SUIS CAPABLE DE NOMMER:

1. Ce que j'ai appris de nouveau

2. Ce que je comprends très bien

3. Ce que je ne comprends pas encore assez

4. Les habiletés que j'ai développées

5. Les stratégies que j'ai utilisées (les trucs)

6. Les défis que je veux me donner pour continuer mon apprentissage

JE SUIS CAPABLE DE RACONTER:

7. Les étapes que j'ai vécues pour arriver à une solution (la démarche)

8. Ce que j'ai aimé

9. Ce que je n'ai pas aimé

10. Les difficultés rencontrées

11. Les réussites, les joies vécues

RÉFÉRENTIEL À L'INTENTION DES ÉLÈVES
(UTILISATION EN DYADE OU EN ÉQUIPE)
DIS-MOI CE QUI S'EST PASSÉ...

Quand j'ai travaillé à développer une habileté, je m'arrête pour faire le point et je raconte aux autres ce que j'ai vécu...

SUR LE PLAN INTELLECTUEL

- Qu'est-ce que tu as observé?

- Quelle était ta question?

- Comment as-tu fait pour comprendre ta question?

- Quels sont les liens que tu as faits avec ce que tu savais déjà?

- As-tu déterminé, énuméré, fait des liens?

- Avais-tu plusieurs solutions?

- As-tu comparé tes solutions?

- Comment as-tu sélectionné les données?

- Comment as-tu fait pour choisir la meilleure solution?

- Comment as-tu formulé ton résultat?

- Comment as-tu su que ton résultat était bon?

SUR LE PLAN TECHNIQUE

- Dis-moi ce qui t'a aidée, aidé.

- As-tu utilisé le dictionnaire?

- As-tu utilisé ton coffre d'outils (méthodologie du travail intellectuel)?

- As-tu consulté d'autres sources d'information?

- Peux-tu illustrer ton idée par un graphique ou un symbole?

- As-tu eu à te servir de certains appareils (tourne-disque, magnétophone à cassette, micro-ordinateur, etc.)?

RÉFÉRENTIEL COLLECTIF DANS LA CLASSE

PANCARTE 1

Nous avons appris:

PANCARTE 2

Nous avons développé:

PANCARTE 3

Nous avons amélioré:

Utilisation: Choisir une cible en début de semaine. Inviter les élèves à objectiver tout au long de la semaine en regard de cette cible. À la fin de la semaine, faire le bilan des apprentissages et inviter chaque élève à cibler dans le référentiel un défi personnel qu'elle ou il veut relever au cours de la semaine qui vient.

Feuille reproductible. © 1994 Les Éditions de la Chenelière inc.

JEU DES PHRASES À COMPLÉTER
(OBJECTIVATION EN ÉQUIPE DE QUATRE)

1. Préparer des séries de cartons-étiquettes en vue de l'objectivation (1 série = 12 étiquettes) ou des cubes en carton sur lesquels on trouvera des messages à compléter.

2. En prévoir suffisamment, selon le nombre d'équipes dans la classe. Jouer avec les couleurs pour la reconnaissance et le rangement des cartons-étiquettes ou des cubes à messages.

3. Comme ces cartons et ces cubes doivent être réutilisés, il est préférable de les plastifier.

4. Suggérer à des élèves rapides de les fabriquer, lors de périodes réservées à des projets personnels ou à des activités d'enrichissement.

LISTE DES PHRASES À COMPLÉTER

J'ai réussi à…

J'ai aimé…

Je suis déçue, déçu de moi parce que…

J'ai appris…

Je ne veux plus… parce que…

Je suis fière, fier de moi parce que…

Mon prochain défi…

J'ai trouvé difficile…

J'ai trouvé facile…

J'ai moins aimé… parce que…

Je ne comprends pas encore assez…

Je comprends très bien…

PISTES D'OBJECTIVATION EN REGARD D'UNE TÂCHE D'APPRENTISSAGE

Dans le but de contrôler ta tâche, tu dois savoir:

• où tu réussis;

• où tu ne réussis pas;

• pourquoi tu ne réussis pas.

1. a) Nomme les difficultés que tu as rencontrées en faisant les travaux.
[Préciser: formulation des questions, genre des questions (déduction, justification), volumes et notes pour trouver les renseignements, etc.]

_____

_____

_____

_____

_____

   b) Est-ce que les questions du travail étaient faciles, moyennement faciles ou difficiles? Pourquoi?

_____

_____

_____

_____

_____

2. Précise ce qui t'a aidée, aidé pour faire les travaux.

_____

_____

_____

_____

3. Qu'est-ce qui pourrait t'aider pour mieux y répondre?

_____

_____

_____

4. Avais-tu le goût de les faire? Pourquoi?
   Exemple: Oui, parce que...
            Non, parce que...
            Et si tu as répondu *non*, pourquoi les as-tu faits quand même?

   _____

   _____

   _____

   _____

   _____

5. As-tu aimé faire ces travaux et pourquoi? **OU**

   As-tu trouvé de l'intérêt à faire ces travaux et pourquoi?

   _____

   _____

   _____

   _____

6. As-tu fait ton travail en entier, as-tu répondu à toutes les questions? Sinon, pourquoi?

   _____

   _____

   _____

   _____

7. Étais-tu satisfaite, satisfait de toi après avoir terminé ce travail, et pourquoi?

   _____

   _____

   _____

   _____

8. Avais-tu assez de renseignements pour le faire?
   Connaissances — consignes — stratégies (moyens ou façons de le faire)

   _____

   _____

   _____

Source: Florence Labbé, enseignante au secondaire, de la commission scolaire Vallée-de-la-Lièvre, Buckingham.

PISTES D'OBJECTIVATION EN REGARD D'UNE TÂCHE D'ÉVALUATION

	QUESTIONS			RÉPONSES				CONNAIS-SANCES		MES DÉFIS
	Numéros des questions	Comprises	Non comprises	Complètes	Incomplètes	Mal dites	Je n'ai pas associé la question à la réponse.	Suffi-santes	Insuf-fisantes	Au cours des prochaines semaines, je vais utiliser les stratégies suivantes pour m'aider à surmonter mes points faibles.
Déterminer (%)										
Expliquer (%)										
Réagir (%)										

Source: Diane Modery, enseignante au secondaire V, de la commission scolaire Vallée-de-la-Lièvre, Buckingham.

5.4 SAVOIR GÉRER LES RYTHMES D'APPRENTISSAGE

Contexte et utilité

De façon générale, dans les classes, l'enseignement s'adresse à la moyenne des élèves. Et ce sont toujours les extrêmes qui nous causent des problèmes: les élèves doués et les élèves en difficulté d'apprentissage.

Les élèves de ces deux catégories méritent qu'on s'attarde à eux et qu'on trouve des solutions pour les rejoindre davantage dans leur processus d'apprentissage. Apprivoiser les différences semble un défi de l'an 2000, et pourquoi pas?

Pistes d'utilisation

1. À la fin de la première étape de l'année, dresse le profil de ta classe en matière de rythme d'apprentissage: rythme rapide, rythme moyen ou rythme lent.

2. Consulte la banque de stratégies pour décoder les moyens déjà utilisés jusqu'à maintenant dans la classe en regard des rythmes d'apprentissage. (*Voir page 332.*)

3. Cible un moyen pouvant rejoindre davantage les élèves rapides et un autre pour les élèves en difficulté.

4. Expérimente ces deux moyens avec des élèves cibles appartenant à chacune des catégories.

5. Étends l'expérimentation à l'ensemble des élèves de la classe.

6. Dès qu'il y a eu intégration de ces outils à la pratique quotidienne, redémarre le processus d'innovation.

BANQUE DE STRATÉGIES À CONSULTER

1. Donner des défis supplémentaires aux élèves rapides (enrichissement parallèle).

2. Alléger la tâche des élèves en difficulté, soit sur le plan de la longueur ou sur le plan de la complexité de la tâche.

3. Varier les seuils de réussite (en fonction d'un seuil de réussite personnel à l'élève).

4. Ajuster les échéanciers en regard de la vitesse d'apprentissage des élèves. Donner plus de temps dans certains cas, surtout si on ne peut pas proposer une tâche d'apprentissage adaptée.

5. Structurer un coin d'enrichissement dans la classe (enrichissement complémentaire).

6. Faire naître, pour une période donnée, un atelier de consolidation en regard d'un objectif précis.

7. Créer un centre d'apprentissage permanent de lecture, d'écriture ou de mathématiques.

8. Enseigner par sous-groupes.

9. Offrir une banque de devoirs.

10. Utiliser les manuels scolaires et les cahiers d'exercices avec plus de souplesse.

11. Repenser la formule de correction collective d'examens obligatoires pour l'ensemble des élèves et vivre avec les élèves des cliniques obligatoires, conçues pour celles et ceux n'ayant pas atteint leur seuil de réussite.

12. Offrir des cliniques, des périodes «rendez-vous» aux élèves afin qu'ils s'inscrivent eux-mêmes aux explications de l'enseignante.

13. Avoir du matériel de manipulation en permanence dans la classe et l'offrir aux élèves en tout temps, selon les besoins de chacune et de chacun.

14. Introduire le bureau d'autocorrection dans la classe.

15. Créer des dyades d'entraide dans la classe, basées sur les compétences différentes.

16. _____

17. _____

Chapitre 6	# Comment organiser ma classe pour gérer les différences?

Une différence est source de richesse.

(Antoine de la Garanderie)

En bref...

- L'organisation de la classe requiert un certain nombre d'habiletés chez l'enseignante:
  - aménager l'espace,
  - gérer le temps,
  - planifier et animer des groupes de travail,
  - rassembler le matériel adéquat et le gérer.

- Dans le cadre de la gestion de classe participative, cette organisation se fera avec la volonté d'amener l'apprenant à s'engager le plus possible.

- C'est à cette condition que la classe deviendra un «milieu de vie».
  - Comment aider l'élève à être en projet d'apprentissage?

- *Comment gérer les différences dans ma classe?*
- *Comment rendre plus fonctionnel l'aménagement de ma classe?*
- *Comment fonctionner par ateliers?*
- *Comment introduire un atelier d'informatique dans ma classe?*
- *Comment gérer les différents rythmes?*
- *Comment créer une intervention complice avec l'orthopédagogue dans ma classe?*
- *Comment amener l'élève à s'engager dans la correction de ses travaux?*

L'une ou l'autre de ces interrogations t'a amenée à remettre en question l'organisation de ta classe. Pour réaliser ton défi, je te propose une démarche en trois temps. Elle a déjà été présentée dans les chapitres précédents: avant l'expérimentation, pendant l'expérimentation, après l'expérimentation. La figure ci-dessous permet de replacer la question de l'organisation de la classe dans l'ensemble qu'est la gestion de classe.

Gestion de classe

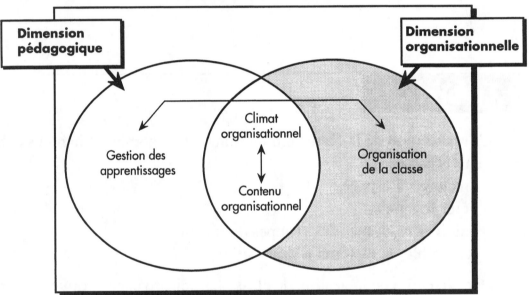

AVANT L'EXPÉRIMENTATION

PREMIÈRE ÉTAPE: L'AUTO-ANALYSE

Avant de modifier quelque chose dans l'organisation de ta classe, il est nécessaire de bien analyser la situation. Voici deux grilles d'analyse qui te permettront de regarder, sous toutes les coutures ou presque, la façon dont tu organises ta classe actuellement.

LÉGENDE

Les cases numérotées 1 à 5 indiquent le plus ou moins haut degré de possession de cette attitude que je me reconnais.

1. Je le fais très peu et ce n'est pas une priorité pour moi.
2. Je le fais très peu, mais je voudrais travailler ce point.
3. Je le fais avec quelque difficulté, mais je ne désire pas travailler ce point pour le moment.
4. Je le fais, mais j'aurais besoin d'améliorer encore ce point.
5. Je le fais et je suis bien dans ce comportement.

---

1. MA CAPACITÉ À AMÉNAGER L'ESPACE

1.1 Je suis capable d'aménager l'espace de façon souple et fonctionnelle.

	1	2	3	4	5
– L'organisation spatiale de ma classe se transforme en fonction des activités.	❑	❑	❑	❑	❑
– J'assure dans ma classe autant de coins ou d'aires de travail que la fonctionnalité l'exige.	❑	❑	❑	❑	❑
– Je vois à ce que les enfants participent à la décoration, à l'ordre et à la propreté de la classe.	❑	❑	❑	❑	❑
– Je décide avec les élèves de l'aménagement de lieux d'isolement, de lieux de travail d'équipe, de lieux de rassemblement.	❑	❑	❑	❑	❑
– Avec les élèves, je prévois des lieux de rangement, des lieux d'affichage.	❑	❑	❑	❑	❑
– J'ai le souci de faire de la classe un véritable milieu de vie pour favoriser la participation et l'interaction.	❑	❑	❑	❑	❑

---

2. MA CAPACITÉ À GÉRER LE TEMPS

2.1 Je suis capable d'organiser mon horaire de façon souple.

	1	2	3	4	5
– Je sais organiser les activités dans le temps de façon flexible.	❑	❑	❑	❑	❑

	1	2	3	4	5

– Je permets aux enfants de participer
à l'organisation du temps.
☐ ☐ ☐ ☐ ☐

– Je cherche à tirer le maximum d'efficacité du temps
à ma disposition sans être obsédée.
☐ ☐ ☐ ☐ ☐

– Je laisse du temps pour le travail individuel,
en équipe et collectif.
☐ ☐ ☐ ☐ ☐

– J'assure des moments libres consacrés à la détente
et au simple plaisir de vivre ensemble.
☐ ☐ ☐ ☐ ☐

– Je permets à chaque enfant de se trouver
un rythme personnel.
☐ ☐ ☐ ☐ ☐

3. MA CAPACITÉ À ANIMER DES GROUPES DE TRAVAIL

**3.1 Je suis capable d'animer et de favoriser
la participation des enfants.**

	1	2	3	4	5

– Je prends les mesures pour que tous les enfants
participent à la vie de la classe.
☐ ☐ ☐ ☐ ☐

– Je les amène à jouer un rôle dans l'organisation
de la classe et à participer à la programmation
du temps.
☐ ☐ ☐ ☐ ☐

– Je sais créer des conditions de travail qui conduisent
les enfants à une plus grande autonomie.
☐ ☐ ☐ ☐ ☐

– Je leur permets de faire des choix réels et importants sur

les thématiques,
☐ ☐ ☐ ☐ ☐

les tâches,
☐ ☐ ☐ ☐ ☐

l'emploi du temps,
☐ ☐ ☐ ☐ ☐

la durée du travail,
☐ ☐ ☐ ☐ ☐

les démarches, les stratégies, les procédures,
☐ ☐ ☐ ☐ ☐

les partenaires de travail,
☐ ☐ ☐ ☐ ☐

les pistes d'objectivation,
☐ ☐ ☐ ☐ ☐

les outils de collecte d'information
(évaluation formative).
☐ ☐ ☐ ☐ ☐

	1	2	3	4	5

– Je les soutiens dans leur progression et je ne perds pas patience malgré les difficultés, les erreurs, les interruptions. ❏ ❏ ❏ ❏ ❏

– Je suis guidée dans mes interventions par une vision à long terme. ❏ ❏ ❏ ❏ ❏

3.2 Je suis capable d'assurer les conditions de l'établissement d'une vie démocratique et coopérative dans ma classe.

– J'amène les enfants à coopérer pour résoudre les problèmes qui se posent dans la classe. ❏ ❏ ❏ ❏ ❏

– Je les entraîne à travailler en équipe et à collaborer. ❏ ❏ ❏ ❏ ❏

– J'évite la compétition inutile. ❏ ❏ ❏ ❏ ❏

– Je permets à chacun d'exercer son leadership et de prendre des responsabilités. ❏ ❏ ❏ ❏ ❏

– Je m'assure que les valeurs propres à la démocratie et à la liberté des personnes sont respectées. ❏ ❏ ❏ ❏ ❏

– Je m'assure que les droits de la personne sont respectés dans la classe. ❏ ❏ ❏ ❏ ❏

4. MA GESTION DES RESSOURCES

4.1 Je suis capable de trouver et de construire du matériel pédagogique adapté à mes besoins.

	1	2	3	4	5

– Je sais à l'occasion fabriquer le matériel dont j'ai besoin. ❏ ❏ ❏ ❏ ❏

– Je suis capable d'amener les élèves à s'engager dans la fabrication du matériel nécessaire dans la classe. ❏ ❏ ❏ ❏ ❏

– Je sais créer des jeux pédagogiques, ❏ ❏ ❏ ❏ ❏

construire du matériel audiovisuel, ❏ ❏ ❏ ❏ ❏

recueillir tout ce qui peut être utile au fonctionnement par ateliers. ❏ ❏ ❏ ❏ ❏

	1	2	3	4	5

– Je mets du matériel diversifié à la disposition des enfants:

	1	2	3	4	5
matériel d'art,	❑	❑	❑	❑	❑
documents,	❑	❑	❑	❑	❑
revues, journaux,	❑	❑	❑	❑	❑
livres,	❑	❑	❑	❑	❑
instruments de mesure,	❑	❑	❑	❑	❑
instruments d'observation,	❑	❑	❑	❑	❑
outils,	❑	❑	❑	❑	❑
objets de récupération.	❑	❑	❑	❑	❑

– Je sais recycler le matériel et le mettre
au service de la classe. ❑ ❑ ❑ ❑ ❑

4.2 Je connais les ressources matérielles disponibles.

– Je connais les personnes et les organismes qui
peuvent me renseigner ou me fournir du matériel. ❑ ❑ ❑ ❑ ❑

– Je sais utiliser les centres de ressources de l'école
et de la commission scolaire. ❑ ❑ ❑ ❑ ❑

– Je connais les catalogues et les magasins
de matériel pédagogique. ❑ ❑ ❑ ❑ ❑

– Je sais faire des demandes d'achat judicieuses. ❑ ❑ ❑ ❑ ❑

4.3 Je sais utiliser différents types de moyens d'enseignement.

– Je sais utiliser ces appareils et je suis capable
d'aider les enfants à les utiliser:

	1	2	3	4	5
projecteur,	❑	❑	❑	❑	❑
caméra,	❑	❑	❑	❑	❑
appareil photo,	❑	❑	❑	❑	❑
magnétophone,	❑	❑	❑	❑	❑
magnétoscope,	❑	❑	❑	❑	❑
radio,	❑	❑	❑	❑	❑
téléviseur,	❑	❑	❑	❑	❑
ordinateur.	❑	❑	❑	❑	❑

– Je connais les sources de
documentation et les programmes
pertinents et je les utilise. ❑ ❑ ❑ ❑ ❑

Source: D'après *Inventaire des habiletés nécessaires dans l'enseignement au primaire*, de André Paré et Thérèse Laferrière, Sainte-Foy, Centre d'intégration de la personne de Québec inc., 1985, p. 52-54, 73-76.

L'organisation de la classe

Comme le révèlent les grilles d'analyse précédentes, organiser sa classe avec le souci de respecter deux objectifs, soit celui de rendre l'apprenant responsable et celui de gérer les différences, exige de l'enseignante qu'elle puisse jouer plusieurs rôles en même temps. Elle doit être architecte pour concevoir sa classe come un milieu de vie, être gestionnaire du temps pour que sa classe soit véritablement lieu d'apprentissage, être animatrice pour que le groupe-classe s'engage dans ses apprentissages, être gérante d'un matériel qui facilite l'apprentissage et, finalement, être un peu chef d'orchestre pour harmoniser toutes les composantes.

Cette polyvalence apparaît encore mieux quand on compare une classe à une entreprise. Le tableau de la page 340 dresse un parallèle entre les «meilleures entreprises» et les classes qui présentent un bon rendement. Il est surprenant de constater à quel point le parallèle se fait tout naturellement, sans aucunement forcer la réalité.

Gérer les différences

L'une des principales difficultés auxquelles doivent faire face aussi bien les chefs d'entreprise que les enseignantes est la gestion des différences. Si pendant longtemps on a pu croire que toutes les personnes dans l'entreprise ou dans la classe se ressemblaient, on ne peut plus s'en tenir à cette conception aujourd'hui. Désormais, il faut compter avec les différences de possibilités, de caractère, d'habiletés, d'intelligence, etc. et, si possible, harmoniser ces différences pour créer un climat facilitant la production ou l'apprentissage.

Mais, c'est bien connu, la formation pédagogique donnée jusqu'à maintenant préparait plus à la gestion des ressemblances qu'à la gestion des différences. Tout le monde, dans la classe, devait faire les mêmes choses, en même temps.

Aujourd'hui, l'enseignante qui veut commencer à gérer efficacement les différences dans sa classe doit accepter certains préalables:

1. d'abord, accepter que des différences existent dans sa classe;

2. croire qu'il peut être possible de gérer ces différences;

3. vouloir relever le défi d'en tenir compte, chaque fois que c'est humainement possible de le faire;

4. être créatrice dans la conception et la mise en place des outils organisationnels favorisant la gestion des différences;

5. être souple dans l'utilisation et l'exploitation des manuels scolaires et des cahiers d'exercices;

6. être capable d'exercer un leadership confiant dans la classe: avoir confiance en soi et avoir confiance dans le potentiel interne de ses élèves;

7. utiliser les élèves comme personnes-ressources;

Caractéristiques des meilleures entreprises et des classes avec un bon rendement

Meilleures entreprises	Classes au bon rendement
1. Elles ont pris le parti de l'action. «Éviter la paralysie par l'analyse» semble leur devise. La priorité donnée à l'action semble la caractéristique la plus importante des meilleures entreprises.	1. On y trouve un climat dynamique où il y a place pour l'action. L'élève et l'enseignante sont constamment en réflexion et en action.
2. Elles restent à l'écoute de la clientèle. «Apprendre avec et par la clientèle.»	2. L'enseignante est à l'écoute de l'élève.
3. Elles favorisent l'autonomie et l'esprit motivateur. «Vous ne pouvez innover si vous ne pouvez accepter les erreurs.»	3. L'enseignante favorise l'autonomie et la créativité, deux sources importantes de motivation. Elle accepte les erreurs des élèves qui sont en phase d'apprentissage.
4. Elles assurent la productivité par la motivation du personnel. «Donner un sens au travail des employés, les transformer en gagnants, les laisser se singulariser, les traiter en adultes.»	4. L'enseignante amène les élèves à s'engager dans leurs apprentissages. Elle les motive et elle reconnaît leurs capacités. Elle valorise les réussites de chacun.
5. Elles se mobilisent autour de de valeurs clés: «Définir le système des valeurs de l'entreprise. Définir ce qui défend notre entreprise et ce qui donne le plus de fierté à chacun.»	5. L'enseignante détermine les valeurs qu'elle désire véhiculer dans sa classe. Elle les communique aux élèves, aux parents et à la direction de l'école.
6. Elles s'en tiennent à ce qu'elles savent faire. «Miser sur ses forces. Ne pas s'éparpiller dans l'action.»	6. L'enseignante mise sur les forces de ses élèves. Elle n'exige pas tout en même temps. Avec ses élèves, elle établit des priorités d'action.
7. Elles présentent une structure simple et légère.	7. L'enseignante présente un cadre aux élèves à l'intérieur duquel ils peuvent jouir d'une certaine liberté.
8. Elles allient souplesse et rigueur. «Donner une certaine latitude tout en maintenant un encadrement.»	8. L'enseignante allie souplesse et rigueur dans sa classe. Elle donne de la latitude, mais elle est capable d'encadrement, si nécessaire.

8. accepter qu'il y ait du mouvement dans la classe, des déplacements, des échanges, des interactions, des chuchotements;

9. développer avec les élèves un référentiel disciplinaire qui les engage;

10. accepter d'être soi-même en apprentissage. Apprendre à gérer les différences suppose des innovations, des expérimentations, des essais, des erreurs, des réajustements.

Une fois ces préalables acceptés, l'enseignante comprendra qu'elle ne peut régler la question des différences dans sa classe avec une approche collective, des manuels scolaires et des cahiers d'exercices. Il lui faudra créer et mettre en place un certain nombre d'outils organisationnels. La figure ci-dessous, intitulée «Carte d'exploration sur les composantes de la gestion des différences», présente l'ensemble de ces instruments. C'est un exemple concret du fait que le modèle participatif est à inventer et à construire. L'enseignante qui s'engage dans l'aventure ne peut se référer à des modèles, à des normes, à des procédures déjà existantes. Elle est invitée à inventer, à créer, avec ses élèves, une nouvelle manière de vivre l'apprentissage en classe. Cette figure peut donc donner une idée des instruments nécessaires à l'enseignante qui décide de s'engager dans la gestion des différences.

Carte d'exploration sur les composantes de la gestion des différences

Mais pour êtrè une bonne chef d'orchestre et faire rendre à chaque instrument le meilleur de lui-même, il faut connaître le sens de la pièce à jouer.

Si ton défi touche

1. l'aménagement de l'espace,
2. la gestion du temps,
3. l'animation des groupes de travail,
4. la gestion du matériel,

voici quelques orientations qui t'aideront à donner tout leur sens aux outils que tu choisiras de mettre en place dans ta classe.

Aménager l'espace

Entre le désir et la réalité

Nos expériences d'adultes nous ont appris qu'un espace n'est jamais neutre. Il suscite des sentiments, il incite à des attitudes, il provoque des comportements. L'espace aménagé crée une atmosphère. Cette atmosphère est le résultat de la forme de la pièce, des meubles qui s'y trouvent, de leur disposition, de l'agencement des couleurs, de l'harmonie entre les pleins et les vides, de la lumière, etc. La personne qui organise un espace traduit, parfois inconsciemment, des aspects d'elle-même: une certaine idée du confort, l'importance qu'elle accorde à certaines activités, son besoin d'excitation ou de paix.

En classe, plus encore que dans une maison, l'aménagement de l'espace est au service de ce que l'on veut faire. Il traduit la pédagogie de l'enseignante, son attitude dans la relation avec les enfants, sa conception de l'apprentissage. Or, actuellement, l'aménagement de la plupart des classes ressemble à un théâtre: un plus ou moins grand

espace devant avec, au centre, le bureau de l'enseignante; derrière, en rangées, les places des élèves. Cet aménagement est fait en fonction de l'enseignante, la classe est une scène où elle donne son spectacle devant des enfants spectateurs.

Un tel aménagement, centré sur l'enseignante, l'emprisonne dans un rôle de démonstratrice. Elle est, à tout moment, le centre d'observation de la classe, la source du savoir. Ce n'est pas ce que recherche l'enseignante qui désire gérer sa classe d'une façon participative. Elle veut plutôt favoriser

– l'interaction: les relations doivent être possibles, à tout moment, entre les élèves et entre l'enseignante et les élèves;
– l'observation, le questionnement, les manipulations, l'expérimentation, car l'enseignante n'est pas la seule source de savoir. À tout moment, l'enfant doit pouvoir être en contact avec la réalité pour faire ses propres observations, ses propres expériences, ses propres découvertes;
– les mouvements, les déplacements: la classe cesse d'être un théâtre, elle devient un milieu de vie où chacun agit pour son propre développement.

Toutes les enseignantes diront qu'elles veulent faire de leur classe un milieu de vie, à la fois pour leurs élèves et pour elles-mêmes. Dans les faits, l'aménagement d'un tel type de classe est l'un des volets les plus insécurisants du concept de gestion de classe participative. Les modèles sont rares, l'aménagement théâtral est solidement établi, tout est à inventer, et on a peur de se tromper ou de perdre le contrôle de sa classe.

Par où faut-il commencer?

L'enseignante qui remet en question son espace-classe peut commencer par poser certains gestes. Ils en entraîneront d'autres et, peu à peu, le visage de cet espace sera modifié en profondeur. Les effets commenceront à se faire sentir sur les relations et sur le style d'apprentissage vécu en classe. Voici quelques suggestions.

1. Déplacer le bureau de l'enseignante. Comme il occupe généralement l'espace le plus vaste de la classe, celui-ci pourra devenir une aire de rassemblement pour l'enseignement en sous-groupes. Le bureau de l'enseignante pourra occuper un coin de la classe facile d'accès pour tous.

2. Disposer les pupitres des élèves en îlots de travail. Cette disposition permet de récupérer de l'espace et de favoriser un apprentissage coopératif au sein de la classe.

3. Utiliser le mobilier existant pour créer des coins à vocation bien déterminée: coin de lecture, ateliers de jeux éducatifs, etc. Penser à éloigner les zones de silence des zones bruyantes.

4. Placer le coin d'enrichissement plus à l'arrière de la classe ou vers les côtés arrière.

5. Afficher le référentiel disciplinaire en avant de la classe, sur un mur où les élèves peuvent le consulter facilement.

6. Situer le pupitre d'autocorrection non loin du bureau de l'enseignante.

7. Monter une table d'exploration vers l'avant de la classe et y laisser en permanence du matériel de manipulation à la disposition des élèves visuels et kinesthésiques.

8. Déterminer des zones d'affichage précises sur les murs: secteur pour le français, secteur pour les mathématiques et secteur pour les sciences. Voir à effectuer une rotation de l'affichage sinon, après un certain temps, l'élève ne voit plus rien. Les dos d'étagères ou de bahuts peuvent aussi servir d'espaces d'affichage.

9. Élaborer un tableau d'enrichissement et trouver les activités que les élèves peuvent réaliser à leur pupitre. Repérer celles qui vont nécessiter la création d'espaces physiques comme les ateliers de micro-ordinateur, de bricolage ou de jeux éducatifs, ou le coin de lecture.

10. Travailler en collaboration avec des collègues pour réaliser cette expérience d'un nouvel aménagement.

11. Amener les élèves à s'engager dans l'aménagement physique de la classe. Plus l'enseignante est sûre de ce qu'elle veut et de ses capacités de fonctionner dans une classe qui soit un milieu de vie, plus elle peut faire appel aux solutions des élèves pour résoudre certains problèmes, trouver de nouvelles idées.

Gérer le temps

Un pouvoir à partager

L'adulte n'en a pas toujours conscience, mais l'un de ses plus grands pouvoirs est celui de la gestion de son temps. Même si cette gestion est sans cesse mise à l'épreuve par l'imprévu. Ce pouvoir est actuellement tout à fait visible dans une classe. Pour empêcher le temps d'être «perdu», l'enseignante planifie la journée, la semaine, l'étape, l'année. Elle choisit les moments de la journée ou de la semaine pour telle ou telle activité. Elle décide du début et de la fin d'une activité, généralement en fonction de son horaire, plutôt qu'au regard des intérêts ou de l'engagement des élèves. En agissant comme gardienne du temps, elle se comporte comme si elle le possédait.

Cette attitude met les enfants en situation de dépendance et d'irresponsabilité par rapport à l'enseignante. Puisqu'elle gère le temps, pourquoi les élèves auraient-ils à se préoccuper du temps qu'il faut pour accomplir une tâche? Pourquoi se préoccuperaient-ils de planifier leur journée, leur semaine? Après des années d'un tel fonctionnement, ils sortent du primaire et du secondaire incapables de s'organiser pour faire face aux exigences du collège ou de l'université.

Dans une gestion de classe participative, l'enseignante saisit toutes les occasions de favoriser la croissance de l'enfant. En l'amenant à participer à la gestion du temps dans la classe, elle favorise le développement de son sens de la planification, de ses capacités de prévoir, d'organiser, d'évaluer, de prendre des décisions. L'enseignante y trouve aussi son compte. Les cinq exemples de situations qui suivent le montrent bien.

Économie de temps par la gestion participative dans la classe

AVANT	MAINTENANT
– Elle s'impatientait de voir les enfants attendre en file pour faire corriger leurs travaux.	– Chaque enfant corrige son propre travail à un pupitre d'autocorrection installé dans un coin de la classe.
– Elle s'énervait lorsque les enfants attendaient pour une explication.	– Les élèves s'aident en dyades spontanées ou structurées.
– Elle regrettait de voir des élèves perdre du temps pendant que d'autres arrivaient à peine à finir leur travail.	– Un tableau d'enrichissement fournit toujours de nouvelles situations pour approfondir l'apprentissage.
– Elle voyait des élèves s'ennuyer lors des corrections collectives d'examens.	– L'enseignement par sous-groupes permet d'aider les élèves qui n'ont pas atteint un objectif.
– Elle se désolait de voir les élèves ne pas savoir quoi faire en arrivant le matin.	– Le menu de la journée et le plan de travail sont affichés et chaque élève peut déjà s'occuper en arrivant.

Dans beaucoup de situations, l'enseignante se trouve donc libérée d'avoir à donner toutes les consignes, elle peut vivre avec ses élèves des relations qui ne sont plus celles du pouvoir autoritaire. Elle a la satisfaction de voir ses élèves devenir de plus en plus autonomes et responsables.

Un apprentissage à faire

L'apprentissage de la gestion participative du temps est un long processus qui peut être favorisé dans la classe par la mise en place de certains outils. L'enseignante annonce clairement les périodes bloquées et non négociables des activités collectives ainsi que les périodes négociables.

Les enfants planifient leurs travaux individuels ou d'équipes, à l'aide d'instruments comme

– un «tableau de programmation», affiché dans la classe, qui leur donne une vision globale de ce qu'ils peuvent réaliser. Ce tableau permet de distinguer les activités obligatoires et les activités facultatives. Il précise aussi le type de travail: personnel, collectif, en équipe;
– un «plan de travail», qui donne une vision globale des activités que les élèves devront réaliser durant une période préétablie. Les élèves bénéficient d'une certaine liberté quant au choix des moments où ils réaliseront les activités. Une date d'échéance fixe le moment où le plan de travail doit avoir été réalisé;

– un «tableau d'enrichissement», qui propose de nouvelles situations pour approfondir des apprentissages. Celles-ci sont variées et peuvent toucher aussi bien des défis en lecture, des problèmes à résoudre, des projets de recherche ou de création, etc.

Des instruments comme le «tableau d'ateliers», le «tableau d'inscription», la «grille de planification», peuvent aussi être utilisés. Ils sont présentés dans la section des «outils», aux pages 400, 403, 404 et 405.

Le climat d'une classe qui fonctionne de cette façon est en général détendu. Chaque enfant travaille à son projet et l'enseignante intervient selon les besoins individuels. Plusieurs activités se déroulent simultanément et les enfants peuvent communiquer entre eux. La classe est un véritable milieu de vie.

Gérer les groupes de travail

L'importance de la pratique avec les pairs

Même si tous les intervenants du milieu scolaire s'accordent à reconnaître l'importance des interactions entre pairs, on trouve dans beaucoup de classes une organisation du travail selon deux modes: le travail collectif, où l'ensemble des élèves suit les explications de l'enseignante, et le travail personnel où chaque élève met en application l'enseignement reçu. Les élèves reçoivent quelquefois la permission de travailler deux à deux ou en petites équipes. C'est un privilège et son exercice est limité.

Une telle situation fait naître des questions. Comment les jeunes d'aujourd'hui seront-ils préparés à vivre et à travailler dans un monde où la collaboration, le partenariat, les associations de toutes sortes s'imposent de plus en plus? Comment apprendront-ils à gérer les différences et les oppositions entre personnes? Comment sauront-ils prendre leur part d'une tâche commune?

Mais il y a plus. Si l'on tient compte des étapes de l'apprentissage que décrit Jacques Tardif dans son livre *Pour un enseignement stratégique*[1], il faut reconnaître que l'élève de ces classes ordinaires risque fort de passer outre à une séquence importante de son développement. Tardif nomme ainsi les quatre étapes de tout apprentissage:

– le modelage,
– la pratique guidée,
– la pratique avec les pairs en dyade ou en équipe,
– la pratique autonome.

1. Jacques Tardif, *Pour un enseignement stratégique. L'apport de la psychologie cognitive*, Montréal, Éditions Logiques, 1992, p. 61 et s.

On comprend mieux cette classification si on l'applique à l'apprentissage de la marche chez un enfant. L'attitude de l'adulte qui accompagne l'enfant dans cet apprentissage peut se traduire en quatre affirmations:

– «Regarde comment je m'y prends pour marcher.»
– «Marche avec moi.»
– «Marche avec ton frère ou ta sœur.»
– «Vas-y, marche tout seul!»

Il est donc possible d'affirmer que l'enfant qui ne se retrouve pratiquement jamais en situation de s'exercer à une tâche avec ses pairs manque une étape importante dans son apprentissage. Comment s'étonner que la pratique autonome soit peu sûre!

L'importance du travail en dyade ou en équipe se révèle encore plus grande au regard de la situation familiale de beaucoup d'élèves. Enfants uniques ou ayant une grande différence d'âge avec le frère ou la sœur qui suit ou qui précède, ils ont peu d'occasions d'apprendre l'entraide et la coopération au sein de la famille. Trop souvent, l'enfant vit dans son petit univers personnel. La classe se doit d'offrir un contexte qui favorise le développement social et affectif de l'enfant. Elle doit le mettre en situation d'apprendre à résoudre des problèmes avec d'autres, de construire une image positive de lui-même par la découverte de ses capacités et de ses habiletés à entrer en relation. Elle doit l'aider à construire sa liberté et son autonomie, dans le respect des autres.

Différents types de groupes de travail

L'enseignante pourra moduler le travail en groupes dans sa classe selon différents types d'association:

1. Les «dyades naturelles» qui se forment spontanément, selon le choix des élèves. Elles sont passagères et disparaissent dès que la discussion ou la tâche est terminée.

2. Les «dyades permanentes ou structurées». Elles sont généralement constituées d'élèves de forces différentes. Elles prennent la forme du «tutorat», quand un élève doit en seconder un autre qui éprouve des difficultés dans une matière.

3. Les «équipes spontanées» formées de trois ou quatre élèves rassemblés pour une discussion ou une tâche ponctuelle.

4. Les «équipes permanentes» fondées sur des habiletés, des compétences différentes, des intérêts communs et des modes d'apprentissages différents. Les élèves participent à la formation de ces équipes. Chacun y a un rôle à jouer: gardien de la parole, gardien de la tâche, gardien du temps, journaliste ou reporter, etc.

5. Les «groupes restreints d'apprentissage coopératif». Des élèves aux habiletés différentes travaillent en équipes de quatre ou six, en utilisant différentes structures. Toute la vie de la classe repose alors sur le fonctionnement de ces groupes où les élèves travaillent en interdépendance positive.

L'enseignante choisira le type de groupes de travail qui lui convient selon les circonstances, son habileté à gérer le travail en équipe, la tâche à effectuer, etc.

Étapes pour la planification du travail en équipe

Voici quelques pistes qui peuvent aider une enseignante à planifier l'organisation du travail en équipe dans sa classe.

Préalables

1. S'agit-il de former des dyades spontanées, des dyades permanentes, des équipes spontanées ou des équipes permanentes?

2. A-t-on élaboré dans la classe des règles de vie et des conséquences d'application pour la gestion du travail d'équipe?

Examen de la tâche

3. L'activité demandée aux élèves est-elle vraiment une activité d'équipe? Est-elle une activité à court terme? à long terme?

4. Les conditions matérielles — espace, mobilier, matériel — permettent-elles le travail en équipe?

5. Les élèves connaissent-ils les objectifs ou les buts de cette activité?

6. La définition de la tâche (le mandat) est-elle claire?

7. Les élèves ont-ils besoin d'être soutenus dans leur «comment faire?» par une démarche ou des stratégies?

Animation

8. A-t-on nommé, au sein de chaque équipe,

   – un gardien de la parole?
   – un gardien de la tâche?
   – un gardien du temps?
   – un reporter ou un journaliste?

9. Les élèves connaissent-ils bien les rôles de gardien de la parole, du temps ou de la tâche, de journaliste ou de reporter?

Échéancier

10. Pour un travail d'équipe à long terme, les élèves se sont-ils fixé une date d'échéance comme point d'arrivée? un calendrier pour certaines grandes étapes?

Rôle de l'enseignante

11. Interviendra-t-elle auprès des élèves pour les aider

   – à s'organiser dans le temps?
   – à déterminer les étapes à franchir?
   – à préciser le matériel dont ils auront besoin?
   – à pressentir les personnes qu'ils pourraient consulter?
   – à trouver les livres auxquels ils pourraient se référer?
   – à choisir, à partir d'une liste, leur outil d'expression?
   – à maîtriser suffisamment l'outil d'expression qu'ils ont choisi d'utiliser pour présenter leur réalisation?

12. Autres pistes d'interventions possibles.

Présentation de la réalisation

13. L'équipe a-t-elle choisi l'outil d'expression qu'elle désire utiliser pour présenter sa réalisation?

14. L'équipe a-t-elle ciblé les personnes à qui elle présentera sa réalisation?

Ces pistes de mise en place permettent de voir qu'il y a des conditions à respecter pour que le travail d'équipe soit efficace:

1. Les objectifs ou le but de l'activité (pourquoi faire ce travail?) doivent être connus des élèves.

2. Les mandats (sur quoi travailler?) doivent être précis et bien compris des élèves.

3. Ces mandats seront, si nécessaire, accompagnés de démarches et de stratégies (comment faire?).

4. Les règles du travail en équipe et les conséquences de leur application doivent être établies avec les élèves.

5. L'échéancier doit être planifié avec les élèves.

Gérer les ressources

Depuis qu'une loi ministérielle fait obligation pour l'école de fournir à l'élève des manuels scolaires, un certain nombre de moyens d'enseignement sont progressivement disparus des salles de classe. Les livres de lecture sont surtout utilisés en bibliothèque, les ordinateurs ont été concentrés dans un laboratoire, le rétroprojecteur a été remisé avec les autres appareils audiovisuels. Du coup, le paysage de la salle de classe a perdu certains traits propres à un milieu de vie.

On ne peut nier la qualité toujours plus grande des manuels scolaires mis entre les mains des élèves. Ils sont attrayants, bien construits et suscitent des attitudes nécessaires à l'apprentissage. Mais s'ils prennent toute la place, ils sont nettement insuffisants. Ils sont moins bien adaptés au profil d'enfants kinesthésiques. Ils ne fournissent que des succédanés de la réalité à des enfants qui ont besoin d'entendre et de voir pour apprendre. En fait, ils ne permettent pas de développer certaines habiletés qui ne sont pas sollicitées dans un rapport avec un livre, si bien fait soit-il. L'enfant a besoin de manipuler toutes sortes d'instruments, de tâtonner pour trouver les bons outils, de jouer avec l'image, le son, etc. La variété des outils, comme celle des situations, est nécessaire à l'apprentissage. Une classe qui vit la gestion participative est donc une classe où les livres de bibliothèque, le rétroprojecteur, le micro-ordinateur, le téléviseur, le matériel pour les manipulations et les expériences font partie de l'environnement immédiat.

Cette importance donnée à la variété du matériel aura des répercussions sur l'aménagement de la classe. L'enseignante et les élèves auront à chercher ensemble les dispositions les plus pratiques ou les règles d'utilisation du matériel: Où faut-il placer la table d'expérimentation? Où et comment ranger les livres de la bibliothèque? Où installer l'atelier de micro-ordinateur? De telles questions seront l'occasion pour chacun de mettre en œuvre sa créativité, son sens pratique et son sens des responsabilités.

Conclusion

Comme on a pu le voir, l'organisation de la classe requiert un certain nombre d'ha-biletés chez l'enseignante: aménager l'espace, gérer le temps, animer des groupes de travail, rassembler un matériel adéquat et le gérer. Dans le cadre d'une gestion de classe participative, elle exige surtout une volonté d'amener l'apprenant à s'engager le plus possible dans l'organisation de son milieu de vie. Ce type de gestion est essentiel-lement fondé sur la reconnaissance de la salle de classe comme milieu de vie. À partir du moment où ce principe n'est plus remis en cause, l'enfant peut prendre sa place dans ce milieu et se comporter comme l'artisan privilégié de sa croissance.

TROISIÈME ÉTAPE: LE CHOIX DES OUTILS

PENDANT L'EXPÉRIMENTATION

Tu trouveras dans le chapitre 1, aux pages 21, 22, 26 et 27, des pistes de réflexion et des instruments pour vivre les trois étapes de ton défi:

– l'expérimentation,
– l'objectivation,
– le réajustement.

APRÈS L'EXPÉRIMENTATION

Pour t'aider à faire le point sur le défi que tu viens de relever touchant l'organisation de la classe, retourne au chapitre 1 aux pages 22, 23, 28 et 29. Tu y trouveras les éléments de réflexion et les instruments nécessaires pour faire:

– l'évaluation,
– le réinvestissement.

6.1 PARTAGEONS LES RESPONSABILITÉS
(Exemples de tableaux)

Contexte et utilité

L'appartenance à la classe peut se développer de mille et une façons. Le partage des responsabilités est une coutume populaire dans les classes. Les enseignantes voient d'un bon œil cet engagement de la part des élèves et elles sollicitent leur aide dans ce sens chaque début d'année.

C'est déjà un petit pas vers la gestion participative. Voilà une piste à conserver et à raffiner.

Pistes d'utilisation

1. Fais avec les élèves la liste de toutes les tâches connexes au bon fonctionnement de la classe.

2. Élabore un référentiel visuel donnant un aperçu global de ces mêmes tâches. (*Voir pages 356 et 357.*)

3. Trouve avec les élèves une façon convenable de répartir ces responsabilités au sein de la classe.

4. Prévois l'aspect de la rotation des tâches au moment de l'élaboration du tableau des responsabilités afin que ce dernier ne soit pas périssable.

5. Planifie un échéancier avec les élèves pour la rotation des tâches.

6. Prévois l'utilisation d'une procédure toute simple pour se rappeler la tâche à faire, si jamais on l'oubliait.

7. Mets en place une conséquence désagréable à l'intention de celles et de ceux qui n'assumeraient pas leurs responsabilités.

8. Au lieu d'utiliser un système de rotation, sers-toi d'un système plus simple, pour les enfants plus jeunes. Aie tout simplement des «monitrices» ou des «moniteurs», des «responsables» ou des «mini-profs» différents chaque jour. Ces élèves doivent effectuer l'ensemble des tâches à l'intérieur de la journée.

TABLEAU DES RESPONSABILITÉS

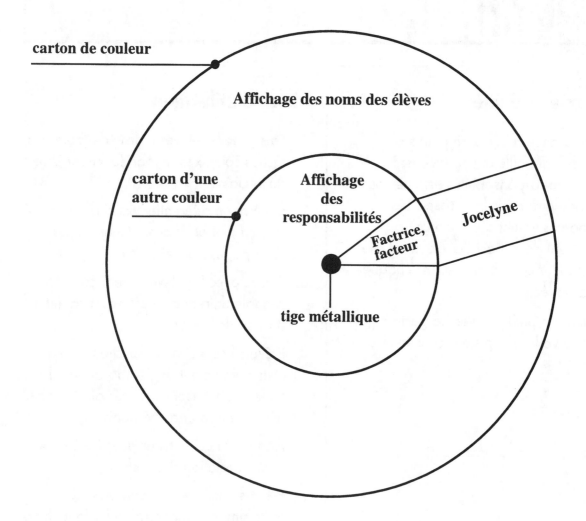

carton de couleur

Affichage des noms des élèves

carton d'une
autre couleur

Affichage
des
responsabilités

Jocelyne

Factrice,
facteur

tige métallique

Pour favoriser l'esprit de coopération dans la classe, il est bon de se partager les tâches d'organisation et d'entretien. Dans plusieurs classes, on trouve des élèves responsables pour:

• arroser les plantes;

• nourrir les poissons;

• être messagère ou messager à l'extérieur de la classe;

• passer les feuilles.

On peut assigner ces responsabilités en amenant les élèves à s'engager au point de départ. Par la suite, la rotation peut s'effectuer par choix volontaire, par échange de tâches au sein d'une dyade ou du groupe-classe.

TABLEAU DES RESPONSABILITÉS   Date: _____

	Ballon	
	Ballon-poire	
	Jardinière/jardinier	
	Le coin des «ordis»	
	Camelot	
	Factrice/facteur	
	Piscicultrice/ pisciculteur	
	Laitière/laitier	
	Recyclage	
	Secrétaire	
	Tableaux	
	Entretien	
	Fenêtres	
	Substitut	

Source: Muriel Brousseau-Deschamps.

6.2 DES ACTIVITÉS «CINQ MINUTES», AU CAS OÙ...
(Cadre organisationnel)

Contexte et utilité

Certains moments dans la classe nous apparaissent plus difficiles à gérer. Ce sont les moments d'entrée le matin, de retour de récréation, de changement de période ou d'imprévus parsemés tout au long d'une semaine. Il nous semble alors ne pas avoir beaucoup de pouvoir sur ces minutes et le fait de voir ses élèves perdre du temps ajoute un surcroît de stress ou un sentiment de culpabilité.

Comment récupérer ces miettes de temps? Comment encadrer les élèves alors, sans dépenser trop d'énergie ni d'investissement? La planification d'activités «cinq minutes» peut être un précieux atout.

Pistes d'utilisation

1. Discute avec les élèves de cette problématique. À quels moments y a-t-il des pertes de temps en classe? Comment pourrait-on les rentabiliser?
2. Décode les besoins et les intérêts des élèves afin de pouvoir leur offrir des activités signifiantes.
3. Planifie un éventail de cinq à six activités «cinq minutes».
4. Au début de chaque semaine de classe, présente-les verbalement et visuellement.
5. Crée un espace permanent dans la classe, auquel les élèves pourront avoir accès très facilement.
6. Introduis l'autocorrection, si nécessaire.
7. Pense à une gestion du temps plutôt mobile que fixe. Chaque vendredi, enlève les activités qui ne sont plus pertinentes et remplace-les par des nouvelles. Par contre, certaines qui s'avèrent encore nécessaires peuvent être conservées et offertes pour une plus longue période.

GESTION DES ACTIVITÉS «CINQ MINUTES»

Les activités «cinq minutes» sont des activités permettant d'éliminer les pertes de temps. Elles peuvent être pratiquées avec des connaissances acquises ou préparer l'élève à une nouvelle leçon. Ce genre d'activité peut se faire au début de la classe, en attendant les retardataires, à la fin de la classe (s'il reste quelques minutes), avant de commencer une nouvelle activité ou s'il y a une interruption (venue de personnes dans la classe, manque de matériel pour la leçon, etc.). Elles demandent peu ou pas de matériel et peuvent se faire en quelques minutes.

L'élève peut écrire les réponses ou les exercices dans un cahier, sur une tablette ou au verso d'une feuille.

Exemples:
- formuler trois questions en regard des différentes matières et être prête, prêt à les poser à quelqu'un;
- trouver le mot qui ne va pas avec les autres;
- placer des mots en deux groupes;
- trouver des catégories;
- faire des mots croisés;
- composer des mots cachés.

CARACTÉRISTIQUES

- Ce sont des activités courtes.
- Elles ne prennent pas beaucoup de temps à organiser.
- Elles ne demandent pas beaucoup de supervision de la part de l'enseignante.
- Elles servent de révision, car elles ne portent pas sur un nouveau concept.
- Elles sont accessibles aux élèves et ils peuvent les réaliser seuls.
- Elles sont variées pour augmenter la motivation des élèves.

BUTS

- Elles permettent une pratique supplémentaire.
- Elles ouvrent des portes à la consolidation ou à la récupération.
- Elles servent à prévenir l'inconduite.
- Elles aident l'enseignante à être organisée.
- Elles servent de mise en train pour la prochaine activité.
- Elles peuvent servir de révision pour un test.
- Elles servent de renforcement d'une nouvelle connaissance.

ORGANISATION MATÉRIELLE

- De préférence, placer la banque de ces activités sur une tablette ou une étagère en avant de la classe ou sur les côtés avant de cette dernière.
- Laisser un choix aux élèves. Les sensibiliser au fait qu'ils ont intérêt à choisir une activité leur permettant de faire un pas supplémentaire vers une ancienne connaissance (consolidation) ou vers une nouvelle connaissance (exploration).
- Consulter périodiquement les élèves relativement à leurs besoins et à leurs intérêts pour alimenter cette banque d'activités.

6.3 RÉCUPÉRER DU TEMPS EN CLASSE
(Suggestions de moyens)

Contexte et utilité

Les heures d'une semaine de classe sont souvent comptées. Il y a de nombreux objectifs à atteindre, des tâches importantes à réaliser et, surtout, il y a de multiples imprévus qui surviennent. Le temps est donc précieux et souvent, on court après. Pourquoi ne pas tenter de le rentabiliser? Serait-il possible qu'on en gaspille sans s'en rendre compte? Serait-il possible également qu'on en fasse perdre aux élèves sans s'en rendre compte aussi?

Le présent outil offre des pistes pour objectiver notre efficacité en classe.

Pistes d'utilisation

1. À la fin d'une journée, utilise la grille d'objectivation pour décoder le ou les moments où effectivement il y aurait eu perte de temps. Demande-toi si tu aurais pu procéder autrement.

2. Cible un de ces moments et mets en place une stratégie pour remédier à cette situation non souhaitable.

3. Expérimente cette nouvelle structure organisationnelle en tentant d'en voir les avantages et les inconvénients. Persiste dans l'expérimentation. C'est seulement après quelques tentatives que tu pourras en juger.

4. Après avoir intégré complètement cet outil à ta pratique quotidienne, attaque-toi à une seconde problématique, puis à une troisième...

VINGT FAÇONS ET PLUS DE RÉCUPÉRER DU TEMPS EN CLASSE

SITUATIONS DE PERTE DE TEMPS EN CLASSE	MOYENS POUR Y REMÉDIER
1. La correction à la queue leu leu	1. Introduire le pupitre de l'autocorrection.
2. Le travail terminé par une ou un élève	2. Élaborer un tableau d'enrichissement.
3. Les problèmes de discipline	3. Définir avec les élèves un référentiel disciplinaire: règles de vie et conséquences d'application.
4. L'attente des élèves en difficulté qui sollicitent des explications	4. Former des dyades d'entraide.
5. Des élèves qui sont bloqués dans leur «comment faire?»	5. Élaborer avec les élèves des démarches et des stratégies d'apprentissage que l'on trouvera dans un cahier d'outils pour apprendre (méthodologie du travail intellectuel).
6. Les retours collectifs sur les examens ou les tâches liées à l'évaluation	6. Se servir de cliniques obligatoires qui se vivront à l'intérieur d'un sous-groupe pendant que l'autre sous-groupe travaillera personnellement sur des tâches d'apprentissage ou d'enrichissement.
7. Les étapes d'ajustement avec les élèves lors de l'entrée de ceux-ci dans la classe le matin	7. Définir avec eux une procédure (un rituel) décrivant ce qu'on attend d'eux le matin, dès leur arrivée. Penser à faire un référentiel visuel dans cette optique.
8. Les périodes d'attente lors des changements de période. Le temps alloué pour ranger les effets scolaires et pour se préparer à démarrer une autre activité est souvent allongé par des bavardages ou des déplacements inutiles.	8. Meubler ce temps de passage d'une matière à une autre par une chanson-thème, un refrain connu. Un slogan ou un mot de passe peut également être utilisé.
9. Les périodes d'explications collectives obligatoires pour tout le monde lorsqu'on aborde un concept nouveau, une notion inconnue	9. Offrir des cliniques avec inscription. Utiliser l'enseignement par sous-groupes.

SITUATIONS DE PERTE DE TEMPS EN CLASSE	MOYENS POUR Y REMÉDIER
10. Le temps pris pour rappeler aux élèves les tâches d'apprentissage à réaliser à l'intérieur d'une semaine	10. Mettre à la disposition des élèves un plan de travail hebdomadaire faisant état de la partie non négociable du travail en classe.
11. Les moments non utilisés par les élèves lors de l'entrée du midi ou des retours de récréation	11. Faire jouer de la musique d'ambiance. Inviter les élèves à la lecture silencieuse. Offrir des activités «cinq minutes». Suggérer de travailler sur un projet personnel.
12. L'enseignante qui prend le temps d'inscrire sur un tableau pour chacune ou chacun de ses élèves l'atelier, le devoir ou l'activité qui vient d'être fait ou réussi	12. Élaborer un tableau d'inscription, de contrôle où chacune ou chacun des élèves devra indiquer, au moyen d'un geste conventionnel, qu'elle ou il a satisfait aux exigences demandées.
13. L'enseignante qui prolonge les périodes d'auto-évaluation verbales et collectives en demandant individuellement à chaque élève le résultat du jugement qu'elle ou il a porté.	13. Permettre aux élèves de s'auto-évaluer par écrit à l'aide d'une échelle d'appré-ciation. On peut même prévoir un espace sur cet outil pour que l'enseignante puisse dire à l'élève si elle est d'accord ou pas avec cette évaluation.
14. L'enseignante qui fabrique elle-même tout le matériel nécessaire au roulement d'une classe	14. Proposer aux élèves rapides de construire du matériel de manipulation, de rédiger des pancartes, de préparer des mots-étiquettes, de composer une dictée ou d'élaborer un prétest dans une matière donnée.
15. L'enseignante qui trouve important d'écrire régulièrement une rétroaction positive dans le cahier de chaque élève Force: _____ Défi: _____	15. Parfois, ne pas écrire de rétroaction positive et demander à chacune ou à chacun des élèves de décoder seule, seul une force et un défi. On pourrait aussi varier en plaçant les élèves en dyades et en leur demandant d'échanger réciproquement une rétroaction positive.
16. L'enseignante qui répète plusieurs fois les mêmes consignes	16. Manipuler les consignes de quatre façons: les dire, les écrire, les faire reformuler par une ou un élève, permettre aux élèves de s'en parler deux à deux quelques minutes.

SITUATIONS DE PERTE DE TEMPS EN CLASSE	MOYENS POUR Y REMÉDIER
17. L'enseignante qui donne à chaque période les directives annonçant une nouvelle tâche	17. Écrire le menu de la journée ou le menu du cours au tableau.
18. L'enseignante qui est obligée de prendre de longues périodes pour régler des conflits à l'intérieur de la classe	18. Proposer aux élèves une démarche et des stratégies de résolution de conflits. Mettre en place un conseil de coopération et l'utiliser au besoin.
19. L'enseignante qui corrige elle-même tous les mots d'orthographe étudiés ou tous les mots d'une dictée qu'elle vient de donner	19. Utiliser les dyades d'entraide pour les mots d'orthographe d'apprentissage. À deux, ils jouent à la fois le rôle de l'enseignante et de l'élève. Utiliser l'équipe de quatre pour faire un retour sur la dictée d'apprentissage. Leur lancer le défi de la chasse aux fautes en équipe. Objectiver avec les élèves par la suite.
20. L'enseignante qui présente chacun des objectifs de façon linéaire et séquentielle. Chaque apprentissage est morcelé, compartimenté afin de ne pas embrouiller les élèves	20. Planifier des projets d'apprentissage où l'on tentera de faire des liens entre les objectifs et entre les matières. Utiliser des démarches intradisciplinaires (à l'intérieur), interdisciplinaires (à travers) et transdisciplinaires (au-delà). Souvent, un même processus mental est sollicité par plus d'un objectif.
21. L'enseignante qui fait toujours des retours collectifs sur la fin de semaine ou sur le congé qu'on vient de vivre. La causerie collective devient la seule façon de faire.	21. Penser à utiliser la dyade ou l'équipe pour amorcer une rétroaction sur la semaine de classe qu'on vient de vivre ou sur la fin de semaine qu'on vient de passer.
22. L'enseignante qui a pris l'habitude de faire objectiver ses élèves par la parole et en grand groupe. Cela prend du temps, ce sont toujours les mêmes élèves qui s'expriment et c'est là que les problèmes de discipline se manifestent.	22. Varier les formes d'objectivation, autant dans les groupes de travail qu'en ce qui concerne les outils d'expression utilisés: **Groupes de travail** collectif; en équipe; en dyade; individuel. **Outils d'expression** parole; écriture; dessin; geste, mime; outil structuré.

6.4 FORMATION ET UTILISATION DE DYADES OU D'ÉQUIPES D'ENTRAIDE
(Pistes de démarrage)

Contexte et utilité

Quand l'élève est en train d'apprendre, il est intéressant de lui faire vivre diverses étapes telles que le modelage, la pratique guidée, la pratique avec les pairs et la pratique autonome. L'élève ne peut développer une habileté dans la passivité, en restant à sa place sans interaction avec ses pairs. De plus, à certains moments, il est intéressant de confronter son vécu, ses perceptions, ses problèmes et ses découvertes avec quelqu'un qui parle le même langage qu'elle ou lui.

À ce moment-là, les élèves peuvent être jumelés deux à deux ou dans un groupe plus grand pour s'entraider dans l'apprentissage. Et chacune et chacun en retire des avantages: autant la personne qui verbalise ses difficultés que celle qui explique les apprentissages qu'elle a faits. Une relation synergique, alors…

Pistes d'utilisation

1. Discute avec les élèves de l'importance de l'entraide dans l'apprentissage. Pourquoi serait-ce payant d'introduire dans la classe l'utilisation de dyades ou d'équipes?
2. Élabore un référentiel visuel faisant état des diverses façons dont on pourrait s'entraider. (*Voir page 367.*)
3. Forme des dyades ou des équipes dans la classe en ayant en tête que chacune et chacun doit apporter quelque chose à l'autre si l'on veut éviter la dépendance ou la relation de dominant-dominé. (*Voir pages 365, 366 et 369.*)
4. Utilise les dyades ou les équipes autant formellement (tout le groupe-classe est placé en dyades ou en équipes) qu'informellement (au besoin).
5. Planifie l'utilisation des dyades ou des équipes dans un ordre chronologique de difficultés. Les trois temps de la situation d'apprentissage peuvent être une excellente boussole sur ce plan (*voir pages 368 et 370*):
   a) avant (mise en situation): plus facile;
   b) après (rétroaction): moyennement facile;
   c) pendant (réalisation): plus difficile.
6. Au premier cycle du primaire, on aurait intérêt à utiliser davantage les dyades que les équipes tandis que, au second cycle du primaire ou au secondaire, ce serait la situation inverse.

DYADES D'ENTRAIDE

LES DYADES SPONTANÉES

Les dyades spontanées sont celles que les élèves:

- forment au besoin, dans telle circonstance;
- selon leurs critères et leur choix;
- ou selon des critères arbitraires tels que:
  ordre alphabétique;
  numéros donnés à des élèves;
  jeu de cartes;
  jetons de couleur;
  tirage au hasard.

Ces dyades:

- sont passagères;
- ne visent pas un apprentissage à long terme;
- disparaissent dès que la discussion ou la tâche est terminée.

LES DYADES STRUCTURÉES ET PERMANENTES

Cette forme de tutorat consiste à choisir soi-même, ou avec l'aide des enfants, des élèves qui pourraient en seconder d'autres qui éprouvent des difficultés à accomplir une tâche soit en français, soit en mathématiques ou dans d'autres matières. Ces élèves s'appelleront conseillères et conseillers.

Lien entre les modèles de gestion de classe et la façon de s'y prendre pour former les dyades

Modèles spontanés

1. On invite les élèves à former eux-mêmes les dyades selon leurs critères personnels (gestion à tendance libre).

2. On forme les dyades de façon mécanique: ordre alphabétique, tirage au sort, attribution de chiffres et rassemblement par la suite (gestion mécanique).

Modèles permanents

3. L'enseignante prend sa liste d'élèves, choisit ses critères personnels et forme elle-même les dyades (gestion fermée).

4. L'enseignante forme les équipes avec les élèves. Dans le contexte d'une gestion participative, voici un aperçu des étapes à franchir:
   - Dans ce contexte, on annonce aux élèves qu'on désire utiliser des dyades d'entraide en classe et on discute avec eux de l'utilité de celles-ci.

- On élabore avec les élèves le référentiel «Comment je peux aider mon amie ou mon ami à apprendre?».

- On s'entend sur les critères de formation des dyades:
  - bonne entente;
  - habileté différente, complémentaire.

- On prend le temps de vivre l'activité «La parade des habiletés». Chaque élève présente aux autres une habileté qu'elle ou il possède et on dresse au fur et à mesure le profil de la classe au tableau (noms des élèves et habiletés correspondantes).

- On utilise un petit sociogramme.
  1. Nomme-moi des noms d'élèves avec qui tu t'entends bien et qui possèdent une habileté différente de la tienne.
  2. Y a-t-il des élèves avec qui tu aurais de la difficulté à travailler? Pourquoi?
     - On interprète le sociogramme en faisant les ajustements nécessaires.
     - On fait connaître à la classe la liste des petits couples de l'apprentissage.

Remarque:

Demander plus d'un nom à la question 1 du sociogramme afin d'avoir plus de choix en main et de pouvoir gérer la planification des dyades avec une marge de manœuvre.

SUGGESTIONS

- Ne pas placer physiquement la conseillère ou le conseiller près de l'élève qu'elle ou il aide si l'on a peur que le «remorquage quotidien» s'installe.

- Éviter de placer des élèves très lents avec d'autres qui sont très rapides. Les écarts trop grands ne sont pas à conseiller.

- Mettre en œuvre cette forme de tutorat seulement lorsque les élèves se connaissent et que l'enseignante a une bonne vision de son groupe-classe.

RÉFÉRENTIEL VISUEL ÉLABORÉ AVEC LES ÉLÈVES

Voici comment je peux aider une amie ou un ami:

- Je lui lis une consigne.
- Je lui explique une consigne avec mes mots.
- Je lui dis ce que j'ai compris d'une consigne verbale entendue.
- Je la ou le fais réfléchir avec des questions.
- Je l'aide à manipuler du matériel.
- Je l'écoute pour connaître sa difficulté.
- Je l'aide à trouver son erreur.
- Je l'aide à dire ce qu'elle ou il sait et ne sait pas.
- Je la ou le félicite pour ses réussites, je l'encourage.
- Je l'aide à chercher dans le dictionnaire.
- Je l'aide à repérer une démarche ou une stratégie dans son coffre d'outils.
- Je lui explique un problème.
- J'écoute son état d'âme.
- Je fais un retour avec elle ou lui sur son vécu de fin de semaine.
- Je lui donne des mots ou des phrases en dictée.
- J'écoute sa lecture et je lui raconte dans mes mots ce que j'en ai compris.
- J'écoute sa présentation du projet personnel et je lui donne une force et un défi.
- Je lui demande sa leçon.
- Je fais le point avec elle ou lui le vendredi sur le vécu de sa semaine scolaire.
- Je lui verbalise une force et un défi.

UTILISATION DES DYADES

Durant la partie formation, approfondissement ou celle de consolidation des apprentissages:

1. Lorsque l'enseignante est occupée et qu'elle n'est pas disponible et que l'élève a besoin d'un renseignement.

2. Lorsque l'élève ne comprend pas et qu'elle ou il ne peut avancer dans son travail.

3. Lorsque l'enseignante travaille avec un sous-groupe d'élèves (pour les classes multi-niveaux, d'abord et pour la classe régulière, également).

4. Lorsque l'enseignante l'autorise:
   - pour apprendre des mots d'orthographe;
   - pour se donner une petite dictée (mots ou phrases);
   - pour sortir une banque de mots avant une production écrite;
   - pour s'expliquer des problèmes écrits;
   - pour trouver des erreurs dans des travaux;
   - pour objectiver une production écrite;
   - pour réaliser une expérience en sciences;
   - pour pratiquer des lectures à voix haute;
   - pour faire une recherche sur un sujet donné.

Dans le contexte d'une gestion davantage axée sur l'enseignante (gestion à tendance fermée), voici un aperçu des étapes à franchir pour former les dyades permanentes:

- Déterminer les élèves les plus compétents à partir de la liste des élèves de la classe.

- Expliquer aux élèves que l'on veut instaurer le système de conseillères et de conseillers afin de suppléer parfois à un manque de disponibilité (longue attente).

- Bâtir avec les élèves un référentiel sur le rôle de la conseillère et du conseiller et l'afficher en classe.

- Annoncer à la classe le nom des élèves choisis et lui faire part également des critères qui ont prévalu dans la formation des dyades. (Ces conseillères et conseillers auront une responsabilité spéciale, donnant ainsi la chance aux autres d'assumer une responsabilité différente dans la classe au cours de l'année.)

LES ÉQUIPES PERMANENTES

Formation des équipes permanentes:

1. Déterminer des critères *avec* les élèves pour la formation des équipes permanentes:
   - nombre de participantes ou de participants;
   - sexe;
   - affinité affective;
   - habiletés, compétences différentes;
   - intérêts communs;
   - rythmes d'apprentissage semblables;
   - rythmes d'apprentissage différents;
   - maturité de comportement;
   - modes d'apprentissage différents;
   - etc.

En sélectionner quelques-uns selon les besoins actuels. Les élèves feront des choix à partir des critères retenus.

2. Amener les élèves à s'engager dans la formation des équipes permanentes par l'utilisation d'un sociogramme facile à gérer. Il est important que les questions soient posées en regard des critères retenus.
   Exemple:

   1. Avec qui aimerais-tu travailler? (bonne entente, habiletés complémentaires)

   2. Avec qui éprouverais-tu des difficultés à travailler?

   Interventions pour les rejets d'élèves

   Pour des élèves rejetés, adopter une méthodologie spéciale:
   - Ne pas placer les élèves rejetés au sein d'une même équipe.

   - S'assurer qu'une élève rejetée ou rejeté a un lien affectif avec au moins une personne dans l'équipe désignée.

   - Dans le cas d'un rejet où l'élève a du pouvoir sur cette situation, rencontrer l'élève individuellement afin de l'amener à s'engager dans cette démarche. A-t-elle ou a-t-il conscience de ce fait? Y a-t-il des éléments sur lesquels l'élève a du pouvoir? Prévoir des ajustements de comportement, au besoin.

   - Dans le cas contraire, en discuter avec le groupe-classe en l'absence des élèves rejetés et établir des contacts personnels avec des élèves plus tolérants qui accepteraient de travailler avec l'élève rejetée ou rejeté pour un certain temps.

   - Finaliser la formation des équipes après avoir fait les ajustements nécessaires.

3. Déterminer avec les élèves des rôles à l'intérieur d'une équipe: gardienne ou gardien de la parole, de la tâche, du temps; journaliste ou reporter.

UTILISATION DES ÉQUIPES

Déterminer des moments propices à l'utilisation des équipes à l'intérieur d'une situation d'apprentissage.

Avoir en tête le référentiel suivant:

1. **Avant (mise en situation): tâches plus faciles**

   _____ Tempête d'idées avant une production écrite

   _____ Carte d'exploration sur un thème au début d'une recherche

   _____ Élaboration d'un plan avant une production écrite

   _____ Lecture et explication de consignes avant un travail

   _____ Formulation d'hypothèses avant une expérience

   _____ Détermination de stratégies avant la résolution de problèmes écrits

   _____ Décodage des difficultés avant une période de révision

2. **Pendant (réalisation): tâches plus difficiles**

   _____ Faire une recherche

   _____ Vivre une expérience en sciences

   _____ Réaliser une maquette en sciences humaines

   _____ Créer une murale collective en arts plastiques

   _____ Composer un sketch

   _____ Inventer un message publicitaire

   _____ Rédiger une production écrite

   _____ Discuter sur un sujet donné

3. **Après (rétroaction): tâches moyennement faciles ou difficiles**

   _____ Correction collective d'une dictée

   _____ Objectivation d'une production écrite

   _____ Comparaison de réponses à un problème écrit et décodage des démarches et des stratégies utilisées

   _____ Décodage des apprentissages faits après une leçon

   _____ Reformulation de consignes verbales

   _____ Détermination d'une force et d'un défi dans une réalisation donnée

   _____ Objectivation d'une réalisation en arts plastiques (réagir)

   _____ Présentation d'une recherche pour faire part de ce qui a été appris

   _____ Décodage de ce que l'on ne comprend pas après une tâche d'apprentissage ou d'évaluation

   _____ Comparaison des résultats après une expérience en sciences

6.5 L'ENCADREMENT ET L'ANIMATION DU TRAVAIL D'ÉQUIPE, UNE URGENCE
(Des outils à expérimenter)

Contexte et utilité

Le travail d'équipe est un moyen d'apprentissage et d'enseignement. Utilisé sans encadrement, comme c'est souvent le cas, il se révèle inefficace et source de problématiques en classe. Apprendre à travailler en équipe est un objectif général qui touche à la fois le développement d'habiletés et d'attitudes.

Cette cible de développement ne peut être atteinte sans pratique, sans encadrement, sans essais, erreurs et réajustements. Travailler en équipe, cela s'apprend dans le quotidien avec une enseignante-guide.

Pistes d'utilisation

1. Utilise des dyades ou des équipes spontanées pour débuter.

2. Porte attention au nombre de participants: pas plus de quatre, afin de faciliter le maximum d'interactions. Insiste pour que l'équipe donne des rôles à chaque participante et participant. (*Voir page 373.*)

3. Surveille également la longueur du temps alloué au travail d'équipe: pas plus de 10 à 15 minutes pour commencer, selon l'âge des élèves. Établis avec les équipes un encadrement disciplinaire. (*Voir page 374.*)

4. Structure par la suite des équipes permanentes (pouvant durer au moins une étape) et soucie-toi de l'encadrement de ces équipes avant la mise en projet. (*Voir page 372.*)

5. Distingue la nuance entre des «pupitres en équipe» et des «élèves en équipe». Cette dimension amène à sélectionner des tâches d'apprentissage susceptibles d'être vécues dans une perspective d'équipe.

6. Utilise du papier grand format et des crayons-feutres toutes les fois que c'est possible. Le travail d'équipe ne requiert pas les mêmes instruments que le travail individuel.

7. Accorde de l'importance à la planification, à l'objectivation et à l'évaluation du travail d'équipe. (*Voir pages 375, 378, 379 et 380.*)

8. Offre une banque d'outils variés pouvant servir à la présentation du travail d'équipe. Préoccupe-toi de l'aspect variété autant en ce qui concerne les outils d'expression offerts que les diverses cibles de clientèles à qui l'on peut présenter les réalisations. (*Voir pages 376 et 377.*)

PRÉALABLES D'ENCADREMENT AU TRAVAIL D'ÉQUIPE

Avant de placer les élèves en équipe, s'assurer de poser les interventions suivantes:

1. Informer les élèves du type d'équipe qui sera utilisé:
   - équipes spontanées;
   - équipes semi-spontanées;
   - équipes permanentes.

2. Faire connaître le mandat (la tâche d'apprentissage). S'assurer que le mandat soit présenté verbalement et visuellement («quoi faire?»).

3. Offrir aux élèves une démarche, s'il y a lieu. Encore là, cette démarche sera présentée verbalement ou visuellement («comment faire?»).

4. Fixer un échéancier («quand?»).

5. Suggérer aux élèves de se donner des rôles au sein de l'équipe:
   - gardienne ou gardien de la parole;
   - gardienne ou gardien du temps;
   - gardienne ou gardien de la tâche;
   - journaliste ou reporter.

6. Prévoir un encadrement disciplinaire: règles de vie et conséquences d'application.

7. Mettre à la disposition des élèves le matériel nécessaire («avec quoi?»).

8. Placer les élèves dans un aménagement physique facilitant le maximum d'interactions («où?»).

9. Inviter les élèves à se donner une feuille de route.

10. Informer les élèves qu'ils auront à s'auto-évaluer ou à évaluer leur travail d'équipe.

LES RÔLES DANS LE TRAVAIL D'ÉQUIPE

RÔLE DE LA GARDIENNE OU DU GARDIEN DE LA PAROLE

Permettre à chacune et à chacun de parler à son tour.

Donner à chacune et à chacun la chance d'exprimer son idée.

Surveiller le ton de voix dans l'équipe.

RÔLE DE LA GARDIENNE OU DU GARDIEN DE LA TÂCHE

Aider l'équipe à ne pas s'écarter du sujet.

Reformuler le ou les mandats au besoin.

Faciliter le partage des tâches au sein de l'équipe.

Prendre en note la liste du matériel nécessaire à la réalisation.

Aider à faire un choix par rapport à la présentation: outil d'expression et clientèle visée.

RÔLE DE LA OU DU REPORTER OU JOURNALISTE

Reformuler les idées et vérifier la présentation du travail.

Traduire fidèlement le travail réalisé par l'équipe.

Représenter l'équipe devant la classe pour la présentation du travail demandé (mandat).

RÔLE DE LA GARDIENNE OU DU GARDIEN DU TEMPS

Aider l'équipe à planifier le temps nécessaire
à la réalisation du mandat.

Rappeler l'échéancier.

Planifier avec l'équipe le moment de la présentation.

373

ENCADREMENT DISCIPLINAIRE
DU TRAVAIL D'ÉQUIPE

RÈGLES DE VIE POUR LE TRAVAIL D'ÉQUIPE

1. Je reste centrée ou centré sur le sujet ou la tâche.

2. Je surveille mon ton de voix.

3. Je fais part de mes idées aux autres.

4. J'accepte les idées des autres.

5. Je partage les tâches au sein de mon équipe.

6. Je respecte les rôles tenus par chaque membre de mon équipe.

CONSÉQUENCES

1. Mon enseignante m'avertit deux fois.

2. Je m'isole du groupe pour réfléchir sur mon comportement à l'aide d'une fiche de réflexion.

3. Je suis retirée ou retiré de l'équipe et je dois exécuter la même tâche que celle de l'équipe à laquelle j'appartenais.

FEUILLE DE ROUTE POUR UN TRAVAIL D'ÉQUIPE

1. Titre du projet: _____
   _____

2. Nom des participantes et des participants de l'équipe: _____
   _____
   _____

3. Date de départ du projet: _____
   _____
   _____
   _____

4. Date d'arrivée du projet: _____
   _____
   _____
   _____

5. Nombre de périodes prévues pour ce projet: _____
   _____
   _____
   _____

6. Compilation des périodes:

   [ ]   [ ]   [ ]   [ ]   [ ]
   [ ]   [ ]   [ ]   [ ]   [ ]

7. Nous avons choisi comme outil d'expression: _____
   _____
   _____
   _____

8. Nous voulons présenter notre réalisation à: _____
   _____
   _____
   _____

Nom de l'élève: _____

Niveau: _____

OUTILS ET MOYENS D'EXPRESSION POUR PRÉSENTER UN PROJET

L'élève ou l'équipe trouve des solutions aux problèmes que pose un projet d'apprentissage et rend compte de ses découvertes par l'entremise d'une réalisation communiquée aux autres. Divers moyens d'expression sont possibles.

Outil	1re étape	2e étape	3e étape	4e étape
Sketch	Oui ___ Non ___	Oui ___ Non ___	Oui ___ Non ___	Oui ___ Non ___
Livre	Oui ___ Non ___	Oui ___ Non ___	Oui ___ Non ___	Oui ___ Non ___
Marionnette	Oui ___ Non ___	Oui ___ Non ___	Oui ___ Non ___	Oui ___ Non ___
Bande dessinée	Oui ___ Non ___	Oui ___ Non ___	Oui ___ Non ___	Oui ___ Non ___
Bricolage	Oui ___ Non ___	Oui ___ Non ___	Oui ___ Non ___	Oui ___ Non ___
Affiche	Oui ___ Non ___	Oui ___ Non ___	Oui ___ Non ___	Oui ___ Non ___
Maquette	Oui ___ Non ___	Oui ___ Non ___	Oui ___ Non ___	Oui ___ Non ___
Texte	Oui ___ Non ___	Oui ___ Non ___	Oui ___ Non ___	Oui ___ Non ___
Poème	Oui ___ Non ___	Oui ___ Non ___	Oui ___ Non ___	Oui ___ Non ___
Modelage	Oui ___ Non ___	Oui ___ Non ___	Oui ___ Non ___	Oui ___ Non ___
Chanson	Oui ___ Non ___	Oui ___ Non ___	Oui ___ Non ___	Oui ___ Non ___
Interview	Oui ___ Non ___	Oui ___ Non ___	Oui ___ Non ___	Oui ___ Non ___
Diapositives	Oui ___ Non ___	Oui ___ Non ___	Oui ___ Non ___	Oui ___ Non ___
Film sur acétate	Oui ___ Non ___	Oui ___ Non ___	Oui ___ Non ___	Oui ___ Non ___
Album	Oui ___ Non ___	Oui ___ Non ___	Oui ___ Non ___	Oui ___ Non ___
Bande sonore	Oui ___ Non ___	Oui ___ Non ___	Oui ___ Non ___	Oui ___ Non ___
Message publicitaire	Oui ___ Non ___	Oui ___ Non ___	Oui ___ Non ___	Oui ___ Non ___

LISTE DE CLIENTÈLES POUR LA PRÉSENTATION D'UN PROJET

L'élève ou l'équipe peut présenter sa réalisation à diverses personnes:

1. Au groupe-classe

2. À une autre classe

3. À une équipe intéressée

4. À l'enseignante

5. À une liste d'élèves inscrits à la présentation

6. À l'orthopédagogue de l'école

7. À la direction de l'école

8. À des parents

9. En exposition, dans l'école ou dans la classe: à la bibliothèque, dans le hall d'entrée, dans un corridor, sur un tableau d'affichage

10. À des conseillères ou à des conseillers dans la classe

11. _____

12. _____

13. _____

14. _____

15. _____

FICHE D'OBJECTIVATION D'UN TRAVAIL D'ÉQUIPE

1. Titre de l'activité: _____

2. Responsable(s) de l'activité: _____
   _____
   _____

3. Quels sentiments as-tu éprouvés après la lecture de la mise en situation?
   _____
   _____
   _____

4. Quelles pistes as-tu utilisées? Pourquoi?
   _____
   _____
   _____
   _____

5. Quelles pistes as-tu ajoutées? Pourquoi?
   _____
   _____
   _____
   _____

6. Quelle piste t'a le plus aidée ou aidé? Pourquoi?
   _____
   _____
   _____
   _____

7. Quelles connaissances as-tu touchées en faisant cette activité?
   _____
   _____
   _____
   _____

8. Quelles habiletés mentales as-tu développées en faisant cette activité? Apporte un fait concret pour illustrer chacune des habiletés mentales développées.

_____

_____

_____

_____

9. Comment s'est déroulée la communication au sein de ton équipe?
   a) Qui a parlé le plus? Pourquoi?

_____

_____

_____

_____

   b) Qui a parlé le moins? Pourquoi?

_____

_____

_____

_____

   c) Avez-vous éprouvé des difficultés à vous entendre, à vous écouter, à vous comprendre, à prendre une décision? Quelles sont ces difficultés?

_____

_____

_____

_____

10. Quelles sont les rétroactions que tu souhaites recevoir? Quand?

_____

_____

_____

_____

Remarque:
Cette fiche d'objectivation peut être utilisée partiellement ou globalement selon l'âge des élèves, le contexte d'apprentissage, la nature de l'apprentissage et le degré de compétence à objectiver de la part des élèves.

FEUILLE D'ÉVALUATION DU TRAVAIL D'ÉQUIPE

ÉVALUE TON TRAVAIL EN ÉQUIPE

Nom:_____ Date: _____

Noms des membres de l'équipe:

_____

_____

_____

_____

Coche les énoncés qui te concernent:

1. J'ai écouté les autres lorsqu'ils parlaient. ❏

2. J'ai fait connaître mes idées et j'ai donné des renseignements. ❏

3. J'ai demandé aux autres leurs idées. ❏

4. J'ai partagé le matériel et les fournitures. ❏

5. J'ai demandé de l'aide à l'équipe quand j'en ai eu besoin. ❏

6. J'ai aidé quelqu'un dans mon équipe. ❏

7. J'ai joué mon rôle dans l'équipe et j'ai respecté le rôle joué par les autres. ❏

8. J'ai félicité quelqu'un dans l'équipe. ❏

9. J'ai surveillé mon ton de voix. ❏

10. J'ai toujours été centrée, centré sur le sujet de discussion ou la tâche. ❏

11. J'ai accepté de partager les tâches au sein de l'équipe. ❏

Source: Adaptation de Construire une classe axée sur l'enfant, *de Susan Schwartz et Mindy Pollishuke, Montréal, Les Éditions de la Chenelière, 1992, page 116.*

6.6 VARIER SES FORMES DE CORRECTION
(Un défi à relever)

Contexte et utilité

La correction des travaux représente souvent une partie de tâche importante pour l'enseignante. Même si ce n'est pas une sinécure, on ressent le besoin de contrôler, de vérifier et de corriger la grande partie des travaux des élèves. Pourtant, quand l'élève est en train d'apprendre, il serait avantageux de l'amener à participer à la correction de son travail. Ce qui n'est pas le cas quand on est en train de l'évaluer.

Varier ses formes de correction, voilà une occasion de rendre responsable l'apprenante ou l'apprenant, de récupérer du temps et des énergies et de gérer les différences. Et si l'on acceptait de faire autrement… qu'en serait-il des résultats?

Pistes d'utilisation

1. Jette un coup d'œil sur le référentiel représentant toutes les formes de correction possibles. (*Voir page 382.*)
2. Détermine les formes de correction utilisées plus fréquemment.
3. Cible une forme de correction avec laquelle tu es moins familière et tente de l'intégrer au vécu de ta classe. (*Voir page 385.*)
4. Introduis l'autocorrection dans la classe toutes les fois que c'est possible. (*Voir pages 383 et 384.*)

CARTE D'EXPLORATION: DES MODÈLES À EXPLORER

Les réponses sont données par l'enseignante à tout le monde en même temps (les élèves interviennent dans le processus de correction).

COLLECTIVE
- Chaque élève garde son travail.
- Il y a eu échange de travaux.

TUTORAT
- Élèves-ressources
- Groupe de correction
- Dyades permanentes ou spontanées

CORRECTION DES TRAVAUX

MAGISTRALE
Les travaux sont corrigés sans la présence des élèves. Le barème est établi par l'enseignante (l'élève n'intervient jamais).

AUTOCORRECTION
L'élève prend en charge sa correction et l'enseignante n'intervient pas.

L'AUTOCORRECTION

1. Je dois être capable de cerner les étapes ou les moments où j'ai intérêt à utiliser l'auto-correction dans un scénario d'apprentissage.

   – Situation de départ (mise en route): Observe et dis-moi.
   – Situation d'approfondissement: Essaie.
   – Situation d'évaluation: Es-tu capable?
   – Situation de consolidation: Essaie à nouveau.
   – Situation d'enrichissement: Va plus loin.

L'autocorrection doit se faire plutôt aux parties «approfondissement» et «enrichissement».

La correction de l'«évaluation» et de la «consolidation» relève plus de l'enseignante que de l'élève.

2. Placer le bureau d'autocorrection dans la classe.

   Suggestions:

   – près du bureau de l'enseignante (bureau de la ou du «mini-prof»);
   – fournir le matériel nécessaire (corrigé, crayons de correction).

3. Informer les élèves de l'utilisation de l'autocorrection à l'aide du scénario d'apprentissage (langage adapté présenté au point 1).

4. Expliquer les modalités de l'autocorrection en précisant une procédure d'utilisation avec les élèves.

   Suggestions:
   Ce que l'enfant doit faire:
   Avant: Je demande l'autorisation à l'enseignante ou à ma conseillère ou à mon conseiller.
   Pendant: Je me corrige de mon mieux.
   Après: Je fais part de mes résultats à mon enseignante ou à ma conseillère ou à mon conseiller.
   Afficher ces modalités près du bureau de correction, sous forme de référentiel visuel (tableau d'autocorrection).

5. Établir des normes.

   Suggestions:
   Maximum de trois élèves au bureau.
   Perte du privilège de l'autocorrection pour celle ou celui qui se corrige mal ou ne respecte pas les modalités précisées.

TABLEAU D'AUTOCORRECTION

Procédure d'utilisation:

Conséquence 😊 : Je deviens de + en + responsable.

Conséquence 😞 : Je perds le privilège de me corriger.

Conception graphique: Sylvie Morisette.

TYPES DE CORRECTION À DÉCOUVRIR

Types de correction	Oui	Non	Description de la correction
1. Correction ponctuelle	____	____	Vérification régulière de la progression du travail de l'élève.
	____	____	On suit l'élève par étapes.
2. Correction sélective	____	____	Une partie du travail est sélectionnée et sert d'exemple ou de modèle.
	____	____	Par observation: le travail accompli se vérifie automatiquement par un simple regard ou le déroulement de l'activité permet un jugement.
	____	____	Critériée: l'élève sait exactement sur quoi portera l'évaluation et le jugement de l'enseignante est basé uniquement sur le ou les objectifs.
3. Correction linéaire	____	____	Chaque élève lève la main pour intervenir et l'enseignante dirige la correction.
4. Correction ludique	____	____	Il y a des règles. Aspect compétitif.
	____	____	Éléments motivateurs.
	____	____	Aspect récompense.

6.7 UN COIN D'EXPLORATION ET DE MANIPULATION, POURQUOI PAS?

(Cadre organisationnel)

Contexte et utilité

Avec l'apparition des manuels scolaires colorés et imagés, l'étape de la manipulation a parfois été reléguée au second plan. Pourtant, la phase de la perception sensorielle restera toujours la base de la formation de concepts.

Dans d'autres cas, on reste convaincu de l'importance de la manipulation pour tous les élèves, durant une période uniforme pour tout le monde.

Par contre, les élèves auditifs ont peut-être moins besoin de manipuler que leurs collègues visuels et kinesthésiques.

Cette phase de manipulation pourrait être gérée en tenant plus compte des différences dans la classe: autant en ce qui concerne les styles que les rythmes d'apprentissage. Tout le monde n'est pas obligé de passer dans le même moule. Voilà un défi de taille...

Pistes d'utilisation

1. Aménage la classe en tenant compte d'un espace nécessaire à une aire de rassemblement.
2. Pense à situer l'aire de rassemblement près d'un tableau mural.
3. Réserve une table, une étagère, un pupitre libre ou le dessus d'un classeur ou d'un meuble de rangement pour disposer du matériel de manipulation.
4. Prévois l'utilisation de matériel structuré ou non structuré.
5. Discute fréquemment avec les élèves de la liste du matériel nécessaire pour les aider à comprendre tel objectif.
6. Invite-les également à en apporter de la maison.
7. Propose aux élèves rapides d'en fabriquer pendant leurs moments libres. Cela peut se vivre pendant les activités d'enrichissement ou lors des projets personnels ou d'équipe.
8. On peut même confier la responsabilité à une ou à un élève de superviser le rangement ou le renouvellement de ce matériel.

IMPLANTATION D'UN COIN D'EXPLORATION EN CLASSE

Dans l'aménagement physique de la classe, il faut prévoir un coin d'exploration et de manipulation qui servira à des explorations autant mathématiques que scientifiques. Cet environnement doit être riche et stimulant pour les enfants visuels ou kinesthésiques surtout.

Dans ce coin d'exploration, on trouve du matériel d'utilisation courante et du matériel propre aux mathématiques, aux sciences et aux autres matières, s'il y a lieu. On met à la disposition des élèves du matériel qui a un lien avec les concepts que l'on aborde au cours du mois ou d'une étape. Une rotation du matériel s'impose selon le champ d'études, le thème abordé ou l'objectif ciblé.

MATÉRIEL D'UTILISATION COURANTE:

Élastiques de différentes couleurs, pailles, cure-pipes, bâtonnets à café, colle, feuilles de papier construction, carton à quatre plis, compas, ciseaux, pâte à modeler, boîtes de formes et de grandeurs différentes, papier transparent, acétates, monnaie pour jouer, dés à jouer, crayons de couleur, jetons, boutons, capsules de bouteilles, épingles à ressort, épingles à linge, cartes à jouer, dominos, anneaux métalliques, trombones, catalogues des grands magasins, feuillets publicitaires, etc.

MATÉRIEL PROPRE AUX MATIÈRES SCOLAIRES:

Abaque, instruments de mesure, formes géométriques, géoplan, miroir, blocs multibases, papier pointillé, quadrillé, triangulé, centicubes, réglettes Cuisenaire, tableau de fractions, diagrammes maison (Venn, Carroll, arbre, diagrammes à double entrée de type cartésien), blocs logiques, calculatrice, balance, règle d'un mètre graduée en centimètres et en décimètres, matériel pour mesure de capacité et de masse, globe terrestre, atlas, dictionnaire français, lexique mathématique, documentaire sur les animaux et les plantes, etc.

LOCALISATION DU COIN D'EXPLORATION:

Cet espace devrait être situé près de l'aire de rassemblement, où l'on se regroupera pour des cliniques obligatoires ou avec inscription ou pour de l'enseignement par sous-groupes. De plus, ce coin pourra être aménagé non loin d'un tableau mural pour transposer symboliquement les résultats des manipulations effectuées. Les élèves devront pouvoir visualiser rapidement ce matériel quand ils sont assis à leur pupitre de travail, question de leur rappeler que ce matériel est toujours à leur disposition et de susciter chez eux le désir de l'utiliser quand ils sont bloqués dans leur processus d'apprentissage.

6.8 ENFIN, DES OUTILS POUR GÉRER LE TEMPS
(Modèles d'outils)

Contexte et utilité

Comme les différences sont plus présentes dans les classes, il devient de plus en plus difficile de gérer quotidiennement le travail collectif pendant plusieurs heures d'affilée. La pierre angulaire pour apprivoiser les différences est, sans contredit, l'utilisation d'outils organisationnels pour gérer le temps. Quand on veut amener l'élève à s'engager, il faut lui proposer un cadre de référence assez large pour qu'elle ou il puisse exercer sa liberté à l'intérieur de celui-ci. Il existe un paradoxe selon lequel «plus tu veux faire participer l'élève, plus tu dois être structurée». Toutefois, structurée ne veut pas dire structurante.

Cet outil offre un répertoire de moyens utilisables pour développer chez l'élève l'habileté à gérer son temps.

Pistes d'utilisation

1. Réfléchis sur ton vécu hebdomadaire comme enseignante et pose-toi les questions suivantes: Qui a géré le temps cette semaine? Les élèves ont-ils un peu de pouvoir sur le temps? Une prise de conscience est à faire.
2. Décode par la suite la liste des moyens ou des outils qui existent dans la classe actuellement pour la gestion du temps. (*Voir page 389.*)
3. Survole le répertoire du présent outil pour déterminer ceux que tu possèdes déjà, ceux que tu connais déjà ou ceux que tu aurais le goût d'expérimenter.
4. Cible un premier outil et présente-le aux élèves. Rappelle-toi que ces outils présentent des niveaux de difficulté différents dans l'expérimentation.
5. Objective avec les élèves et réinvestis.
6. Si les résultats sont satisfaisants, introduis un second outil.

PRÉSENTATION GÉNÉRALE DES OUTILS POUR GÉRER LE TEMPS

Pour développer chez l'élève l'habileté à gérer son temps, on doit mettre à sa disposition un certain nombre d'outils organisationnels. Certains peuvent varier d'une classe à l'autre. Par contre, d'autres sont d'utilisation plus universelle. Ainsi, l'enseignante doit se donner une vision globale du processus de planification d'activités d'apprentissage dans le temps.

PRÉSENTATION GÉNÉRALE

1. Menu de la journée

2. Plan de travail ou feuille de route

3. Tableau d'enrichissement

4. Tableau d'ateliers

5. Tableau de programmation

6. Tableau d'inscription, de contrôle

7. Grille de planification hebdomadaire

POUR GÉRER SON TEMPS, L'ÉLÈVE A TOUJOURS BESOIN:

1. d'un référentiel visuel situant les périodes d'une journée (menu de la journée, grille-horaire quotidienne). L'enseignante y aura inscrit au préalable les périodes bloquées qui sont non négociables. Par la suite, l'élève pourra planifier les périodes sur lesquelles elle ou il a du pouvoir;

2. d'un cadre de référence regroupant les activités d'apprentissage obligatoires (plan de travail, feuille de route, tableau d'ateliers obligatoires et semi-obligatoires);

3. d'un cadre de référence regroupant les activités d'apprentissage facultatives (tableau d'enrichissement, tableau d'ateliers facultatifs);

4. d'un référentiel visuel regroupant à la fois les activités d'apprentissage et d'enrichissement (tableau de programmation);

5. d'une grille de planification hebdomadaire où l'élève transcrira en chaque début de journée les activités sur lesquelles elle ou il n'a pas de pouvoir. Par la suite, on l'invite à planifier les activités d'équipe s'il y a lieu et, enfin, à placer les activités individuelles. L'élève peut aussi jouer avec les activités obligatoires et facultatives dans sa programmation;

6. d'un tableau d'inscription, de contrôle permettant à l'élève d'indiquer par un symbole visuel, un code quelconque, les activités en cours et les activités complétées. Pour elle ou lui, il s'agit d'un tableau d'inscription tandis que, pour l'enseignante, ce sera plus un tableau de contrôle.

PRÉSENTATION DÉTAILLÉE DES OUTILS

DESCRIPTION DU MENU DE LA JOURNÉE

Il s'agit, pour l'enseignante, d'inscrire au tableau, chaque matin, la liste des activités d'apprentissage de la journée avec les heures correspondantes. Ce menu du cours ou de la journée découle de la planification de l'enseignement par l'enseignante et permet aux élèves d'avoir un aperçu général du déroulement de la journée.

D'un simple coup d'œil, les élèves peuvent déjà s'approprier un peu les activités d'apprentissage qu'on va leur proposer. Ils s'y préparent mentalement d'abord. Puis, physiquement, ils planifient la sélection des livres, des cahiers et du matériel nécessaires. C'est aussi une excellente façon d'amener les élèves à s'engager, de les rendre responsables dès leur entrée en classe. Il y a moins de bavardage inutile aussi. Pour les plus jeunes, quoi de plus naturel pour développer la conscience de l'écrit!

EXEMPLE D'UN MENU D'UNE JOURNÉE

8 h 30	Accueil et présentation du déroulement de la journée
8 h 45	Enseignement religieux ou moral
9 h 30	Mathématiques: construction de solides géométriques
10 h 15	Récréation
10 h 30	Éducation physique
13 h 00	Production écrite sur les bateaux
14 h 00	Récréation
14 h 15	Sciences humaines: attraits touristiques de ma région
15 h 00	Évaluation de la journée
	Préparatifs du départ
	Bonne journée!

MENUS DU JOUR

Dès le début de l'année, proposer aux enfants un cadre de référence visuel ou un tableau d'activités qui illustre chacun des moments réguliers de la journée. Ce référentiel présente aussi les activités de routine qui reviennent à peu près tous les jours.

À titre d'exemple, voici un menu de la journée à l'intention des tout petits:

• la causerie, les jeux libres (tout comme l'abeille qui butine d'une fleur à l'autre, l'enfant choisit son activité en fonction de ses intérêts);

• la collation, les activités en atelier (l'illustration de la ruche symbolise un regroupement d'enfants qui travaillent, seuls ou avec d'autres, à une tâche spécifique);

• l'histoire et le départ.

Source: Rollande Lecours, de la commission scolaire de Trois-Rivières.

Rangement

Évaluation de
l'avant-midi

Dîner

Mathématique

Savoir-écrire

Récréation

Collation

Éducation physique

Causerie

Avant-midi

Rangement

À demain

Sciences

Récréation

Collation

Danse
Musique

Ordinateur

Après-midi

Conception graphique: Sylvie Morissette.

Feuille reproductible. © 1994 Les Éditions de la Chenelière inc.

PLAN DE TRAVAIL

Le plan de travail est un moyen utilisé pour donner aux élèves une vision globale des activités d'apprentissage obligatoires qu'ils devront réaliser durant une période préétablie. On parle parfois de feuille de route au lieu de plan de travail.

Cet outil peut aider les enfants à gérer leur temps, car ils bénéficient d'une certaine liberté quant au choix des moments pour réaliser leurs activités. Toutefois, à l'échéance, ils devront avoir terminé tout le plan de travail, sauf si ce dernier comportait un volet facultatif.

Il existe des plans de travail pour la classe et pour la maison. Ceux-ci comportent normalement un volet à caractère obligatoire. Par contre, certains peuvent présenter un double aspect: «Je dois faire» (aspect obligatoire) et «Je peux faire» (aspect facultatif).

Ce plan de travail peut être une murale collective ou un tableau dans la classe, comme il peut être remis à l'élève personnellement sous format de feuille $8\frac{1}{2}$ po $\times$ 11 po pour qu'elle ou il puisse le gérer quotidiennement et suivre le profil de ses apprentissages.

TABLEAU D'ENRICHISSEMENT

Le tableau d'enrichissement permet à l'enseignante de proposer aux élèves des activités d'enrichissement une fois que le travail obligatoire en classe est terminé.

Il possède la caractéristique d'offrir des activités purement facultatives (minimum de quatre, maximum de dix). Il peut s'échelonner sur une période fixe tout comme il peut être roulant, mobile. S'assurer de la variété des activités quant aux matières sollicitées, aux habiletés à exploiter et aux différents volets du développement de la personne.

Comme ce sont des activités d'enrichissement, il faut offrir plutôt celles qui permettent le développement global de l'élève et l'acquisition d'habiletés intellectuelles supérieures. Les objectifs des programmes scolaires pour une classe donnée peuvent alors être dépassés.

TABLEAU D'ATELIERS

Quand l'enseignante a développé un fonctionnement par ateliers, le référentiel visuel utilisé sera davantage un tableau présentant la liste des ateliers offerts. On trouvera alors des ateliers permanents ou temporaires. On pourra aussi y regrouper des ateliers obligatoires, semi-obligatoires ou facultatifs.

Ce tableau sera souvent à double entrée puisqu'il offrira horizontalement la liste des ateliers possibles et verticalement la liste des élèves susceptibles de fréquenter ces ateliers.

Très souvent, l'enseignante aura le souci que ce tableau soit construit de façon que ce matériel soit réutilisable même si l'on change la liste des ateliers.

TABLEAU DE PROGRAMMATION

C'est un moyen qui permet de proposer aux élèves des activités d'apprentissage diversifiées qu'ils pourront réaliser durant un temps donné. Il comporte des activités obligatoires et des activités facultatives.

Ce tableau d'activités indique aux élèves ce qu'ils pourront réaliser en travail individuel, en travail d'équipe et en travail collectif. Il est affiché à l'avant de la classe et permet aux enfants d'avoir une vision globale de ce qu'ils peuvent réaliser. C'est un outil précieux au moment où les enfants doivent prendre des décisions concernant leur emploi du temps.

TABLEAU D'INSCRIPTION, DE CONTRÔLE

L'enseignante qui veut déléguer des tâches aux élèves et les faire participer à la gestion du temps devra mettre à leur disposition un outil à l'aide duquel ils pourront indiquer l'activité commencée ou l'activité terminée. C'est une excellente occasion de récupérer du temps pour l'enseignante puisque celle-ci consent à ne pas contrôler ni comptabiliser ce qui est en train de se faire ou ce qui est fait.

Ce tableau doit être d'utilisation simple, selon l'âge des élèves. Pour les plus jeunes, il sera offert sous forme de pochettes sur lesquelles on écrit les noms des ateliers ou les noms des élèves. Les élèves placent un carton à leur nom ou une photo dans les pochettes de leur choix ou ils placent les cartons des ateliers dans la pochette à leur nom. Les élèves peuvent avoir plus d'un carton à leur nom pour indiquer les activités de la journée. Le nombre de cartons par atelier correspond au nombre d'enfants permis à l'atelier.

Pour les plus grands, ce tableau peut être construit à double entrée: les numéros des ateliers ou des activités dans un sens et la liste des élèves dans l'autre sens. Les élèves utiliseront alors des punaises de couleur, des jetons aimantés, des carrés de carton coloré ou des cases coloriées pour indiquer leur cheminement.

Très utile à l'enseignante, le tableau d'inscription lui permet de décoder rapidement le vécu de chaque élève, d'avoir une vision globale du groupe et d'évaluer rapidement les ateliers les plus populaires et les moins fréquentés.

GRILLE DE PLANIFICATION HEBDOMADAIRE

Parmi les outils existants pour gérer le temps, il en existe un qui est un peu comme la boussole venant éclairer tous les autres. C'est par la grille de planification que l'élève trouvera du sens dans l'organisation de sa journée. Il verra défiler sous ses yeux les heures de la journée et les activités correspondantes. Il saura que certaines ont été non négociables tandis que d'autres l'ont été.

Comme l'élève trouve souvent de la motivation dans la liberté de commencer par une tâche plutôt qu'une autre, ce sera un défi pour elle ou lui de finaliser ce qu'elle ou il a prévu dans l'échéancier proposé. Même si l'utilisation de la grille de planification nécessite de consacrer des minutes le matin à cette tâche, il ne faut pas oublier que l'élève est en train de développer non seulement la planification, mais aussi la prévision, la prise de décision et l'évaluation.

L'enseignante a intérêt à rencontrer chaque élève pour approuver la planification ou pour proposer des réaménagements si l'élève éprouve des difficultés en ce qui a trait à la liberté de gérer son temps.

PLAN DE TRAVAIL MURAL (À VOCATION COLLECTIVE)

	Activités d'apprentissage	Échéances
OBLIGATOIRES		
FACULTATIVES		
PROJETS DE CLASSE OU D'ÉQUIPE		

PLAN DE TRAVAIL PERSONNEL

(EN REGARD D'UN ATELIER OU D'UN CENTRE D'APPRENTISSAGE OFFRANT PLUS D'UNE ACTIVITÉ AU MÊME ENDROIT)

Semaine du: _____ **Nom:** _____

Ateliers ou centres d'apprentissage	Activités à réaliser	Faites	Vues
Jeux en lecture			
Écriture			
Mathématiques			
Arts plastiques			
Sciences humaines			
Ordinateur			
Jeux électroniques			
Sciences de la nature			
Bricolage			
Salon de lecture			
Calligraphie			
Jeux éducatifs			
Écoute et expression			
Manipulation et exploration			
Projet personnel			

Cet outil peut être géré individuellement à partir du plan de travail collectif que l'on trouve dans la classe. Cet outil présuppose la présence de plus d'une activité d'apprentissage à l'intérieur de l'atelier ou du centre d'apprentissage.

PLAN DE TRAVAIL (GESTION PERSONNELLE PAR L'ÉLÈVE)

Période: _____   Nom de l'élève: _____

Matière	Objectif d'apprentissage	Tâche à réaliser	Faite	Auto-évaluation	Corrigée	Évaluation de l'enseignante
Lecture	Repérer des renseignements à l'intérieur d'un texte à caractère informatif.	Aller chercher dans un livre documentaire les cinq renseignements suivants sur le castor: • habitat; • nourriture; • longévité; • aspect physique; • reproduction.	Oui	J'ai été capable de le faire avec de l'aide.	Oui	À venir
Mathématiques						

PREMIER MODÈLE D'UN TABLEAU D'ENRICHISSEMENT

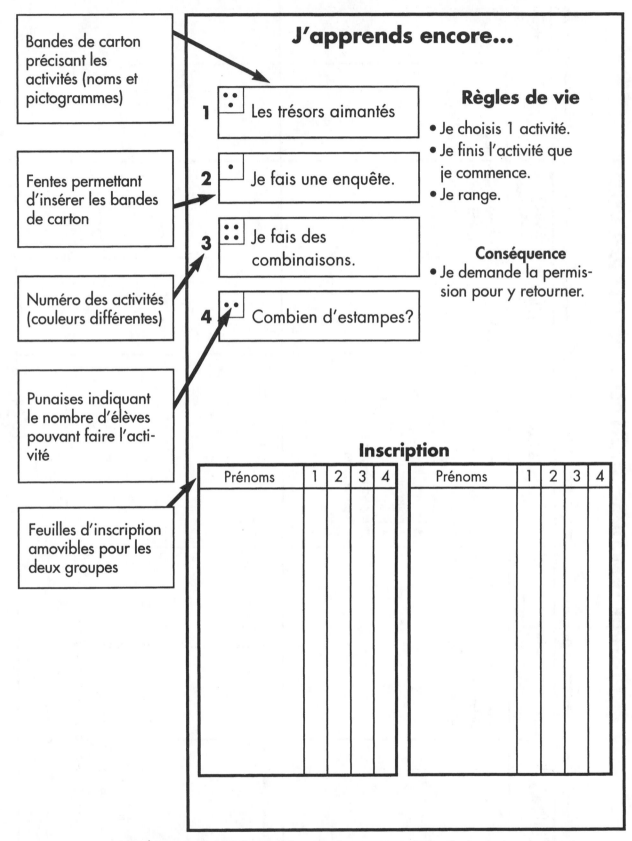

J'apprends encore...

Bandes de carton précisant les activités (noms et pictogrammes)

1 Les trésors aimantés

2 Je fais une enquête.

Fentes permettant d'insérer les bandes de carton

3 Je fais des combinaisons.

Numéro des activités (couleurs différentes)

4 Combien d'estampes?

Punaises indiquant le nombre d'élèves pouvant faire l'activité

Feuilles d'inscription amovibles pour les deux groupes

Règles de vie

• Je choisis 1 activité.
• Je finis l'activité que je commence.
• Je range.

Conséquence
• Je demande la permission pour y retourner.

Inscription

Prénoms	1	2	3	4

Prénoms	1	2	3	4

Source: Ministère de l'Éducation du Québec, Dès le préscolaire... Recueil d'outils de gestion de classe, *juin 1992.*

DEUXIÈME MODÈLE D'UN TABLEAU D'ENRICHISSEMENT

J'apprends encore.

1 — Le Télé-journal

2 — Des mains habiles

3 — Fantaisies de lecture

4 — Mini-prof

Règles de vie

Je choisis une activité.

Je termine l'activité que je commence.

Je range.

Conséquences

Agréable
Mon professeur me félicite !

Désagréable
Je perds le droit de choisir une activité-cadeau.

Je m'inscris...

○ activité en cours
○ activité terminée

Prénoms	1	2	3	4
Sarah				
Hubert				

Prénoms	1	2	3	4

Conception graphique: Sylvie Morissette.

TABLEAU D'ATELIERS

Nom:

Semaine du: Mes ateliers

	(Lune) Lundi	(Martien) Mardi	(Mer) Mercredi	(Jeu) Jeudi	(Vent) Vendredi
bricolage					
peinture					
dessin					
modelage					
jeux de rôles					
jeux de construction					
jeux de table					

Source: Rollande Lecours, de la commission scolaire de Trois-Rivières.

TABLEAU DE PROGRAMMATION

JE DOIS

	français	math.	sciences	arts	APO
En priorité	Rédaction de la lettre au bureau touristique de ma région	Estimation et calcul du trajet pour se rendre dans la région choisie	Manuel de sciences humaines Chapitre 12	Murale collective: décoration de la classe	Production d'un scénario à l'aide du logiciel VidéoScript
	Table d'écoute: dictée enregistrée				
	Échéance...	Échéance...	Échéance...	Échéance...	Échéance...
Ensuite	Compréhension de texte sur le Québec	Jeu d'échecs	Observation au microscope	Carte d'invitation pour notre agence de voyage	Article à rédiger pour notre journal de classe
	Échéance...	Échéance...	Échéance...	Échéance...	Échéance...

Travail individuel Travail en équipe Travail collectif

URGENT

Feuille de résolution de problèmes

JE PEUX

Projet personnel
Concours de dessin
Piste ouverte
Jeu éducatif
Journal intime
Élève-ressource

Source: Muriel Brousseau-Deschamps, CEMIS Mille-Îles 1991.

TABLEAU DE PROGRAMMATION SELON LA MODALITÉ DE TRAVAIL
(POUR UTILISATION FUTURE)

Travail individuel ou par dyade	Travail d'équipe	Travail collectif

TABLEAU D'INSCRIPTION (GESTION PLUS SIMPLE)

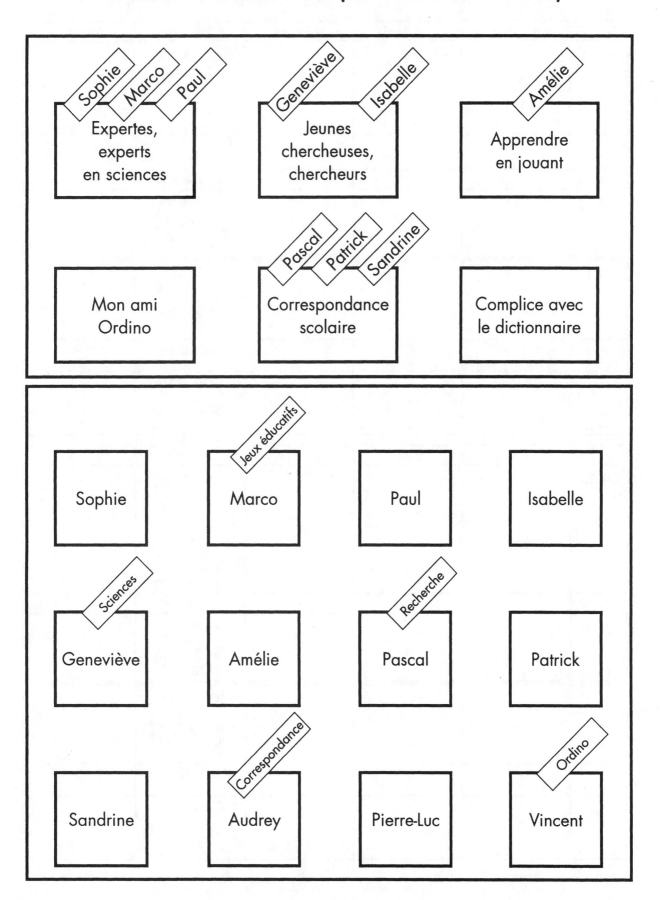

GRILLE DE PLANIFICATION COLLECTIVE

	17 mai	18 mai	19 mai	20 mai	21 mai
9 h 00				**COLLECTIF** Expression orale Présentation de projets personnels	
10 h 30				**récréation**	
10 h 45 11 h 45				**ATELIERS** 	
13 h 15				**ATELIERS** 	
14 h 15				**ATELIERS**	
15 h 00 15 h 30				**COLLECTIF** Travail individuel	

	17 mai	18 mai	19 mai	20 mai	21 mai
9 h 00				**COLLECTIF** Expression orale Présentation de projets personnels	
10 h 30				**récréation**	
10 h 45 11 h 45				**ATELIERS** 	
13 h 15				**ATELIERS** 	
14 h 15				**ATELIERS**	
15 h 00 15 h 30				**COLLECTIF** Travail individuel	

Source: Muriel Brousseau-Deschamps.

GRILLE DE PLANIFICATION POUR L'ÉLÈVE

APPLICATIONS PÉDAGOGIQUES DE L'ORDINATEUR (APO)

Ateliers

Écriture Écriture Conjugaison Lecture Projet personnel Recherche Expression orale

Géométrie Résol. de problèmes Sc. humaines Mathématiques Sciences Sciences

Jeux éducatifs Travail individuel Nutrition Éducation physique

Audio-visuel

F.P.S. Morale Musique Arts plastiques Anglais Enseignement religieux

Source: Muriel Brousseau-Deschamps, CEMIS de la C.S. Mille-Îles.

6.9 DES AVENUES DIFFÉRENTES POUR L'ENRICHISSEMENT

(Un modèle sur mesure)

Contexte et utilité

Le respect des rythmes d'apprentissage ne peut se faire sans penser au concept «enrichissement». Souvent, cette réalité fait peur parce qu'elle évoque du travail supplémentaire à faire autant par les élèves que l'enseignante. Pourtant, il s'agit d'un outil facilitant la gestion des différences. L'élève continue d'apprendre par elle-même ou lui-même tandis que l'enseignante vient de récupérer du temps pour s'occuper des élèves ayant besoin d'un accompagnement plus soutenu.

Introduire de l'enrichissement dans sa classe suppose l'exploration d'outils organisationnels dans ce domaine. Cela suppose également qu'on mette en place une structure adéquate pour encadrer le travail autonome des élèves touchés par ce «va plus loin». Voici des solutions à cette réalité de plus en plus présente dans les classes.

Pistes d'utilisation

1. Prends l'habitude d'indiquer aux élèves par écrit la liste des tâches d'apprentissage non négociables dans la classe («ce que je dois faire»).

2. Pense aussi à leur fournir un référentiel visuel pour les tâches qu'ils peuvent faire dans leurs moments libres («ce que je peux faire»).

3. Décode les intérêts, les besoins des élèves en matière d'enrichissement, de façon régulière (à chaque étape de l'année).

4. Structure la gestion des activités d'enrichissement en pensant à donner de plus en plus de pouvoir aux élèves à ce sujet. Introduis alors le tableau d'enrichissement, les ateliers ou les centres d'enrichissement.

5. Fais participer les élèves à l'élaboration des activités d'enrichissement. Eux-mêmes peuvent l'alimenter partiellement.

6. Objective avec les élèves le vécu et le fonctionnement de l'enrichissement. Évalue et, au besoin, réajuste-toi.

7. Évite de tomber dans la routine. Pense à l'aspect nouveauté, variété. La promotion du coin d'enrichissement est à faire. Plus les tâches seront alléchantes, plus tu rejoindras les élèves capables mais non motivés.

DES CONCEPTS À CLARIFIER

1. **Enrichissement:** Approche éducative qui consiste à prévoir des activités complémentaires au programme régulier. Certains auteurs classent l'enrichissement selon deux catégories: l'enrichissement vertical et l'enrichissement horizontal. Le premier est basé sur des activités d'apprentissage qui amènent l'élève vers un niveau conceptuel plus élevé en mettant l'accent sur le processus d'apprentissage. Le second fait référence à des activités complémentaires qui permettent d'élargir l'application des connaissances acquises. Ces activités font davantage appel à la créativité et visent le développement qualitatif.

(Renald Legendre)

2. **Objectif d'enrichissement:** Se dit de tout type d'objectif destiné à augmenter ou à élargir les apprentissages d'un sujet en sus des objectifs prévus dans un programme ou un plan d'études.

(Renald Legendre)

L'objectif d'enrichissement parallèle s'ajoute aux contenus et aux habiletés prévus minimalement dans un programme ou un plan d'études, à titre de prolongement des apprentissages. De son côté, l'objectif d'enrichissement complémentaire a pour mission de situer un apprentissage dans un contexte humain ou utilitaire qui suscite l'intérêt du sujet.

3. **Situations d'enrichissement:** Les situations d'enrichissement sont des situations de dépassement. Elles permettent aux enfants qui ont atteint le résultat attendu après une ou plusieurs situations d'approfondissement d'aller plus loin. Ces situations s'adressent donc aux enfants qui, après une évaluation de l'atteinte des objectifs poursuivis lors des situations d'approfondissement, ont le désir d'aller plus loin.

(Tiré du fascicule L du MEQ, *Planification de situations d'apprentissage*)

4. **Activités d'enrichissement:** Comme les activités d'enrichissement sont aussi des activités d'apprentissage, on pourrait les définir ainsi: activité d'un sujet susceptible de favoriser l'atteinte d'un objectif spécifique qui représente un acquis pour lui. Donc, les activités d'enrichissement doivent permettre à l'élève d'aller vraiment plus loin. Il ne s'agit pas de lui confier des tâches occupationnelles ni de lui proposer des feuilles supplémentaires à faire.

L'enrichissement pourrait être orienté en fonction de contenus scolaires, mais il doit être avant tout un prétexte pour favoriser le développement global de la personne: aspects culturel, artistique, manuel, scientifique, intellectuel, social, etc.

Il faut donc avoir en tête le volet variété dans les activités d'apprentissage proposées, autant en ce qui concerne les aspects touchés du développement de la personne, les matières concernées que les habiletés sollicitées.

Pour cette dernière dimension, on doit cibler le développement d'habiletés supérieures, telles que: analyse, évaluation, créativité, synthèse, planification, prise de décision, communication et prévision.

5. **Menu d'enrichissement:** Liste ou ensemble d'activités d'enrichissement planifiées et proposées à l'élève dans la classe tout au long d'une période donnée. Exemple: dans la classe, actuellement, on trouve six activités d'enrichissement au menu.

6. **Tableau d'enrichissement:** Outil organisationnel qui permet à l'enseignante de proposer aux élèves des activités d'enrichissement dans la classe. Ce référentiel visuel offre la caractéristique d'offrir des activités purement facultatives (minimum de quatre, maximum de dix). Il peut s'échelonner sur une période fixe tout comme il peut être mobile. Dans ce dernier cas, on dira qu'il est roulant.

En plus de présenter le menu d'enrichissement aux élèves, on peut trouver à l'intérieur de celui-ci un tableau d'inscription à l'intention des élèves, des règles de vie et des conséquences d'application encadrant le bon fonctionnement du coin d'enrichissement.

On peut même, à l'aide de symboles visuels, indiquer aux élèves s'il s'agit d'une tâche individuelle ou d'une tâche pouvant être réalisée en dyade ou en équipe. De plus, on peut mentionner aux élèves si l'activité choisie se vit au pupitre de l'élève ou à l'intérieur d'un atelier ou d'un centre d'enrichissement.

7. **Atelier d'enrichissement:** Si l'on part de la définition d'un atelier en général, on décode que l'atelier consiste en un petit nombre d'élèves (de trois à huit) réunis en vue de réaliser un objectif bien délimité et accepté par chaque participante ou participant.

Dans une perspective d'enrichissement, l'atelier consisterait en un espace physique que l'enseignante a dû créer dans la classe pour permettre à des élèves de réaliser une activité bruyante, salissante ou dérangeante pour les autres élèves. À ce moment-là, on a prévu un endroit où l'élève trouvera le matériel nécessaire pour accomplir sa tâche, de même que les procédures lui permettant de réaliser seule ou seul le défi proposé. Ainsi, il va de soi que l'on devra indiquer aux élèves le nombre de participantes ou de participants acceptés à l'intérieur de chacun des ateliers.

La création d'ateliers découlera de la planification du menu d'enrichissement. Exemple: je peux offrir aux élèves sept activités d'enrichissement, dont trois devront se vivre à l'intérieur d'ateliers tandis que les quatre autres pourraient se vivre au pupitre de chaque élève.

8. **Centres d'enrichissement:** Lieux organisés et planifiés pour la réalisation autonome d'activités d'apprentissage. Outil organisationnel plus complet et plus complexe que l'atelier, il offre une organisation spatiale du matériel et de documents permettant à l'élève de choisir des thèmes ou des problèmes qui l'intéressent et de gérer une bonne part de sa démarche d'apprentissage. Ces centres peuvent avoir les vocations suivantes: centres d'exercices obligatoires, centres d'exploration, centres de formation et centres d'expérimentation.

   Contrairement à l'atelier, le centre touche plusieurs habiletés différentes en même temps et offre plusieurs activités simultanées, respectant ainsi le rythme chez l'élève.

9. **Coin d'enrichissement:** Lieu prédéterminé dans la classe et habituellement permanent, souvent disposé à l'arrière du local ou sur ses côtés, dans lequel se trouvent le tableau d'enrichissement, le matériel d'enrichissement de même que les ateliers ou les centres d'enrichissement nécessaires à l'actualisation du menu d'enrichissement.

Population cible

Au départ, l'enrichissement s'adressait exclusivement aux élèves provenant de milieux défavorisés; depuis peu, il s'adresse également aux élèves doués.

De façon générale, on pourrait dire qu'il peut être utilisé en regard des clientèles suivantes:

- élèves rapides, mais doués;
- élèves autonomes;
- élèves ayant besoin de stimulation intellectuelle (milieu socio-économique faible);
- élèves ayant besoin de stimulation quant à la motivation;
- élèves en difficulté d'apprentissage et ayant réussi à faire des petits pas dans une matière donnée;
- élèves en trouble de comportement et ayant réussi à mériter un laissez-passer de x minutes au coin d'enrichissement;
- élèves faisant partie d'un sous-groupe de travail personnel pendant que l'enseignante anime l'autre sous-groupe.

DES MODÈLES D'ENRICHISSEMENT À LA MESURE DE L'ENSEIGNANTE

Si les rythmes d'apprentissage existent chez les élèves, ils n'en sont pas moins présents chez les enseignantes. Afin de respecter le cheminement personnel de l'intervenante ou de l'intervenant et de son groupe d'élèves, voici quelques modèles pouvant être vécus dans la classe:

MODÈLE 1

Menu d'enrichissement au tableau de la classe, chaque semaine. Chaque lundi matin, l'enseignante indique aux élèves quatre ou cinq activités qu'ils peuvent faire dès qu'ils ont un moment libre dans la classe. Le matériel nécessaire pour la réalisation de ces activités est déposé dans un endroit connu des élèves et ils vont chercher eux-mêmes le matériel. Très souvent, la tâche d'enrichissement peut être réalisée au pupitre de l'élève. C'est un début d'ouverture aux différences.

MODÈLE 2

Tableau d'enrichissement structuré à l'arrière de la classe avec la *naissance de quelques ateliers* commandés par le caractère participatif de certaines activités. Certaines tâches sont accomplies au pupitre de l'élève tandis que d'autres doivent être exécutées au sein d'un atelier prédéterminé. C'est un compromis entre le directif et le participatif.

MODÈLE 3

Création de centres d'enrichissement dans la classe pour la réalisation autonome d'activités d'apprentissage. On trouve divers modèles de centres: centres portatifs, centres de table, centres muraux, chevalets, isoloirs et centres volants. Ces centres permettent d'offrir des activités d'apprentissage qui tiennent compte des divers besoins individuels de chaque élève et développent diverses habiletés intellectuelles et créatrices. Ici, on parle vraiment de la gestion des différences.

MODÈLE 4

De l'enrichissement ambulant. Pour les enseignantes spécialistes du primaire ou du secondaire, la dimension de l'enrichissement peut être vécue différemment. Il y a possibilité d'utiliser un «meuble roulant» que l'on transporte d'une classe à l'autre, au besoin. C'est une façon plus souple de gérer les différences au sein d'une classe.

EXEMPLE D'UN MENU D'ENRICHISSEMENT

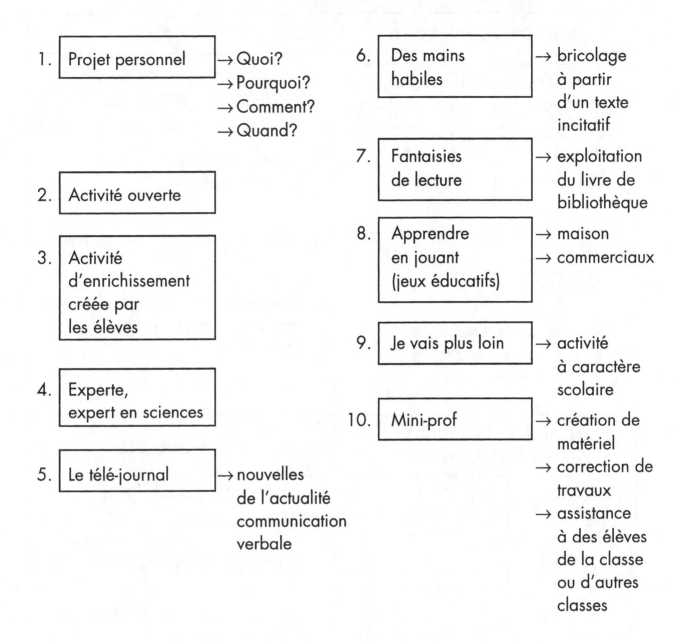

1. Projet personnel → Quoi?
   → Pourquoi?
   → Comment?
   → Quand?

2. Activité ouverte

3. Activité d'enrichissement créée par les élèves

4. Experte, expert en sciences

5. Le télé-journal → nouvelles de l'actualité communication verbale

6. Des mains habiles → bricolage à partir d'un texte incitatif

7. Fantaisies de lecture → exploitation du livre de bibliothèque

8. Apprendre en jouant (jeux éducatifs) → maison
   → commerciaux

9. Je vais plus loin → activité à caractère scolaire

10. Mini-prof → création de matériel
    → correction de travaux
    → assistance à des élèves de la classe ou d'autres classes

EXEMPLE D'UN TABLEAU D'ENRICHISSEMENT

MENU D'ENRICHISSEMENT	RÈGLES DE VIE
1. Fantaisies de lecture **4.** Défis mathématiques **2.** Experte, expert en sciences **5.** Apprendre en jouant **3.** Projet personnel **6.** «Mini-prof» Ce tableau peut être mobile, de façon à pouvoir changer les activités au besoin.	1. Je termine mon travail avant d'en commencer un autre. 2. Je range le matériel après m'en être servie, servi. 3. Je circule quand c'est nécessaire. 4. Je travaille sans déranger mon enseignante ni mes amies et mes amis.

TABLEAU D'INSCRIPTION POUR LES ACTIVITÉS

Élèves	1	2	3	4	5	6

CONSÉQUENCES

Que va-t-il m'arriver si je ne respecte pas les règles de vie?

– Je reçois un avertissement.

– Je perds la possibilité de m'inscrire durant une journée.

– Je perds la possibilité de m'inscrire durant une semaine.

UN TABLEAU D'ENRICHISSEMENT, POURQUOI PAS?

— Démarche suggérée —

1. En équipe, planifier l'élaboration d'un tableau d'enrichissement.

   Voici des critères sur lesquels il faudra vous pencher:

   a) tableau disciplinaire ou multidisciplinaire;

   b) tableau thématique ou non;

   c) tableau roulant ou fixe;

   d) nombre d'activités en fonction de l'âge des élèves;

   e) titres créateurs, incitatifs;

   f) variété quant aux matières;

   g) variété quant aux habiletés développées;

   h) variété quant aux volets du développement de la personne.

2. Certaines activités exigent-elles une démarche visuelle, une procédure de fonctionnement de la part des élèves? Si oui, il faut les prévoir.

3. Penser également à l'aménagement physique de la classe. L'élève peut-elle ou peut-il réaliser chacune des activités à son bureau? Doit-elle ou doit-il se rendre à un endroit précis pour certaines activités? L'aménagement physique doit être au service de ce qu'on veut faire.

DÉMARCHE POUR ÉLABORER
UN TABLEAU D'ENRICHISSEMENT

Voici des étapes à respecter pour élaborer une démarche de planification pour l'expérimentation d'un tableau d'enrichissement au sein de la classe:

1. Vivre avec les élèves une phase de décodage d'intérêts collectifs. Qu'aimeraient-ils apprendre? Qu'est-ce qu'ils aimeraient réaliser comme projets ou activités?

2. Explorer et dresser l'inventaire du matériel existant déjà dans la classe ou dans l'école et pouvant déboucher sur de l'enrichissement.

3. Dresser le tableau d'enrichissement qui pourrait s'échelonner sur une période fixe ou mobile. Il pourrait contenir cinq ou six activités facultatives (minimum de quatre, maximum de dix). S'assurer de la variété quant aux matières, aux habiletés exploitées et aux différents volets du développement de la personne.

   Suggestions: problèmes du jour, projet personnel ou d'équipe, initiation à la recherche, défis de lecture, contrat de lecture, activité ouverte, jeux éducatifs, ordinateur, activité qui part du vécu des élèves, sciences humaines, sciences de la nature, résolution de problèmes, activité d'enrichissement en mathématiques, «Va plus loin», problème d'espace mathématique, activité d'exploitation de lecture débouchant sur l'expression orale, écrite, artistique ou dramatique, etc.

4. Élaborer un tableau d'inscription à partir de la liste d'élèves et en regard des activités offertes.

5. Aménager la classe de façon à faciliter la réalisation des activités d'apprentissage offertes dans les divers ateliers.

6. Introduire l'autocorrection, si nécessaire.

7. Établir avec les élèves des règles de vie et des mécanismes d'application afin de faciliter ce nouveau type de fonctionnement.

8. Présenter le tableau d'enrichissement aux élèves afin de donner de l'information sur les activités, le matériel et les endroits où se dérouleront les activités.

9. Se servir du tableau d'enrichissement avec les élèves.

10. Après cette expérience, faire objectiver les élèves sur ce qui a été vécu. Pistes: Quelle activité ont-ils préférée? Pourquoi? Quelle activité a été la moins populaire? Pourquoi? Qu'ont-ils aimé de ce nouveau type de fonctionnement? Qu'est-ce qu'ils n'ont pas aimé? Qu'ont-ils appris? Qu'ont-ils exploité? Ont-ils connu des réussites? des difficultés? Ont-ils des suggestions pour le prochain tableau d'enrichissement?

11. Relancer l'expérience (processus continu de cheminement) en faisant les réajustements qui s'imposent des trois composantes de la vie de classe:

    a) l'aménagement;
    b) les situations d'apprentissage;
    c) les interventions.

Remarque: Dans le cas d'une classe multiprogramme, fonctionner avec un seul tableau d'enrichissement commun pour les deux niveaux. Planifier le tableau d'enrichissement en collaboration avec des collègues d'un même niveau est riche et avantageux.

EXEMPLES D'ACTIVITÉS D'ENRICHISSEMENT

1er cycle

- Tâches de lecture (bricolage)
- Théâtre de marionnettes
- Construction de maquettes
- Résolution de problèmes
- Composer des histoires (petit livre, etc.)
- Inventer la suite d'une histoire
- Composer une bande dessinée
- Jeux de société
  - Uno
  - Scrabble des jeunes, etc.
- Composer des mots croisés
- Jeux en lecture
- Jeux en mathématiques
- Jouer avec les lettres pour former des mots
- Reconstituer des phrases à l'aide de mots
- Composer des phrases pour faire de la reconstitution de phrases
- Activité en sciences de la nature ou en sciences humaines

- Jeux sur l'heure
- Jeux sur la monnaie
- Travail avec la calculatrice
- Mémoriser des chansons, des comptines
- Travail avec l'ordinateur
- Inventer des jeux sur l'utilisation du dictionnaire
- Correspondance scolaire
- Composer des questions ouvertes pour meubler ce tableau d'enrichissement
- Présenter un texte de chanson en le mimant, en l'illustrant ou autres
- Cubes à histoire

- _____
- _____
- _____
- _____

2e cycle

- Activités ouvertes
- Activités avec le journal
- Composer des bandes dessinées
- Résolution de problèmes
- Tâches de lecture
- Textes d'imitation
- Activités en sciences de la nature
- Travail à l'ordinateur
- Faire des affiches
- Composer des dépliants publicitaires
- Composer des jeux
  - en lecture
  - en mathématiques
  - en grammaire
- Monter une pièce de théâtre
- Travail de recherche sur un sujet (chanteurs, sport, pays, municipalité, ville, animaux, environnement, etc.)
- Inventer la fin d'une histoire
- Composer des mots croisés
- Jeux de société favorisant la culture générale, la logique et la déduction
  - Génies en herbe
  - Apprenti Docte Rat
  - Quiz des jeunes

- Scrabble
- Backgammon
- Master Mind
- échecs, etc.

- Expériences en sciences
- Activités ouvertes bâties par les enfants
- Construction de maquettes
- Jeux de grammaire
- Jeux en mathématiques
- Faire des plans d'aménagement (mesure, échelle)
- Recherche plus approfondie sur des cartes (rallye)
- Faire composer aux enfants des rallyes sur des cartes (routières, topographiques, de ville, etc.)
- Faire une carte du monde sur un mur de la classe pour indiquer où se passent les événements importants ou d'où viennent certains produits, où se vendent nos propres produits (regard sur le monde, 6ᵉ année)
- Inventer un jeu facilitant l'apprentissage de certaines parties du programme
- Travail avec la calculatrice
- Composer des résolutions de problèmes en mathématiques
- Composer des messages de sensibilisation à l'environnement ou autres pour le journal local ou la radio locale
- Établir un programme de conditionnement physique
- Faire un menu pour une journée en suivant le guide alimentaire canadien
- Projet personnel ou d'équipe
- Faire des tableaux comparatifs
  Exemple: ski de fond
  patinage de vitesse
  tortue
  ski alpin
  patinage artistique
  chat
- Bâtir une série de fiches sur les animaux
- Faire le plan d'organisation d'une fête, d'une journée de carnaval, d'une sortie
- Fabriquer des jeux en mathématiques, en lecture ou autres
- Faire un menu illustré d'une journée en respectant les quatre groupes d'aliments
- Classifier des objets
- Écrire un message pour le bureau de poste de la classe
- Composer des messages ou des textes. Les couper en casse-tête dans le but de le faire refaire aux autres. Composer une question défi.
- Bien lire une chanson ou une comptine pour la mimer ou l'illustrer
- Projet personnel ou d'équipe
- Cubes à histoire

- _____
- _____
- _____
- _____

Source: Lisette Ouellet.

PROTOTYPES DE MENUS D'ENRICHISSEMENT

1. Tableau d'enrichissement thématique pour une classe de 2e année

   Thème privilégié: La Saint-Valentin

   1.1   Les découvertes de Valentin

   1.2   Le bonhomme en cœur

   1.3   Frises amoureuses

   1.4   Les messages de Cupidon

2. Tableau d'enrichissement non thématique pour une classe de 1re année

   2.1   L'enveloppe-surprise

   2.2   Fantaisies de lecture

   2.3   La cachette des lettres

   2.4   Allons magasiner

   2.5   Mon passe-temps

3. Tableau d'enrichissement non thématique pour une classe de 3e et 4e année

   3.1   Moi et le sablier

   3.2   Au jeu!

   3.3   Mon ami Ordino

   3.4   Une visite au centre
         de ressources

   3.5   Projet personnel   Quoi?
                                    Pourquoi?
                                    Comment?
                                    Quand?

4. Tableau d'enrichissement non thématique pour une classe de 5e année

4.1 | Scoop
4.2 | Casse-moi la tête
4.3 | Mon coup de cœur
4.4 | Au jeu!

4.5 | Où vivent-ils?
4.6 | J'ai le goût de...
4.7 | Jeunes débrouillardes, débrouillards à l'œuvre
4.8 | Mini-prof

5. Tableau d'enrichissement thématique pour une classe de 6e année

Thème privilégié: | Goutte d'O

5.1 | Tu me fais... suer
5.2 | Oh! les maux
5.3 | Compte-gouttes

5.4 | Il pleut en haut
5.5 | Goutte d'eau invincible
5.6 | Averse sur...

6. Tableau d'enrichissement non thématique élaboré par une enseignante spécialiste en musique pour ses élèves du second cycle du primaire

6.1 | Le petit «Mozart»
6.2 | La ou le mélomane
6.3 | Au conservatoire

6.4 | Ça m'intéresse
6.5 | L'oreille musicale
6.6 | Brico-Son

7. Tableau d'enrichissement thématique élaboré par une équipe d'enseignantes spécialistes en éducation physique pour leurs élèves du second cycle du primaire

Thème privilégié: | Le cirque

7.1 | Jonglerie sur accessoires
7.2 | Duo de jongleries

7.3 | Jonglerie de quatre objets
7.4 | Création d'un petit spectacle

8. Tableau d'enrichissement non thématique élaboré par une enseignante spécialiste en anglais pour ses élèves du second cycle du primaire

8.1 | Cool crosswords
8.2 | Super stories
8.3 | The great English detective

8.4 | Dicto-picto
8.5 | Fun-Fun-Fun games
8.6 | Thunder theatre

TABLEAU D'APPRÉCIATION DU TABLEAU D'ENRICHISSEMENT

NOM: _____   ÉCOLE: _____   NIVEAU: _____

Titre de l'activité	Description de l'activité	Appréciation des élèves

QUELQUES PRÉCISIONS AU SUJET DES CENTRES D'ENRICHISSEMENT

CENTRES D'EXERCICES OBLIGATOIRES:

– développement des habiletés reliées aux programmes réguliers;

– habituellement développés par matière;

– centres d'intérêt interdisciplinaires.

CENTRES D'EXPLORATION:

– en fonction d'un thème (archéologie, cinéma, flore, faune, etc.);

– activités catalysantes (point de départ de projets plus poussés);

– pour découvrir de nouveaux champs d'intérêt.

CENTRES DE FORMATION:

– acquisition d'habiletés de base: manipulation d'appareils, techniques de travail;

– développement d'habiletés intellectuelles: logique, classification;

– développement de stratégies, résolution de problèmes, méthodologie du travail intellectuel.

CENTRES D'EXPÉRIMENTATION:

– manipulation du matériel;

– activités plus ouvertes;

– apprentissage par le jeu;

– projets personnels;

– activités créées par les enfants;

– activités qui nécessitent une démarche ou des règles de fonctionnement.

CENTRES PORTATIFS:

– matériel rangé à un endroit précis;

– aucun aménagement particulier (l'élève apporte le centre à son bureau);

– possibilité de faire circuler plusieurs centres à la fois;

– *cependant*, ne peuvent contenir beaucoup de matériel à manipuler;

– demandent des activités pouvant se réaliser dans un espace restreint;

– il est nécessaire d'avoir plusieurs centres identiques à la disposition des élèves.

CENTRES DE TABLE:

– temporaires ou permanents;

– accueillent de deux à cinq élèves à la fois;

– peuvent contenir différentes activités;

– les activités sont exposées ainsi que le matériel nécessaire;

– *cependant*, demandent un certain réaménagement de la classe;

– demandent de l'espace.

CENTRES MURAUX:

– affichés sur des babillards;

– activités déposées dans des enveloppes, des pochettes épinglées au mur;

– activités se réalisant au bureau de l'élève;

– préférables pour des activités de courte durée ou pour des centres de formation;

– demandent peu d'espace;

– *cependant*, mettre les pochettes à la hauteur des enfants.

CHEVALETS:

– variation des centres muraux.

ISOLOIRS:

– pour les travaux individuels;

– grands cartons séparant une table.

CENTRES VOLANTS:

– suspendus au plafond (pôle de douche, cordes ou chaînes, etc.).

Source: Mireille et Rolande, de la commission scolaire Chomedey-de-Laval.

CENTRE D'ENRICHISSEMENT AMBULANT AU SECONDAIRE

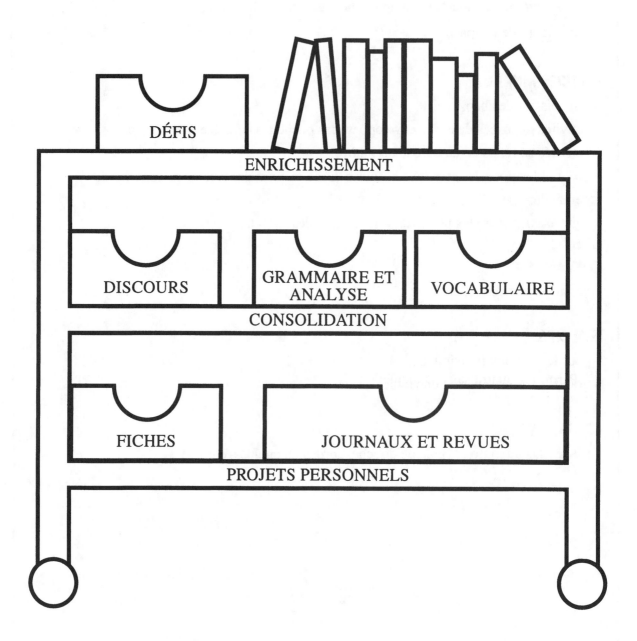

DÉFIS

ENRICHISSEMENT

DISCOURS

GRAMMAIRE ET ANALYSE

VOCABULAIRE

CONSOLIDATION

FICHES

JOURNAUX ET REVUES

PROJETS PERSONNELS

Source: Diane Modéry, enseignante de la commission scolaire Vallée-de-la-Lièvre, Buckingham.

ILLUSTRATIONS D'ACTIVITÉS OUVERTES EN ENRICHISSEMENT

L'activité ouverte est à recommander de façon particulière en enrichissement. Elle est différente de l'activité fermée, où tout est déterminé obligatoirement, sans la participation du sujet. Très souvent, celle-ci est orientée vers la recherche de la bonne réponse.

De par sa définition, l'activité ouverte permet à l'élève de déterminer en tout ou en partie les objectifs, les moyens et les modalités d'évaluation. Par contre, si l'activité est complètement ouverte, elle devient libre.

On peut reconnaître qu'une activité est ouverte à la lumière des caractéristiques suivantes:
1. l'activité est issue d'un problème à résoudre;
2. l'élève peut faire des choix;
3. l'élève a un rôle actif;
4. l'activité permet des apprentissages diversifiés;
5. l'activité fait appel à différents moyens d'expression;
6. l'activité peut être réussie par des enfants de différents niveaux d'habiletés;
7. l'activité permet aux enfants de dépasser le problème.

Source: Claude Paquette, Vers une pratique de la pédagogie ouverte, *Victoriaville, NHP, p.102.*

EXEMPLES D'ACTIVITÉS OUVERTES:

1. *Une potion magique*

   Durant la nuit, tu as avalé une potion magique. Tu te réveilles le matin et tu es alors un animal. Qui es-tu? Que fais-tu? Où es-tu? Que t'arrive-t-il? Écris, raconte ou dessine.

2. *Un message publicitaire*

   Parmi les quatre saisons, laquelle préfères-tu? Fais ton choix. Pense à des raisons qui justifient ce choix. Compose un message publicitaire où tu devras tenter de vendre ta saison préférée à tes camarades.

3. *Un personnage célèbre*

   Si on t'offrait la possibilité de devenir un personnage célèbre, qui choisirais-tu d'être? Que seraient ton style de vie, tes priorités? Où vivrais-tu? Quels changements apporterais-tu autour de toi? Écris, raconte ou dessine.

4. *Un village de formes*

   À partir des formes géométriques que tu connais, construis une maquette où l'on trouvera un village de formes. Tente d'utiliser le plus grand nombre de formes différentes que tu connais.

BANQUE DE PROJETS PERSONNELS

1. Participation à un concours offert dans les écoles.

2. Composition d'un texte, d'un article pour le journal de la classe ou de l'école.

3. Travail personnel sur une collection de timbres.

4. Rédaction d'un petit livre de bibliothèque.

5. Fabrication de jeux de lecture ou d'écriture pour des élèves plus jeunes.

6. Élaboration d'un recueil de poèmes.

7. Création d'une bande dessinée à message.

8. Construction d'une maquette en regard d'une matière.

9. Correspondance personnelle: lettre à une amie ou à un ami ou carte de souhaits pour une personne chère.

10. Activités manuelles: tricot, broderie, points de croix, crochet, macramé, etc.

11. Création d'un sketch, d'un monologue ou d'un jeu de rôles.

12. Planification d'une fête pour la classe, d'une sortie ou d'une journée de carnaval.

13. Recherche sur un thème personnel.

14. Préparation d'un préexamen pour les élèves de la classe.

15. Composition de mots croisés, de mots-mystères.

16. _____

GRILLE POUR PLANIFIER UN PROJET PERSONNEL
(POUR L'ÉLÈVE)

Nom de l'élève: _____

Titre du projet: _____

Date de départ: _____ Date d'arrivée: _____

Description du projet (Quoi?)

_____

_____

_____

Objectifs du projet (Pourquoi?)

_____

_____

_____

_____

À qui s'adresse le projet?

_____

Matériel et documentation nécessaires (Comment?)

_____

_____

_____

_____

Encadrement du projet dans le temps (Quand?)

_____

_____

_____

_____

PISTES D'OBJECTIVATION D'UN PROJET PERSONNEL

1. Ce projet m'a aidée ou aidé à mieux comprendre _____

   parce que _____

   _____

2. La chose qui m'a aidée ou aidé à comprendre, c'est _____

   _____

   _____

3. J'ai appris _____

   _____

   en faisant ce projet.

4. J'ai développé l'habileté à _____

   _____

   en faisant ce projet.

5. Ce travail est bien fait parce que _____

   _____

   _____

6. Ce que je changerais à ce travail pour l'améliorer est _____

   _____

   _____

7. J'aimerais travailler sur _____

   _____

   parce que _____

   _____

FICHE DE RÉINVESTISSEMENT D'UN PROJET PERSONNEL

1. Titre de l'activité ou du projet:

   _____

2. Responsable(s) de l'activité ou du projet:

   _____

   _____

3. Comment peux-tu améliorer ta production?

   _____

   _____

   _____

4. Comment peux-tu aller plus loin?

   _____

   _____

   _____

5. Qu'est-ce que tu souhaites faire?

   _____

   _____

   _____

6. Qu'est-ce que tu vas faire?

   _____

   _____

   _____

7. Mon prochain défi est:

   _____

   _____

8. Mon nouveau projet est:

   _____

6.10 UN AMÉNAGEMENT PHYSIQUE OUVERT À LA DIFFÉRENCE

(Un modèle à créer)

Contexte et utilité

La gestion des différences exige même que l'on revoie l'aménagement physique des classes. Les classes sont-elles aménagées en fonction de la participation des élèves ou en fonction des enseignantes qui donnent elles-mêmes le spectacle? Souvent, c'est un aspect qui fait peur, car changer l'aménagement physique de sa classe, c'est accepter de changer aussi ses habitudes personnelles et sa pratique quotidienne. C'est plonger dans l'insécurité, car non seulement on n'a pas de modèle sous les yeux, mais en plus, on intervient sans trop savoir comment vont réagir les élèves.

Dans ce domaine surtout, la politique des petits pas s'impose. L'aménagement se modifie et se construit avec les élèves au fur et à mesure que le leadership de l'enseignante devient de plus en plus confiant. Afin de réduire le taux d'insécurité rattaché à ce processus de changement, explorons quelques balises en matière d'aménagement.

Pistes d'utilisation

1. Détermine un outil organisationnel que tu désires introduire dans la classe pour favoriser la participation des élèves et la gestion des différences. (*Voir page 429.*)

2. Informe les élèves de ce changement et discute avec eux de la façon dont vous pourriez modifier l'aménagement de la classe à cette intention. Donne-toi une démarche d'aménagement. (*Voir page 430.*)

3. Vis dans ce nouvel aménagement et objective avec les élèves régulièrement.

4. Évalue, au besoin, et réajuste-toi.

5. Commence par des changements moins insécurisants. Donne-toi de l'assurance et des chances de réussite également.

6. Dès qu'un problème d'aménagement survient, rediscutes-en avec les élèves.

7. Demande de l'aide à des collègues pour effectuer certaines expériences d'aménagement. Des visions différentes permettent de trouver des solutions inexplorées.

COMPOSANTES DE L'AMÉNAGEMENT

1. Déplacer le bureau de l'enseignante.

2. Disposer les pupitres des élèves en îlots de travail.

Ce sont deux façons d'agrandir la classe de l'intérieur. Il faut chercher à récupérer de l'espace si l'on veut introduire les éléments suivants:

3. un pupitre d'autocorrection;

4. un tableau d'harmonie (référentiel disciplinaire);

5. un coin d'enrichissement où l'on trouvera:
   - un tableau d'enrichissement;
   - des ateliers d'enrichissement tels que sciences, jeux éducatifs, dessin et bricolage, salon de lecture, etc.;

6. une étagère ou une table pour la manipulation (exploration en mathématiques et en sciences);

7. des espaces de rangement;

8. une aire de rassemblement;

9. des espaces sur les murs pour afficher des référentiels à l'intention des élèves;

10. un atelier temporaire de consolidation (le contenu de l'atelier variant selon les besoins des élèves en difficulté);

11. un «coin-ordinateur», s'il y a lieu.

On pourrait même en arriver à modifier l'aménagement physique actuel pour introduire dans la classe des centres d'apprentissage en lecture, en écriture, en mathématiques, en sciences, en arts, etc. Ce serait, à ce moment, une nouvelle façon de gérer l'apprentissage, la consolidation et l'enrichissement.

Osez..., expérimentez..., objectivez et recommencez.

DÉMARCHE D'AMÉNAGEMENT

1. Situer d'abord l'avant de la classe par rapport au tableau qui sera utilisé pour les explications collectives aux élèves.

2. Localiser le bureau de l'enseignante de façon à ce qu'il ne prenne pas trop d'espace.

3. Situer le bureau de la ou du mini-prof (autocorrection).

4. Dégager à l'avant une aire de rassemblement.

5. Placer la table ou l'étagère qui servira à l'exploration et à la manipulation.

6. Déterminer où sera affiché le référentiel disciplinaire.

7. Regrouper les pupitres des élèves en îlots de travail.

8. Placer les référentiels nécessaires à la gestion du coin d'enrichissement à l'arrière de la classe.

9. Faire naître au besoin et progressivement les espaces nécessaires aux différents ateliers d'enrichissement.

10. Localiser vers l'avant ou les côtés avant de la classe un atelier de consolidation ou un centre d'apprentissage.

11. Prévoir des espaces sur les murs pour afficher les référents-matière, les démarches et les stratégies d'apprentissage («comment apprendre?»).

12. Déterminer aussi des endroits d'affichage à caractère plus technique, où l'élève pourra repérer facilement les renseignements nécessaires à la vie de la classe:
    • tableau de devoirs et de leçons;
    • coin des anniversaires;
    • calendriers et météo;
    • coin «nouvelles de l'actualité»;
    • horaire de la semaine ou du cycle;
    • menu de la journée;
    • plan de travail indiquant «Ce que je dois faire»;
    • tableau d'enrichissement indiquant «Ce que je peux faire»;
    • tableau d'affichage pour «Nos réalisations» ou «Nos œuvres» ou «Nos productions».

La permanence de ces endroits d'affichage, l'ordre de l'affichage et l'aspect esthétique pour l'œil sont des composantes favorisant l'efficacité de ces référentiels visuels à l'intention des élèves.

Consignes particulières:
• Utiliser le mobilier existant.
• Penser à des façons différentes de placer étagères, classeur et tables.
• Essayer de perdre le moins d'espace possible.
• Ne pas oublier l'aspect fonctionnel des divers éléments.
• Se rappeler que les zones silencieuses devraient être éloignées des zones bruyantes.
• Des pupitres supplémentaires d'élèves peuvent devenir à la fois des aires d'ateliers et de rangement.

QUELQUES VARIANTES AU SUJET DES ÎLOTS DE TRAVAIL

Îlot de 2

13 îlots de 2
26 élèves

Îlot de 3

9 îlots de 3
27 élèves

Îlot de 4

6 îlots de 4
24 élèves

ÎLOTS PLACÉS SELON DES FORMES SPÉCIALES

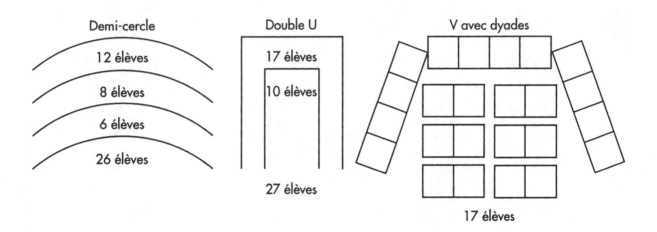

Demi-cercle

12 élèves

8 élèves

6 élèves

26 élèves

Double U

17 élèves

10 élèves

27 élèves

V avec dyades

17 élèves

ÎLOTS OÙ L'ON A COMBINÉ DES REGROUPEMENTS DIFFÉRENTS

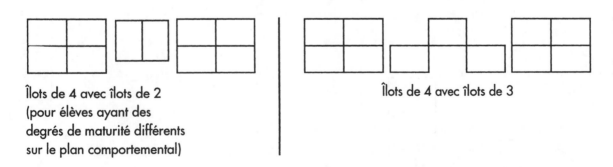

Îlots de 4 avec îlots de 2
(pour élèves ayant des
degrés de maturité différents
sur le plan comportemental)

Îlots de 4 avec îlots de 3

AMÉNAGEMENT PHYSIQUE D'UNE CLASSE DE PREMIER CYCLE DU PRIMAIRE

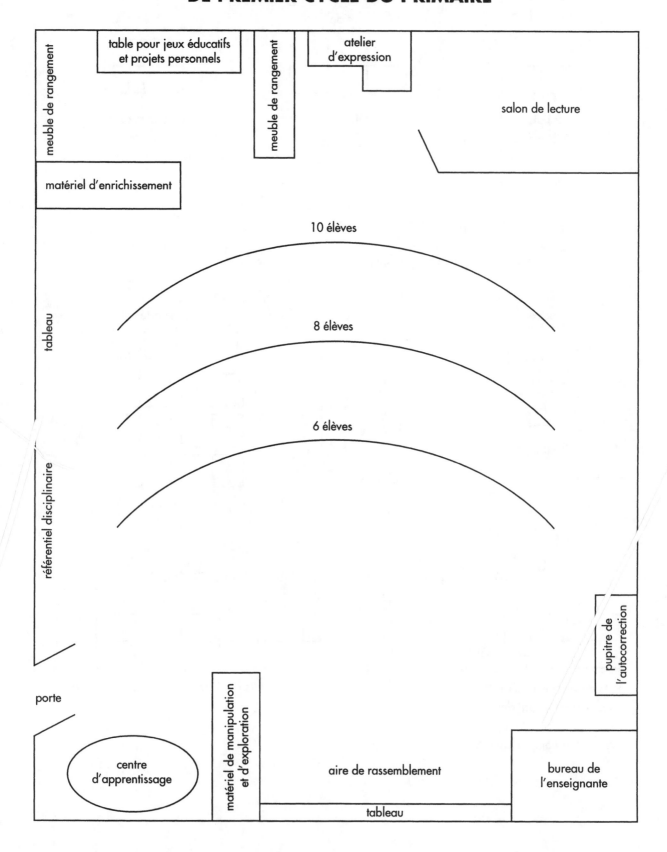

AMÉNAGEMENT PHYSIQUE D'UNE CLASSE DE SECOND CYCLE DU PRIMAIRE

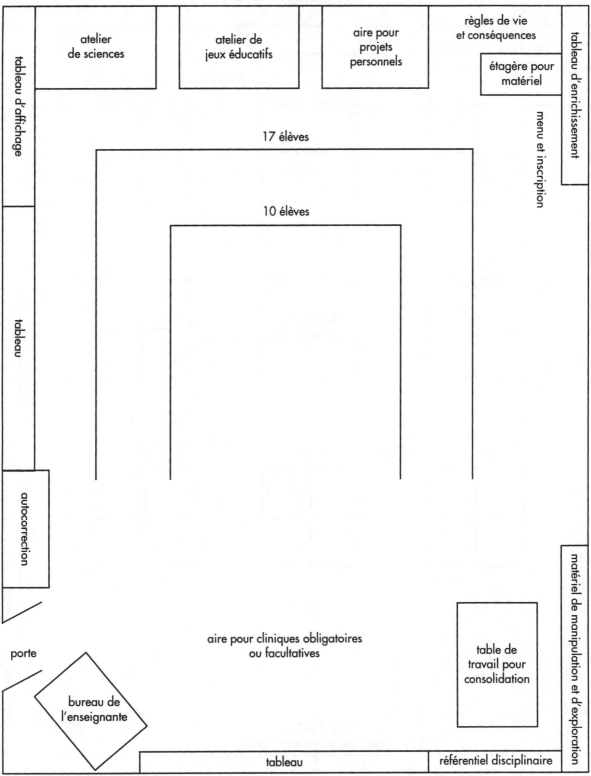

AMÉNAGEMENT PHYSIQUE D'UNE CLASSE DE 5ᴱ SECONDAIRE
MATIÈRE: ANGLAIS (32 ÉLÈVES)

tableau

îlot de 4   îlot de 4   îlot de 4

porte

îlot de 4   bureau de l'enseignante   îlot de 4

tableau

îlot de 4   îlot de 4   îlot de 4

tableau d'enrichissement

aire d'ateliers
(pupitres individuels d'élèves)

étagère pour jeux éducatifs

étagère pour revues et livres

Conclusion

Construire un modèle participatif

Tous les rêves peuvent devenir des réalités si nous avons le courage d'en faire des objectifs.

(Walt Disney)

Mettre en place dans sa classe une gestion participative est un projet dynamisant. Il suscite des énergies nouvelles, mais il exige aussi du temps, de la patience et des efforts. Mon histoire personnelle en est une preuve évidente.

Ce projet de croissance personnelle a d'abord été pour moi une affaire de cœur. Je m'y suis engagée parce que j'y croyais, parce que la qualité de ma relation avec mes élèves et leur épanouissement me tenaient à cœur. J'ai vécu des doutes, des peurs, des difficultés. Des critiques sont parfois venues assombrir ma route. Mais plus fortes que tout, la passion et la détermination m'ont forcée à continuer. J'étais engagée dans un défi, prête à revoir mes valeurs, à questionner mes attitudes, mes habitudes et ma pratique quotidienne. Mon «vouloir» soutenait constamment mon désir de changement.

Si le cœur y avait une grande place, ma tête n'était pas absente du processus. Je me suis informée, j'ai lu, j'ai discuté avec des collègues, j'ai visité des classes de différentes «couleurs pédagogiques». J'ai demandé des conseils, j'ai sollicité des avis, j'ai participé à des congrès. Bref, je me suis donné un perfectionnement continu et personnalisé. Je n'ai rien négligé pour acquérir les connaissances théoriques et pratiques dont j'avais besoin. J'étais constamment en état de désir de recréer mon «savoir» par rapport à mon intervention comme pédagogue. Ce faisant, je me suis donné du «pouvoir» afin de développer et d'expérimenter un nouveau «savoir-faire».

Pendant un certain temps, et malgré mon expérience antérieure, j'ai accepté d'être en apprentissage. Je ne pouvais pas d'un seul coup contrôler toutes les nouvelles données que je découvrais. J'ai donc vécu avec mes élèves dans un climat où les essais et les erreurs avaient leur place. J'y ai connu l'insécurité, mais aussi cette joie du cœur qui naît avec la découverte, la complicité des élèves, la satisfaction de la réussite. Progressivement, mon leadership est devenu plus confiant, j'ai découvert de nouvelles facettes de mon potentiel et de celui de mes élèves. Je me suis vue capable de relever le défi de donner plus de place à l'apprenant dans ma classe.

Tout au long de ce cheminement, j'ai senti le besoin d'être accompagnée pédagogiquement, dans ma classe, dans mon école et dans ma commission scolaire. J'ai eu la chance de rencontrer de véritables personnes-ressources qui m'ont aidée à questionner et à améliorer la qualité de mes interventions pédagogiques. J'ai connu des directions d'école qui m'ont manifesté leur confiance et m'ont laissé la marge de manœuvre nécessaire à l'amélioration de mon «agir pédagogique». Elles ont accepté les risques que je prenais, elles ont accueilli mon fonctionnement différent, elles ont endossé, à l'occasion, le sérieux et l'efficacité de ma nouvelle pédagogie. Ma commission scolaire a, elle aussi, fait preuve d'ouverture au changement, à l'innovation pédagogique et à l'expérimentation personnelle. Ce support y est pour beaucoup dans ce que je suis actuellement.

Après une vingtaine d'années inoubliables dans l'enseignement, j'ai voulu relever un autre défi: sortir des limites de ma classe et aider d'autres enseignantes à articuler dans leur classe une gestion plus participative. C'est ainsi que, depuis sept ans, j'ai rencontré des dizaines, des centaines, des milliers de praticiens. J'ai décodé leurs interrogations, leurs inquiétudes, leur désarroi, leur insécurité. J'ai entendu leurs attentes et leur motivation. J'ai senti chez eux un désir profond d'améliorer leur compétence pédagogique. Je peux dire que maintenant, plus que jamais, les enseignantes veulent s'habiliter à rendre responsables les apprenants dans leur classe et à gérer les différences. Mais elles ne savent pas comment s'y prendre, elles ignorent le premier geste à poser pour rendre à l'élève sa vraie place dans la classe. En lien avec cette méconnaissance des outils à mettre en place, on trouve aussi, parfois, une image négative d'elles-mêmes, un manque de confiance en leur professionnalisme, des doutes face à la compréhension des parents et de la société en général. En fait, cette insécurité est compréhensible, tout a changé très vite dans le monde où nous vivons.

La clientèle a changé. Les élèves ne sont plus ce qu'ils étaient, il y a seulement dix ans. Ils sont à la fois plus ouverts et plus instables, plus créatifs et plus fragiles émotivement. L'école doit s'adapter à eux, trouver de nouvelles avenues pour les rejoindre et les accompagner dans leur cheminement.

Les programmes d'études aussi ont changé. Ils mettent davantage l'accent sur le développement d'habiletés et d'attitudes qui ne peuvent s'acquérir que dans la participation de l'élève au processus d'apprentissage.

Les attentes des parents et de la société sont de plus en plus grandes. À un moment où la famille tremble sur ses bases, on attend de l'école qu'elle prenne le relais. On lui demande d'être à la fois gardienne et formatrice, éveilleuse de talents et stimulatrice de hautes performances. Pourtant les ressources matérielles, financières et humaines, elles, n'ont pas suivi. Le temps de classe n'est pas plus long. Il faut faire mieux avec de moins en moins de moyens.

La perception sociale de la profession a changé elle aussi. Jadis personnage honorable du village ou du quartier, l'enseignante doit aujourd'hui faire ses preuves et sa place. Son travail est souvent incompris, sous-évalué. On oublie trop facilement que c'est dans sa classe que se forment les citoyens de demain.

Parallèlement, les enseignantes ne trouvent pas toujours dans leur milieu les stimulants nécessaires à la motivation et au perfectionnement. Elles reçoivent peu de rétroactions positives, les contraintes administratives sont lourdes, les structures sont parfois déshumanisantes. Elles auraient besoin d'être elles-mêmes partie prenante d'un projet pédagogique qui rallume la flamme de leur enthousiasme ou protège tout au moins leur ferveur première. Elles réclament une structure organisationnelle soucieuse de leur vécu, de leurs besoins, de leurs attentes, de leurs préoccupations et de leurs différences. Elles réclament un élargissement, à leur niveau, du modèle participatif. Elles ont la conviction que ce modèle, qui produit de si bons résultats en classe, devrait aussi être utilisé pour gérer les relations entre enseignantes et direction d'école, entre enseignantes, direction d'école et commission scolaire.

Développer un modèle participatif dans une école ou une commission scolaire suppose l'engagement des enseignantes autant au niveau pédagogique qu'organisationnel. Il s'agit de «faire ensemble», d'établir ensemble le projet éducatif, les orientations, les objectifs, les priorités, les politiques, les procédures, les règlements, les plans d'action. Et que dire de la supervision pédagogique et du perfectionnement…

Ce dernier volet mérite une attention particulière. Comment est-il traité actuellement: Les besoins des enseignantes en sont-ils le point de départ? Les enseignantes sont-elles consultées à partir d'un cadre de référence sur l'apprentissage et l'enseignement? Établit-on avec elles un scénario de perfectionnement échelonné sur deux ou trois ans? Le perfectionnement est-il obligatoire pour tout le monde? Offre-t-on des choix? Y a-t-il une véritable gestion des différences dans le perfectionnement? Peut-il être vécu avec des moyens différents: journées collectives de théorie, chantiers pédagogiques en sous-groupes pour l'élaboration d'outils et de matériel, dyades pédagogiques naturelles et permanentes, suivis individuels dans la classe, échanges et supervision synergiques, projets personnels ou projets d'équipes? Les tâches et les fonctions des conseillers ont-elles été révisées? Où est leur place: dans les écoles et les classes ou dans les centres administratifs? Doivent-ils être des spécialistes de matières ou d'apprentissage? Y a-t-il dans les écoles ou les commissions scolaires des équipes de ressourcement pédagogique? Sont-elles constituées d'enseignantes expérimentées et motivées à partager leur expérience?

Toutes ces questions peuvent servir de pistes d'action et de réflexion. Elles peuvent guider une commission scolaire ou une école désireuses de se donner en modèle à son personnel. Sinon, comment inciter les enseignantes à développer une gestion de classe participative ou un modèle de planification transdisciplinaire? Il y a une incohérence à maintenir l'absolutisme du pouvoir et à cloisonner ou morceler le perfectionnement. Il y a encore incohérence à proposer aux enseignantes des activités de perfectionnement juxtaposées les unes aux autres. Les enseignantes savent-elles d'où elles partent en matière de perfectionnement? Connaissent-elles leurs forces et leurs faiblesses? Les a-t-on placées en projet? Sont-elles au courant des finalités du perfectionnement? Sont-elles en mesure de visualiser l'écart qui existe entre leur situation de départ et la situation souhaitée?

Si on veut être cohérent avec le modèle participatif, il faudra aussi lancer des ponts vers les parents. Il n'est plus possible d'accepter que l'école et la famille continuent de s'éloigner l'une de l'autre. Pour dépasser les peurs qui existent des deux côtés, pour donner un lieu d'expression aux critiques et aux attentes réciproques, pour mettre en œuvre un nouveau «comment faire?» dans les relations parents-école, il faut pouvoir proposer aux parents un partenariat sérieux. Tout est à inventer ici, mais le modèle participatif peut offrir un cadre solide pour instaurer une participation sans laquelle l'éducation risque d'être bancale.

Enfin, c'est aux universités qu'il faudrait proposer le modèle participatif. Comment peuvent-elles espérer répondre aux besoins de formation des enseignantes de l'an 2000 si elles méconnaissent les besoins et les acquis des milieux scolaires d'aujourd'hui? Les deux parties sont-elles prêtes à objectiver leur pratique, sans jugement, sans condamnation? Les universités reconnaissent-elles aux employeurs le droit d'évaluer le contenu du curriculum et d'ainsi valider la qualité de la formation donnée? Leur donnent-elles le droit de signaler les points à améliorer, les points à conserver? Les deux parties sont-elles ouvertes à la création d'une alliance de travail avec les praticiens, dans certains cours touchant le vécu de la classe? Y a-t-il des deux côtés une ouverture qui permette la remise en question non seulement du «quoi faire?», mais du «comment faire?»?

On le voit, si le modèle participatif peut prendre naissance dans la classe, il doit, pour jouer pleinement son rôle, déborder le cadre de la classe. L'école, la commission scolaire, les parents, les universités auraient tout intérêt à se laisser toucher par le mouvement. Le modèle participatif est un excellent moyen pour rassembler, unifier toutes les forces autour d'un même projet, la formation des enfants de l'an 2000. Le défi est de taille. Mais il peut permettre d'atteindre ce à quoi nous rêvons tous et qui est bien exprimé dans cette parole de la juge Andrée Ruffo: «L'éducation ne se mesure pas en notes de passage, en examens objectifs ou en diplômes. Il nous faut voir au-delà des diplômes pour concevoir l'éducation comme un processus d'apprentissage global qui enrichit l'humain dans sa quête de lui-même.»

Ce guide n'est pas seulement un outil de travail. Il se veut aussi le témoignage de mes trente-quatre années d'éducation et d'enseignement. Avant que le rideau ne tombe sur la scène de ma carrière de pédagogue, j'ai voulu laisser une trace écrite de ma pratique quotidienne. Je souhaite ardemment que les enseignantes y trouvent une nourriture pour leur expérience, un soutien pour l'enthousiasme de leurs débuts et un moteur pour un nouveau départ.

Au terme de cette entreprise de re-saisie de mon expérience et d'écriture, mon vœu le plus cher est que d'autres enseignantes imitent ma démarche. Qu'à leur tour, elles objectivent leur pratique et la fassent connaître autour d'elles. Ce partage d'expériences et de connaissances est essentiel dans le modèle participatif. Il conduit chacun à ouvrir la porte de sa classe pour l'échange, à écrire ses réussites, à accepter de devenir membre actif des projets de formation dans le milieu scolaire. Tout est possible quand on est habité par la passion d'accueillir l'enfant tel qu'il est, de l'accompagner en alimentant son désir de découvrir, de l'inviter à relever des défis et à se dépasser. Mais il faut, pour cela, que l'adulte accepte de partager, avec l'enfant, son propre plaisir d'apprendre à travers son plaisir d'enseigner.

Vivre avec l'élève...

Écouter ses états d'âme,
lester son estime de soi,
encourager son rêve,
Valider son cheminement,
enthousiasmer sa vie,

Écouter ses besoins,
légitimer ses attentes,
encourager ses efforts,
Vanter ses réussites,
évaluer ses progrès.

JEAN-CLAUDE LINDSAY
directeur général,
commission scolaire du Lac-Saint-Jean

Bibliographie

ANGERS, Pierre, BOUCHARD, Colette *La mise en œuvre du projet d'intégration*, Montréal, Bellarmin, coll. «L'activité éducative — Une théorie, une pratique», 1984.

ANGERS, Pierre, BOUCHARD, Colette. *L'animation de la vie de la classe*, Montréal, Bellarmin, coll. «L'activité éducative — Une théorie, une pratique», 1993.

ARCHAMBAULT, Jean, DOYON, Monique. *Apprendre, ça s'apprend! La méthodologie du travail intellectuel*, Montréal, CECM, 1988.

ARCHAMBAULT, Jean, DOYON, Monique. *Du feed-back pour apprendre. Comment aider l'élève à obtenir plus de feed-back pédagogique?*, Montréal, CECM, 1986.

ARCHAMBAULT, Jean, DOYON, Monique. *Éloge et approbation. Guide d'application du renforcement social en classe*, Montréal, CECM, 1986.

ARCHAMBAULT, Jean, GAGNÉ, Marie-Patricia, OUELLET, Georges. *Réussir à l'école. Guide méthodologique de la démarche d'amélioration du rendement scolaire*, Montréal, CECM, 1986.

ARCHAMBAULT, Jean, PILON, Nicole. *Mais qu'est-ce qui peut bien démotiver l'élève? Un guide de motivation à l'intention des écoles primaires*, Montréal, CECM, 1985.

BÉGIN, Christian. *Devenir efficace dans ses études*, Montréal, Beauchemin, coll. «Agora», 1992.

BERGERON, Andrée, PILON, Lise, PLANTE, Mireille, ST-HILAIRE, Lucie, avec la collaboration de Sonia LAPORTE. *L'aménagement de la classe en pédagogie ouverte*, cahier n° 6, Victoriaville, NHP, coll. «Outils pour une pédagogie ouverte», 1985.

BÉRUBÉ, Ghislaine, TREMBLAY, Ginette. *Une démarche d'autodéveloppement en pédagogie ouverte*, cahier n° 5, Victoriaville, NHP, coll. «Outils pour une pédagogie ouverte», 1985.

BLAIS, Michel, DION, Marie-Andrée. *Éduquer ensemble. Guide pédagogique sur le suivi personnel et scolaire des élèves*, Saint-Jean-sur-Richelieu, Commission scolaire Saint-Jean-sur-Richelieu, 1992.

BOILY, Pierre-Yves. *Le plaisir d'enseigner*, Montréal, Stanké, 1990.

BOURGET, Denis. *La théorie des talents multiples dans une pédagogie ouverte*, cahier n° 12, Victoriaville, NHP, coll. «Outils pour une pédagogie ouverte», 1985.

BROUSSEAU-DESCHAMPS, Muriel. *L'ordinateur, pour faciliter votre gestion de classe!*, Saint-Eustache, Commission scolaire des Mille-Îles, 1992.

CARON, Jacqueline, LEPAGE, Ernestine. *Vers un apprentissage authentique de la mathématique*, cahier n° 10, Victoriaville, NHP, coll. «Outils pour une pédagogie ouverte», 1985.

CATTAN, Geneviève, GARANDERIE, Antoine de la. *Tous les enfants peuvent réussir*, Paris, Centurion, 1988.

CIF (équipe du). *Activités ouvertes d'apprentissage*, cahier n° 4, Victoriaville, NHP, coll. «Outils pour une pédagogie ouverte», 1977.

CLARKE, Judy, EADIE, Susan, WIDEMAN, Ron. *Apprenons ensemble. L'apprentissage coopératif en groupes restreints*, Montréal, Éditions de la Chenelière, 1992.

COMMISSION SCOLAIRE DES MANOIRS. *Les parents et vous: garder le lien! Comment établir une communication positive et efficace entre les familles et l'école?*, Terrebonne, Commission scolaire des Manoirs, 1990.

COMMISSION SCOLAIRE LA NEIGETTE. *Quand la bibliothèque s'anime. Guide pédagogique pour l'animation du livre de bibliothèque* (Modules 1 à 5 destinés au préscolaire et au primaire de la 1re à la 5e année), Rimouski, Commission scolaire La Neigette, 1990.

CONSEIL SUPÉRIEUR DE L'ÉDUCATION. *Les enfants du primaire* (Avis au ministre de l'Éducation), Québec, Direction des communications du Conseil supérieur de l'éducation, 1989.

CONSEIL SUPÉRIEUR DE L'ÉDUCATION. *Une pédagogie pour demain à l'école primaire* (Avis au ministre de l'Éducation), Québec, Direction des communications du Conseil supérieur de l'éducation, 1991.

CÔTÉ, Charles. *La discipline en classe et à l'école*, Montréal, Guérin, 1992.

CÔTÉ, Raoul. *La discipline scolaire: une réalité à affirmer*, Montréal, Agence d'arc, 1989.

DOYON, Cyril, JUNEAU, Raynald. *Faire participer l'élève à l'évaluation de ses apprentissages*, Montréal, Beauchemin, coll. «Agora», 1991.

ELBAZ, Freema, HENSLER MÉHU, Hélène, RAYMOND, Danielle. *Analyse comparative et critique des nouveaux programmes d'études du primaire*, Sherbrooke, Faculté d'éducation de l'Université de Sherbrooke, 1986.

ÉQUIPE PROVINCIALE D'INTERVENANTES AU PRÉSCOLAIRE. *Dès le préscolaire... Recueil d'outils de gestion de classe*, Québec, Ministère de l'Éducation, Direction générale des programmes, 1992.

FREGIT, Eva D. *C'est lui a commencé le premier. Activités d'entraînement au choix, à l'autodiscipline, à la responsabilité et à l'estime de soi*, Centre d'intégration de la personne, 1984.

GAUDREAU, Pierrette. *Le savoir-apprendre: 1er cycle du primaire — 2e cycle du primaire* (Méthodologie du travail intellectuel et développement d'habiletés fondamentales), Aylmer, Commission scolaire d'Aylmer, 1992.

GORDON, Dr Thomas. *Enseignants efficaces. Enseigner et être soi-même*, traduit de l'américain par Luc-Bernard Lalanne, Montréal, Éditions du jour, coll. «Actualisation», 1979.

HUARD, Conrad. «Un essai d'objectivation d'un intervenant en milieu scolaire», *Instantanés mathématiques*, septembre 1985.

LAFERRIÈRE, Thérèse, PARÉ, André. *Inventaire des habiletés nécessaires dans l'enseignement au primaire*, Sainte-Foy, Centre d'intégration de la personne de Québec, 1985.

LECOMPTE, Claudette. *L'école par le jeu*, Montréal, ERPI, 1982.

LEGAULT, Jean-Pierre. *La gestion disciplinaire de la classe*, Montréal, Éditions Logiques, 1993.

LEGENDRE, Renald. *Dictionnaire actuel de l'éducation*, 2e édition, Montréal, Guérin, Paris, ESKA, coll. «Éducation 2000», 1993.

LEPAGE, Ernestine. *La formation des concepts en mathématique. De la théorie à la pratique*, Rimouski, Greme, coll. «L'Une», monographie n° 21 déposée au département des sciences de l'éducation de l'UQAR, 1984.

LEROY-MEINER, Aline, OUELLET, Georges. *L'organisation fonctionnelle de la classe*, Montréal, CECM, 1986.

MEIRIEU, Philippe. *Apprendre... Oui, mais comment*, 8ᵉ édition, Lyon, ESF, coll. «Pédagogies», 1991.

MINISTÈRE DE L'ÉDUCATION DU QUÉBEC. *Auto-appréciation sur les pratiques administratives et pédagogiques* (Questionnaire aux directions d'école), Québec, MÉQ.

MINISTÈRE DE L'ÉDUCATION DU QUÉBEC. *Auto-appréciation sur les pratiques pédagogiques* (Questionnaire aux enseignantes et aux enseignants), Québec, MÉQ, Direction générale du développement pédagogique.

MINISTÈRE DE L'ÉDUCATION DU QUÉBEC. *Auto-supervision pédagogique* (Guide), Abitibi — Témiscamingue, Direction régionale du MÉQ en Abitibi — Témiscamingue, 1987.

MINISTÈRE DE L'ÉDUCATION DU QUÉBEC. *Formation personnelle et sociale* (Programme d'études au primaire), Québec, Direction générale du développement pédagogique, Division de la formation générale, 1984.

MINISTÈRE DE L'ÉDUCATION DU QUÉBEC. *Français* (Programme d'études du primaire), Québec, Direction des programmes, service du primaire, 1993.

MINISTÈRE DE L'ÉDUCATION DU QUÉBEC. *Sciences humaines. Histoire, géographie, vie économique et culturelle* (Programme d'études au primaire), Québec, Direction des programmes, Service du primaire, octobre 1981.

PAQUETTE, Claude. *Analyse de ses valeurs personnelles. S'analyser pour mieux décider*, Montréal, Québec/Amérique, coll. «CIF Autodéveloppement», 1982.

PAQUETTE, Claude. *Pédagogie ouverte et interactive* (2 tomes: 1. *L'approche*; 2. *Démarches et outils*), Montréal, Québec / Amérique, 1992.

PAQUETTE, Claude. *Techniques sociométriques et pratique pédagogique*, Victoriaville, NHP, 1975.

PARÉ, André. *Créativité et pédagogie ouverte* (3 volumes), Victoriaville, NHP, 1977.

POLLISHUKE, Mindy, SCHWARTZ, Susan. *Construire une classe axée sur l'enfant*, Montréal, Éditions de la Chenelière, 1992.

PORTELANCE, Colette. *Relation d'aide et d'amour de soi. L'approche non directive créative en psychologie et en pédagogie*, Montréal, Éditions du Cram, 1991.

SAINT-ONGE, Michel. *Moi j'enseigne, mais eux apprennent-ils?*, Montréal, Beauchemin, coll. «Agora», 1992.

TARDIF, Jacques. *Pour un enseignement stratégique. L'approche de la psychologie cognitive*, Montréal, Éditions Logiques, 1992.

Table des outils

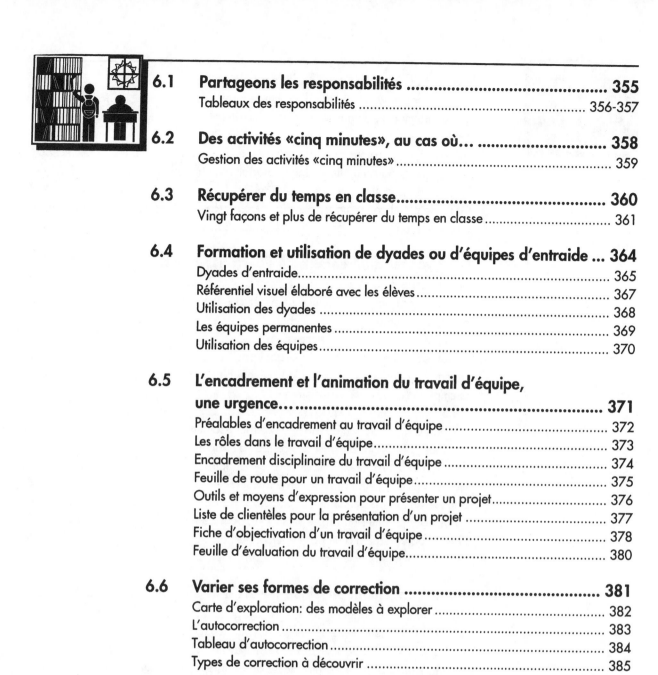

Autres titres

GESTION DE CLASSE

À livres ouverts
Activités de lecture pour les élèves du primaire

Debbie Sturgeon
2-89310-160-7

Être prof, moi j'aime ça!
Les saisons d'une démarche de croissance
  pédagogique

L. Arpin, L. Capra

2-89310-198-4

Construire une classe axée sur l'enfant

S. Schwartz, M. Pollishuke
2-89310-049-X

Apprendre… c'est un beau jeu

M. Baulu-MacWillie, R. Samson
2-89310-038-4

Vidéocassette

2-89310-038-4-V

APPRENTISSAGE COOPÉRATIF

Le travail de groupe
Stratégies d'enseignement pour la classe hétérogène

Elizabeth G. Cohen
2-89310-206-9

Le conseil de coopération

Danielle Jasmin
2-89310-200-X

Vidéocassette

2-89310-200-X-V

Apprenons ensemble
L'apprentissage coopératif en groupes restreints

Judy Clarke et coll.
2-89310-048-1

MATHÉMATIQUES

La pensée critique en mathématiques
Guide d'activités

Anita Harnadek
2-89310-201-8

Les mathématiques selon les normes du NCTM 9e à 12e année
  Un programme qui compte pour tous
  Analyse de données et statistiques
  Intégrer les mathématiques
  Géométrie sous tous les angles

2-89310-202-6
2-89310-204-2
2-89310-203-4
2-89310-205-0

Interactions 1 et 2
Les mathématiques et la littérature pour enfants

J. Hope, M. Small
2-89310-183-6

Interactions 3 et 4
Les mathématiques et la littérature pour enfants

J. Hope, M. Small
2-89310-192-5

SCIENCES, TECHNOLOGIE ET ENVIRONNEMENT

Question d'expérience
David Rowlands
Activités de résolution de problèmes en sciences et en technologie
2-89310-169-0

L'éducation technologique
Daniel Hupé
Guide pédagogique
2-89310-207-7

La classe verte
Adrienne Mason
2-89310-072-4

INTERCULTURALISME

Nous, on se ressemble
S. Bédard, M. Coutu-Cardin
Ensemble 1er cycle
2-89310-195-X
Ensemble 2e cycle
2-89310-196-8

La classe interculturelle
Cindy Bailey
Guide d'activités et de sensibilisation
2-89310-153-4

ÉVALUATION

Construire la réussite
R. J. Cornfield et coll.
L'évaluation comme outil d'intervention
2-89310-071-6

Faire parler les mots
William T. Fagan
Guide d'exploitation et guide d'évaluation
2-89310-115-1

ADMINISTRATION SCOLAIRE

L'approche-service appliquée à l'école
Claude Quirion
Une gestion centrée sur les personnes
2-89310-237-9

**POUR PLUS DE RENSEIGNEMENTS OU POUR COMMANDER,
COMMUNIQUEZ AVEC NOTRE SERVICE À LA CLIENTÈLE
AU (514) 273-1066**

Les Éditions de la Chenelière inc.
7001, boul. Saint-Laurent
Montréal (Québec)
Canada H2S 3E3
Téléphone: (514) 273-1066
Télécopieur: (514) 276-0324
info@cheneliere.ca